¡BRAVO! 1A

TRACY D. TERRELL

ELÍAS MIGUEL MUÑOZ

LINDA PAULUS

MARY B. ROGERS

BARBARA SNYDER

EDUARDO CABRERA

KATHLEEN L. KIRK

McDougal, Littell & Company

Evanston, Illinois

Dallas Phoenix Columbia, SC

ISBN 0-8123-8694-9

1 2 3 4 5 6 7 8 9 10 – VJM – 99 98 97 96 95 94

Cover illustration: Cut paper technique by John Clementson

Illustrators: Jennifer Bolton, Stan Fleming, Tuko Fujisaki, Lori Heckelman, Joe LeMonnier, Shelley Matheis, Redondo, Dorothea Sierra, Joel Snyder, Ron Zalme, and Jerry Zimmerman.

Grateful acknowledgment is made for use of the following:

Photographs: Unless noted otherwise below, Argentina, Costa Rica, Mexico, and Peru photographs taken by Stuart Cohen. Puerto Rico, Spain, and Venezuela photographs taken by Beryl Goldberg.

Page 65 © 1990 Foundation for Advancements in Science and Education; *99* © Frank Tapia; *109, 111* Courtesy of Amigos de las Americas; *112* © Beryl Goldberg; *123* Fernando Botero, *Family*, 1989, oil on canvas, 95 × 76¾ (241 × 195 cm). Courtesy of Fondation Pierre Gianadda Martigny © Fernando Botero/VAGA, New York 1994; *159* © AP/Wide World Photos; *189* © NYT Pictures; *193 (left)* © John Elk III, 1983/Stock Boston; *(right)* © Joe Sohm/Image Works; *194 (top right)* © Everton/Image Works; *(bottom left)* © Granitsas/Image Works; *(bottom right)* © Lisa Law/Image Works; *208 (bottom left)* © Odyssey/Frerck/Chicago; *209, 210* © Beryl Goldberg; *221 (bottom)* © Stuart Cohen/Comstock; *228* © Duomo, 1991; *237* © Stuart Cohen; *244* © *BMG* International; *252* © R. Sanevine Hi/*DDB* Stock Photo; *259 (top left)* © Odyssey/Frerck/Chicago; *(top right)* © Kal Muller/Woodfin Camp and Associates, Inc.; *(bottom left)* © Suzanne Murphy/*DDB* Stock Photo; *(bottom right)* © Arturo Encinas, Courtesy of Secretaría Municipal de Turismo, San Carlos de Bariloche, Provincia de Río Negro, Argentina; *260* © Beryl Goldberg; *267* © Stuart Cohen; *269* © Leo de Wys, Inc.; *271* © Bob Daemmrich/Image Works, Inc.; *272 (top right)* © Leonard Lee Rue III/Animals Animals; *(bottom left)* Salvador Dali, Spanish, 1904–1989, *Mae West*, gouache over photographic print, © 1934, 28.3 × 17.8 cm, Gift of Mrs. Gilbert W. Chapman in memory of Charles B. Goodspeed, 1949. Photograph courtesy of The Art Institute of Chicago; *(bottom right)* © 1994 Demart Pro Arte, Geneva / Artists Rights Society (ARS), New York.

Realia: *Page 5* © *Buenhogar*, Editorial América, S.A.; *31* © Quino/Quipos; *55* © FM Globo 105 MH2; *82* © *Lecturas*, Ediciones Hymsa; *87* TM & © 1993 Archie Comic Publications, Inc. All rights reserved.; *117* © Quino/Quipos; *122* © *Semana*; *135* © *Tú*, Editorial América, S.A.; *136 (bottom right)* Reprinted with permission of Darryl H. Powell, M.D., brother-in-law to Angelica Plá; *143* © Quino/Quipos; *183* © El Colegio Congregación Mita; *188* © *Monóxido 16*, *Cambio 16*; *202* © Suiza Dairy Corporation, de las mejores... la mayor; *(right)* © Distribuidora Lumen; *222 (top)* © *Diario 16*, May 5, 1993; *(bottom)* © WMDD, 1480 AM; *223 (right)* Special thanks to Flexercise Aerobics, Dance, and Fitness Center; *237 (top)* © By courtesy of BMG Ariola Spain; *249* © Quino/Quipos; *253 (left)* © Colección Burundis, Altecard S.A. de C.V.; *(right)* Artwork and editorial: © Gibson Greetings, Inc. Reprinted with permission of Gibson Greetings, Inc., Cincinnati, Ohio USA 45237. All rights reserved.; *257* © *Diario ABC*, Madrid.

ABOUT THE AUTHORS

Before his death, **Tracy D. Terrell** was a Professor of Spanish at the University of California, San Diego. He received his Ph.D. in Spanish Linguistics from the University of Texas at Austin and published extensively in the area of Spanish dialectology. Dr. Terrell's publications on second-language acquisition and the Natural Approach are widely known in the United States and abroad, as are his Natural Approach college-level textbooks, including *Dos mundos, Deux mondes*, and *Kontakte*.

Elías Miguel Muñoz has a Ph.D. in Spanish from the University of California, Irvine, where he studied under and worked with Tracy Terrell. He is a widely published Cuban-American poet, fiction author, and literary critic as well as a coauthor, with Terrell, of the college-level Natural Approach text *Dos mundos*. Dr. Muñoz has taught Spanish and Latin American literature at the university level.

Linda Paulus received her B.A. in Spanish, with a concentration in Teaching ESL/Foreign Languages, from the University of California, Irvine, where she studied under Tracy Terrell. She has taught English as a Second Language, English as a Foreign Language, elementary bilingual courses, and high school Spanish; she is currently teaching Spanish at Mundelein High School. Ms. Paulus has given numerous presentations at national, regional, and state conferences, and she is currently working on an M.A. in Latin American Studies.

Mary B. Rogers holds an A.B. and M.A.T. in French from Vanderbilt University. She teaches French and second-language pedagogy and supervises student teachers at Friends University (Kansas) and is a coauthor, with Terrell, of the college-level Natural Approach text *Deux mondes*. Ms. Rogers has been a certified tester for the ACTFL oral proficiency interview and has given numerous workshops and presentations in the area of foreign language teaching.

Barbara Snyder received her Ph.D. in Foreign Language Education from The Ohio State University. She taught for many years at the junior and senior high school levels, and she taught recently as a lecturer at The Ohio State University (Spanish and Methods) and at Cleveland State University (Spanish and Student Teacher Supervision). Dr. Snyder has written numerous publications, is a nationally known workshop director, and is a past president of the AATSP.

Eduardo Cabrera is a writer and artist living in Berkeley, California. A native of Uruguay, he studied at the **Facultad de Humanidades** (Literature) and the **Escuela de Bellas Artes** (Fine Arts) at the **Universidad del Uruguay**. Mr. Cabrera has written articles for Hispanic publications, and he is a contributing writer for several magazines published for use in high school Spanish classrooms.

Kathleen L. Kirk received her M.A. and Ph.D. in Spanish language and literature from the University of Kentucky. She was a Peace Corps Volunteer in Latin America, and she has taught Spanish at the university and high school levels. Ms. Kirk is a contributing editor of several Spanish dictionaries.

CONTRIBUTORS

Contributing Writers

Mary Jo Aronica received a B.A. in Spanish from Carroll College and an M.Ed. from National-Louis University. She teaches Spanish at Springman Junior High School. She was one of the 1993 recipients of the Illinois Lt. Governor's Award for Contributions to Foreign Language Learning.

Arnhilda Badía received her Ph.D. in Romance Languages and Linguistics from the University of North Carolina at Chapel Hill. She is currently an Associate Professor in Modern Language Education at Florida International University.

Jeanette Bowman Borich received her bachelor's degree in Spanish from South Dakota State University. She is currently teaching Spanish in grades 1–6 at Ankeny Community School District, Iowa.

Anita Aragon Bowers received her M.A. in Spanish from Case Western Reserve University. She has taught Spanish at the college and high school levels and is currently teaching ESL and History at Oakland High School.

María J. Fierro-Treviño holds an M.A. in Spanish from the University of Texas, San Antonio. She is Supervisor for International Languages for the Northside Independent School District in San Antonio.

Carol L. McKay has a Ph.D. in Foreign Language Education from The Ohio State University in Columbus. She currently teaches Spanish at Muskingum College in New Concord, Ohio.

Luz Elena Nieto received a B.A. in Spanish, English, and secondary instruction in ESOL and an M.A. in counseling and guidance from the University of Texas, El Paso. She is an Instructional Facilitator of Foreign Languages and Parental Involvement for the El Paso Independent School District.

Marcia Harmon Rosenbusch received the Ph.D. in Curriculum and Instructional Technology from Iowa State University. She is currently teaching Spanish and Foreign Language Methods for the elementary school at Iowa State University.

Language and Content Consultants

Jorge Martínez has a Ph.D. in Contemporary Latin American and Spanish Narrative from the University of California, Irvine. He is a Lecturer in Spanish at the California State Polytechnic University and also teaches A.P. Spanish and Spanish for Native Speakers at the Hollywood High Magnet School.

Richard V. Teschner holds a Ph.D. in Spanish Linguistics from the University of Wisconsin, Madison. He is Professor of Language and Linguistics at the University of Texas, El Paso.

TEACHER REVIEWERS

Kathleen D. Alexander
Robertsville Jr. High School
Oak Ridge, TN

Susan Allen
Grant Community High School
Fox Lake, IL

Thomas W. Alsop
Ben Davis High School
Indianapolis, IN

Dena Bachman
Lafayette High School
St. Joseph, MO

Rosaline Barker
Skyline High School
Dallas, TX

O. Lynn Bolton
Nathan Hale High School
West Allis, WI

Marianne Brown
St. Mark's High School
Wilmington, DE

Bruce Caldwell
Southwest Sr. High School
Minneapolis, MN

Ruth D. Campopiano
Retired
West Morris Regional High School District
Chester, NJ

Leslie Caye
Champlin High School
Champlin, MN

Flora María Ciccone
Holly High School
Holly, MI

James Cooper
Parkway South High School
Ballwin, MO

Robert D. Giosh
Latin School of Chicago
Chicago, IL

Robert A. Hawkins
Upper Arlington High School
Columbus, OH

Olga Henderson
Saddleback High School
Santa Ana, CA

Virginia L. Lopston
Ewing High School
Trenton, NJ

Joanna Lowe
Apopka High School
Apopka, FL

Cenobio Macías
Tacoma Public Schools
Tacoma, WA

Joseph Moore
Columbian High School
Tiffin, OH

Linda D. Moyer
Upper Perkiomen High School
Pennsburg, PA

Tomacita Olivares
Corpus Christi Independent School District
Corpus Christi, TX

Laura M. Rodríguez
Cromwell High School
Cromwell, CT

Robert Schwartz
Prospect Heights High School
Brooklyn, NY

Emily Serafa-Manschot
Northville High School
Northville, MI

Colleen Sexton-Lahr
Ben Davis High School
Indianapolis, IN

Pete Shaver
Oquirrh Hills Middle School
Riverton, UT

Susan Spivey
Hartford High School
Hartford, MI

Terri Tortomasi
San Gabriel High School
San Gabriel, CA

Luisa Valcárcel
Apopka High School
Apopka, FL

Barbara Welch
Allen High School
Allen, TX

PILOT TEACHERS

John D'Arcey
Conard High School
West Hartford, CT

María del Carmen Martín
Green Fields Country Day School
Tucson, AZ

Peggy Linton
Johnson High School
Columbia, SC

Shirley Persutti
North High School
Akron, OH

Irma Rosas
Coronado High School
El Paso, TX

OVERVIEW

¡BRAVO! at a glance . . .

In these first units of ¡Bravo! you will begin to speak Spanish! Soon you will be able to greet others and introduce yourself in Spanish, tell what day it is, and tell time. You will also begin to develop your ability to understand spoken Spanish.

In the four main units of ¡Bravo! you'll talk about topics and situations that are of interest to you and your friends.

¡Bravo! contains two issues of the magazine Novedades. Each issue includes a comic strip, an advice column, and a brief article of interest to you.

¡HOLA!

In this lesson, you will ask someone's name and give your own name in Spanish.

In this lesson, you will identify others from a description of their clothing.

In this lesson, you will understand some classroom commands.

In this lesson, you will use some expressions for greeting and saying goodbye to others and ask or tell how someone is feeling.

¿CÓMO ESTÁS?

LAS CLASES

In this lesson, you will describe your classroom and the objects in it, use numbers up to 100, ask and talk about quantity (how many?), and learn one way to say no in Spanish.

In this lesson, you will talk about your school schedule, talk about what classes you have, and learn more about telling time.

In this lesson, you will say what you like and don't like to do and talk about the activities you associate with the months of the year.

¿CÓMO SOMOS?

EN LA ESCUELA

LAS DIVERSIONES Y LOS PASATIEMPOS

In this lesson, you will talk about sports and your favorite leisure-time activities and say what you and others like and don't like to do.

In this lesson, you will talk about future plans, especially weekend activities, and use adjectives to point out people and things.

In this lesson, you will talk about the weather and activities for different seasons.

MATERIALES DE CONSULTA

¡BIENVENIDOS!

¡Hola! (Hi!) My name is David Tracy, and I'm a college student now. I'm here to welcome you to señorita García's first-year Spanish class. Her students and I will be appearing in this text throughout the year to guide you through the exciting experience of learning a new language.

I had señorita García for four years of high school Spanish, and they were some of the best classes I've ever taken. You're going to see what I mean because you'll be studying Spanish the same way I did! You'll also get to meet señorita García and her current students and follow their progress in Spanish I. Like you, they're mostly students new to the language. You'll come to know them well through the text and the audiocassette program. I'll pop in from time to time to lend a helping hand . . . and practice my Spanish! First, though, let me tell you a bit about what's in store for you this year.

The course you're about to begin will give you the opportunity to understand and speak "everyday" Spanish. You're also going to learn to read and write Spanish. Sound impossible? Keep reading and you'll understand how it happens.

Two kinds of processes will help you develop those language skills: acquisition and learning.

Have you ever heard someone say about something in English, "That doesn't sound right" or "That doesn't feel right to me"? *Acquired knowledge* is the "feel" for a language that develops from listening to and using the language in real situations. Sometimes people call this process "picking up" the language.

Learned knowledge comes from studying. For example, in English class you learn about the rules of English—its grammar—and about reading and writing.

As you study Spanish, you'll both *acquire* and *learn*. In the class you're in now, you'll have opportunities to participate in real conversations as well as learn about the Spanish language and the Spanish-speaking world. Oh, and another thing: One of the side benefits I found from taking Spanish was that I learned a lot about English as well!

Here are a couple of things you should expect from your Spanish class. Be prepared to concentrate pretty hard at developing your listening skills because your teacher is going to speak a lot of Spanish even on the very first day. I know I felt a little panicked. But even though I had to push myself to learn how to listen, I soon found that I was understanding most of what my teacher and others were saying.

After a short time in the class, I was amazed at how much I could understand!

Finally, I discovered that I could communicate with my teacher and my friends in another language.

Now let's meet some of the people in *¡Bravo!* First are several students from señorita García's 9:00 class:

- Ernie Mackenzie (Ernesto)
- Anne Grant (Ana Alicia)
- Steve Garrett (Esteban)
- Víctor Cárdenas (Víctor)
- Marcela Ramírez (Chela)
- Brenda Jordan (Beatriz)
- Juana Inés Muñoz Villela (Juana)
- Patricia Galetti (Patricia)
- Janice Nguyen (Felicia)
- Frank Reynolds (Paco)
- Bob Reynolds (Roberto)

Víctor, Chela, and Juana all come from Hispanic (Latino) families and have Spanish names. Most of the other students use the Spanish version of their names in the class. The students whose names don't have an exact Spanish equivalent use a name that they like.

Señorita Isabel García is a Mexican-American who grew up speaking both English and Spanish. So did her friend, Daniel Álvarez, a math teacher at Central High.

You will also meet my old friend, Joe (José) Campos, the owner of Super Joe's, a diner near Central High. When I was a student in señorita García's class, Joe helped me practice Spanish. Learning a second language has helped me understand more about Spain and Latin America. After all, Spanish these days is not really a foreign language but a widely used language in our country—so studying Spanish is also helpful to me in this country. I already find times when I use it.

señorita García

señor Álvarez

Joe (José) Campos

Since then, Joe has lost a bit more hair and his paunch has grown a little bigger, but his place is still a popular hangout for Central High students. And Joe still enjoys helping students practice the language he learned from his Puerto Rican parents.

And now that you've met everyone, let's get started. I know you're going to have a good time this year. ¡Buena suerte! (Good luck!)

ANTES DE EMPEZAR

¿CÓMO TE LLAMAS? What's your name?

Many Spanish students like to use a Spanish name in class. Some prefer the Spanish version of their name and others like to choose a new name.

Can you guess the English equivalent of the following Spanish names?

NOMBRES DE MUCHACHOS		NOMBRES DE MUCHACHAS	
Alejandro	Juan	Alicia	Julia
Andrés	Leonardo	Ana	Luisa
Arturo	Luis	Andrea	Margarita
Benjamín	Marcos	Beatriz	María
Daniel	Mateo	Carolina	Mariana
David	Miguel	Claudia	Marta
Eduardo	Patricio	Constanza	Micaela
Federico	Ramón	Cristina	Mónica
Felipe	Ricardo	Diana	Natalia
Francisco	Roberto	Dorotea	Raquel
Geraldo	Teodoro	Emilia	Rosana
Gilberto	Timoteo	Estela	Susana
Gregorio	Tomás	Eva	Teresa
José	Vicente	Graciela	Victoria

Note that many masculine names in the preceding list end in the letter **-o** (**Antonio**, **Julio**) and that many feminine names end in the letter **-a** (**Ángela**, **Gloria**). Some Spanish names don't match their English equivalents as closely as those in the preceding list. Here are a few of them, with their English counterparts.

Adán	Adam	Alegra	Joyce
Carlos	Charles	Amada	Amy
Cristóbal	Christopher	Carlota	Charlotte
Enrique	Henry	Elena	Ellen, Helen
Esteban	Steven	Estefanía	Stephanie
Guillermo	William	Felisa	Phyllis
Jaime	James	Francisca	Frances
Jorge	George	Isabel	Elizabeth
Pablo	Paul	Juana	Jane, Joan
Pedro	Peter	Noemí	Naomi
Rafael	Ralph	Sofía	Sophie

¿QUÉ ES ESTO? What is this?

Many words in Spanish and English are identical or very similar. These words are called *cognates*. Cognates look alike and mean the same or nearly the same thing in both Spanish and English. However, they usually don't sound alike, so at first it will be easier to recognize cognates when you see them than when you hear them.

As you become more familiar with Spanish pronunciation, you will recognize spoken cognates more and more easily.

Can you guess what the following words mean? Pay attention to the category to which they belong. You can also try to guess what the category means based on the items it contains.

ANIMALES	OBJETOS	CLASES	DEPORTES
elefante	bicicleta	arte	básquetbol
insecto	computadora	biología	gimnasia
serpiente	estéreo	historia	tenis
tigre	fotos	matemáticas	voleibol

DEMOCRACIA	INSTRUMENTOS MUSICALES	ACCIONES	
congreso	guitarra	celebrar	imaginar
justicia	piano	describir	practicar
libertad	saxofón	entrar	preparar
presidente	violín	examinar	responder
		invitar	visitar

Now say the following words to yourself. These words are cognates that don't look very much like English, but they do sound similar to the English words.

béisbol
chaqueta
esquís
oeste
suéter

Another kind of cognate is the false cognate, which looks very similar to an English word but does not mean the same thing. Here are some examples of false cognates.

colegio	=	high school	(not college)
librería	=	bookstore	(not library)
pariente	=	relative	(not parent)
ropa	=	clothing	(not rope)
sopa	=	soup	(not soap)

Most cognates can be trusted; just keep in mind that a new cognate might not mean exactly what it seems to mean.

MAPAS

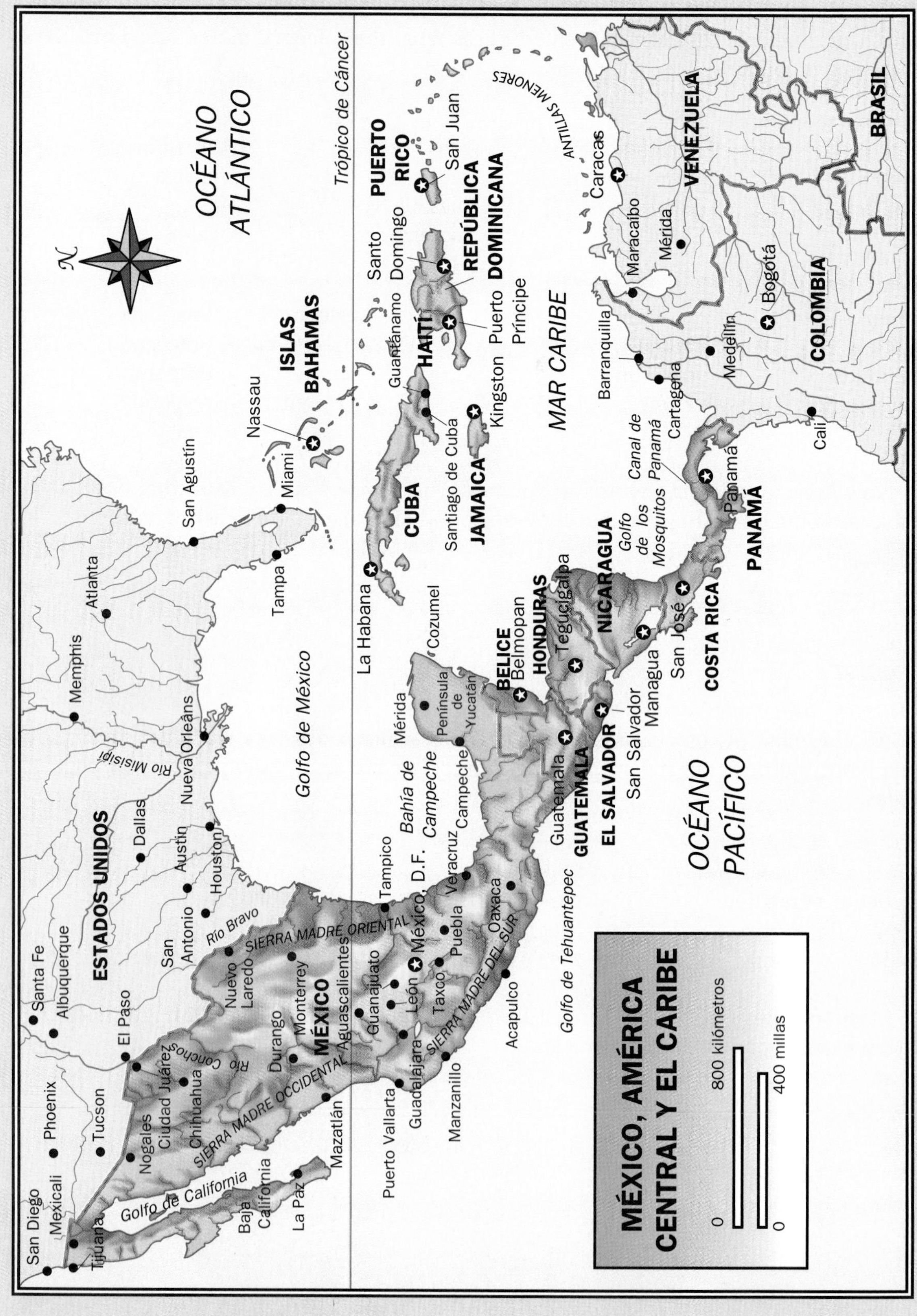

MÉXICO, AMÉRICA CENTRAL Y EL CARIBE
0
800 kilómetros
0
400 millas
OCÉANO ATLÁNTICO
Trópico de Cáncer
OCÉANO PACÍFICO
Golfo de México
MAR CARIBE
Golfo de California
Golfo de Tehuantepec
Bahía de Campeche
Golfo de los Mosquitos
Canal de Panamá
ANTILLAS MENORES
ESTADOS UNIDOS
MÉXICO
CUBA
ISLAS BAHAMAS
HAITÍ
REPÚBLICA DOMINICANA
PUERTO RICO
JAMAICA
BELICE
GUATEMALA
HONDURAS
EL SALVADOR
NICARAGUA
COSTA RICA
PANAMÁ
COLOMBIA
VENEZUELA
BRASIL
San Diego
Tijuana
Mexicali
Phoenix
Tucson
Nogales
Santa Fe
Albuquerque
El Paso
Ciudad Juárez
Chihuahua
San Antonio
Austin
Houston
Dallas
Nueva Orleáns
Río Misisipí
Memphis
Atlanta
San Agustín
Tampa
Miami
Nassau
Baja California
La Paz
Mazatlán
Durango
Río Conchos
Río Bravo
Nuevo Laredo
Monterrey
SIERRA MADRE OCCIDENTAL
SIERRA MADRE ORIENTAL
SIERRA MADRE DEL SUR
Aguascalientes
Guanajuato
León
Guadalajara
Puerto Vallarta
Manzanillo
Taxco
México, D.F.
Puebla
Tampico
Veracruz
Oaxaca
Acapulco
Campeche
Península de Yucatán
Mérida
Cozumel
La Habana
Santiago de Cuba
Guantánamo
Kingston
Puerto Príncipe
Santo Domingo
San Juan
Belmopan
Guatemala
San Salvador
Tegucigalpa
Managua
San José
Panamá
Barranquilla
Cartagena
Maracaibo
Caracas
Mérida
Medellín
Bogotá
Cali
N

MAR CARIBE
OCÉANO ATLÁNTICO
Maracaibo
Barranquilla
Caracas
PANAMÁ
GUYANA
VENEZUELA
Georgetown
Paramaribo
Medellín
Cayena
Panamá
Río Orinoco
Bogotá
SURINAME
GUYANA FRANCESA
Cali
COLOMBIA
Quito
Ecuador
Río Amazonas
ECUADOR
Belém
Guayaquil
Manaus
PERÚ
BRASIL
CORDILLERA DE LOS ANDES
Recife
Lima
Cuzco
Brasília
La Paz
Arequipa
BOLIVIA
Sucre
PARAGUAY
Antofagasta
Río de Janeiro
Asunción
Trópico de Capricornio
CHILE
San Miguel de Tucumán
São Paulo
OCÉANO PACÍFICO
La Serena
Córdoba
OCÉANO ATLÁNTICO
Rosario
URUGUAY
Valparaíso
Santiago
ARGENTINA
Buenos Aires
Montevideo
N
Concepción
Río de la Plata
Bahía Blanca
Puerto Montt
Bariloche
Chiloé
AMÉRICA DEL SUR
Islas Malvinas
0
1500 kilómetros
Estrecho de Magallanes
Punta Arenas
Tierra del Fuego
0
1000 millas
Cabo de Hornos

ESPAÑA
0 200 kilómetros
0 100 millas
N
MAR CANTÁBRICO
Bahía de Vizcaya
FRANCIA
CANTABRIA
San Sebastián
Santander
La Coruña
Oviedo
ASTURIAS
Bilbao
LOS PIRINEOS
ANDORRA
Golfo de León
Santiago de Compostela
GALICIA
PAÍS VASCO
Pamplona
NAVARRA
Vigo
León
Burgos
Logroño
LA RIOJA
CASTILLA-LEÓN
CATALUÑA
Lérida
Valladolid
Zamora
ESPAÑA
Zaragoza
Río Ebro
Costa Brava
Oporto
Río Duero
Tarragona
Barcelona
SIERRA DE GUADARRAMA
Segovia
ARAGÓN
Salamanca
Ávila
MADRID
Guadalajara
PORTUGAL
El Escorial
Madrid
Castellón
Menorca
Mallorca
Río Tajo
Toledo
Cáceres
CASTILLA-LA MANCHA
Valencia
Palma
Lisboa
EXTREMADURA
Ciudad Real
COMUNIDAD VALENCIANA
Ibiza
ISLAS BALEARES
Badajoz
Mérida
Almadén
Albacete
Formentera
Alicante
Río Guadiana
SIERRA MORENA
MAR MEDITERRÁNEO
Murcia
Linares
Costa Blanca
Río Guadalquivir
MURCIA
Córdoba
Jaén
Lorca
Sevilla
ANDALUCÍA
Cartagena
Huelva
SIERRA NEVADA
Granada
Almería
Golfo de Cádiz
Jerez de la Frontera
Málaga
Cádiz
Costa del Sol
OCÉANO ATLÁNTICO
Gibraltar (R.U.)
Tánger
Ceuta (Esp.)
Orán
ISLAS CANARIAS
Santa Cruz de Tenerife
Lanzarote
La Palma
Tenerife
Fuerte-ventura
Las Palmas
Hierro
Gomera
Las Palmas de Gran Canaria
0 200 kilómetros
0 100 millas

¡BRAVO!

1A

¡HOLA!

PRIMER PASO

Caracas, Venezuela.

Ciudad de México, México.

3

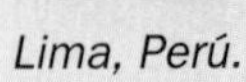

Lima, Perú.

Madrid, España.

LECCIÓN 

LOS NOMBRES DE LOS COMPAÑEROS DE CLASE

In this lesson you will:

- *ask someone's name and give your own name in Spanish*

LECCIÓN 

LA ROPA Y LOS COLORES

In this lesson you will:

- *identify others from a description of their clothing*

LECCIÓN 

LOS MANDATOS EN LA CLASE DE ESPAÑOL

In this lesson you will:

- *understand some classroom commands*

LECCIÓN 

LOS SALUDOS Y LAS DESPEDIDAS

In this lesson you will:

- *use some expressions for greeting and saying goodbye to others*
- *ask or tell how someone is feeling*

LOS NOMBRES DE LOS COMPAÑEROS DE CLASE

ASÍ SE DICE...

VOCABULARIO

¡HOLA! ¿CÓMO TE LLAMAS?

YO ME LLAMO VÍCTOR.

ME LLAMO BEATRIZ.

¿CÓMO TE LLAMAS?

PACO, ¿Y TÚ?

ME LLAMO PATRICIA.

ESTEBAN. Y TÚ, ¿CÓMO TE LLAMAS?

¿CUÁL ES TU NOMBRE?

FELICIA.

Víctor Beatriz Paco Patricia Esteban Felicia

Y TÚ, ¿QUÉ DICES?

ACTIVIDADES ORALES

Conexión gramatical
Estudia las páginas 6–8 en **¿Por qué lo decimos así?**

1 • DIÁLOGO En la clase de la señorita García

Busca el diálogo apropiado para cada dibujo.

Match the dialogues with the drawings.

1. 

2. 

3. 

a. —¿Cómo te llamas?
—Ernesto. ¿Y tú?
—Me llamo Ana Alicia.

b. —Hola. ¿Cómo te llamas?
—Me llamo Beatriz. Y tú, te llamas Ana Alicia, ¿no?
—¡No! Me llamo Patricia.

c. —Perdón. Te llamas Víctor, ¿verdad?
—Sí. ¿Cuál es tu nombre?
—Mi nombre es Felicia.

2 • DIÁLOGO ¿Cómo te llamas?

Completa los diálogos con un compañero o una compañera de clase.

Complete the dialogues.

1. —Hola. ¿Cómo te llamas?
—Me llamo ____. ¿Y tú?
—Yo me llamo ____.

2. —¿Cuál es tu nombre?
—Mi nombre es ____.
Y tú, ¿cómo te llamas?
—____.

3 • DEL MUNDO HISPANO Anuncios de nacimientos

Busca la información en los anuncios.

Find the missing information.

1. El bebé de Puerto Rico se llama ____.
2. El bebé de Nueva York se llama ____.
3. Mercedes es la mamá de ____.
4. Adolfo y Gladys son los papás de ____.
5. Rafael es el papá de ____.

¿POR QUÉ LO DECIMOS ASÍ?

GRAMÁTICA

Study Hint

In the grammar sections, read the Spanish examples carefully and use the English equivalents whenever you need to. But don't think of the English as a word-for-word translation of the Spanish. Like every other language, Spanish has its own way of expressing ideas. It is *not* just "translated English"!

For example, you have been using the verb **llamar** to ask or tell what someone's name is. The verb **llamar** literally means *to call.* So, when you ask someone **¿Cómo te llamas?**, you are literally asking, *What do you call yourself?* When you say **Me llamo...** to tell someone your name, you are really saying, *I call myself* (*Debbi, Michael, . . .*).

WHAT'S YOUR NAME?
The Verb *llamar*

ORIENTACIÓN
A *verb* (**verbo**) describes actions (to run, to write, to sing), conditions (to ache, to feel), or states of being (to be, to live).

A You can use the verb **llamar** to find out someone's name in Spanish. Just use **¿Cómo... ?** with **te llamas**.

¿Cómo te llamas? = What's your name?

—¿Cómo te llamas?	—*What's your name?*
—Víctor.	—*Víctor.*

If someone else asks you this question, you can give just your name, as shown above, or use the phrase **me llamo** before your name.

—¿Cómo te llamas?	—*What's your name?*
—Me llamo Víctor.	—*My name is Víctor.*

Me llamo... = My name is . . .

Have you noticed that Spanish uses an upside-down question mark (¿) at the beginning of a question? This tells you in advance that what follows is going to be a question.

¿ tells you that what follows is a question.

B To ask someone else's name, use the phrase **¿Cómo se llama... ?** + **él** (masculine) or **ella** (feminine). To answer, give just the person's name or use **se llama** plus the name.

¿Cómo se llama él/ella? = What's his/her name?

—¿Cómo se llama él?	—*What's his name?*
—(Se llama) Roberto.	—*(His name is) Roberto.*
—¿Cómo se llama ella?	—*What's her name?*
—(Se llama) Ana Alicia.	—*(Her name is) Ana Alicia.*

Se llama... = His/Her name is . . .

EJERCICIO 1 ¿Él o ella?

Un nuevo profesor pregunta los nombres de los estudiantes. Escoge la pregunta del nuevo profesor.

Pick the correct question.

¿Cómo se llama él? **¿Cómo se llama ella?**

MODELO: →

TÚ: *¿Cómo se llama ella?*
COMPAÑERO/A: *Beatriz.*

EJERCICIO 2 ¿Cómo te llamas?

Escoge la pregunta correcta.

Pick the correct question.

¿Cómo te llamas? **¿Cómo se llama él?** **¿Cómo se llama ella?**

MODELO: —¿_____?
—Me llamo Felicia. →

—*¿Cómo te llamas?*
—Me llamo Felicia.

¿Cómo te llamas? = What's your name?

1. —¿_____?
   —Me llamo Felicia.
2. —¿_____?
   —Se llama Ana Alicia.
3. —¿_____?
   —Se llama Esteban.
4. —¿_____?
   —Me llamo Paco.
5. —¿_____?
   —Se llama Isabel García.

HOW DO YOU WRITE . . . ?

The Spanish Alphabet

There are 30 letters in the Spanish alphabet. Can you spot the 4 that are different from the letters in the English alphabet?

EL ALFABETO ESPAÑOL

LETTER	NAME	EXAMPLES	
a	a	Ana	Arturo
b	be (be grande)	Bárbara	Benito
c	ce	Celia	Carlos
ch	che	Chela	Pancho
d	de	Dorotea	Daniel
e	e	Eva	Ernesto
f	efe	Felicia	Francisco
g	ge	Gabriela	Gerardo
h	hache	Hortensia	Horacio
i	i	Isabel	Ignacio
j	jota	Julia	Juan
k	ka	Kati	Karl
l	ele	Laura	Lorenzo
ll	elle	Guillermina	Guillermo
m	eme	Maripepa	Miguel
n	ene	Nora	Narciso
ñ	eñe	Begoña	Íñigo
o	o	Olga	Óscar
p	pe	Paula	Pedro
q	cu	Raquel	Quintín
r	ere	Sara	Mario
rr	erre, doble ere	Monserrat	Curro
s	ese	Soledad	Sergio
t	te	Teresa	Tomás
u	u	Úrsula	Ulises
v	ve (ve chica), uve	Victoria	Vicente
w	doble ve, uve doble, doble u	Wilma	Walter
x	equis	Ximena	Xavier
y	i griega	Yolanda	Pelayo
z	zeta	Zulema	Zacarías

In a Spanish dictionary, **ch**, **ll**, and **ñ** appear as separate letters of the alphabet but **rr** does not because no word begins with **rr**.

Learn to spell your own name! That is what you will be asked to spell most often.

PRONUNCIACIÓN

SPANISH LETTERS

Spanish and English use the same letters to write with. But be careful! The same letter might represent a different sound in Spanish than it does in English. For example, the letter **j** (**jota**) in Spanish sounds like the English *h* in *ha ha*, but the Spanish **h** is always a silent letter, like the silent *h* of *honest*. Another example is the Spanish letter **z**, which is pronounced like the English *s* in *so* or *miss*. You probably noticed some others as you practiced the Spanish alphabet. Can you remember more examples?

No Spanish letter stands for many different sounds, as letters often do in English. Once you learn their sounds, you can count on letters in Spanish to be consistent. Remember to use the *Spanish* sound for each letter whenever you read or study Spanish, so that you develop authentic-sounding pronunciation.

PRÁCTICA Listen to your teacher, then pronounce these sentences.

Es el halo del ángel honesto.

Juanita la jueza es jinete los jueves.

¡El zumo del sapo sabe sabroso!

VOCABULARIO  PALABRAS NUEVAS

Los nombres (Names)

¿Cómo te llamas?
¿Cuál es tu nombre?
¿Cómo se llama él/ella?
¿Y tú?

(Yo) Me llamo...
Mi nombre es...
Te llamas...
(Él/Ella) Se llama...

Las personas (People)

la clase
el compañero / la compañera de clase
el estudiante / la estudiante
el profesor / la profesora
el señor
la señorita

Los verbos (Verbs)

es
son

pregunta

Palabras útiles (Useful Words)

con
de
en
¡Hola!
no
¿no?
o
para
perdón
¿qué?
sí
¿verdad?
y

Palabras del texto (Words from the Text)

Así se dice
Del mundo hispano
¿Por qué lo decimos así?
Y tú, ¿qué dices?

el alfabeto
el anuncio
el diálogo
el dibujo
el ejercicio
la lección
el modelo
el nombre
la orientación
la página
el paso
la pregunta
la pronunciación
el vocabulario

busca
completa
escoge
estudia

apropiado/apropiada
cada
correcto/correcta
nuevo/nueva
primer/primero/primera
útil

LECCIÓN 2

LA ROPA Y LOS COLORES

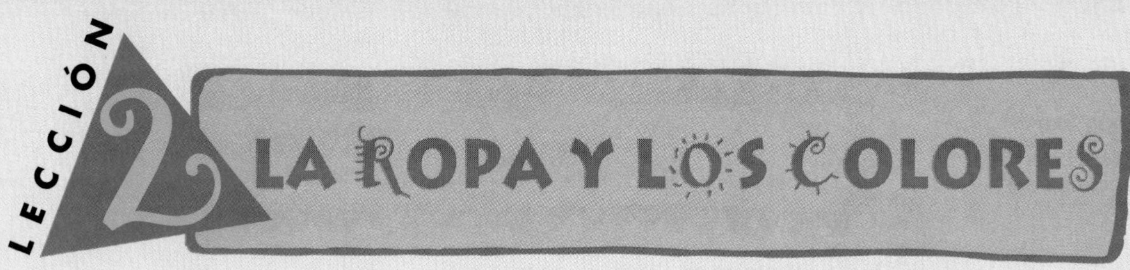

Así se dice...

VOCABULARIO

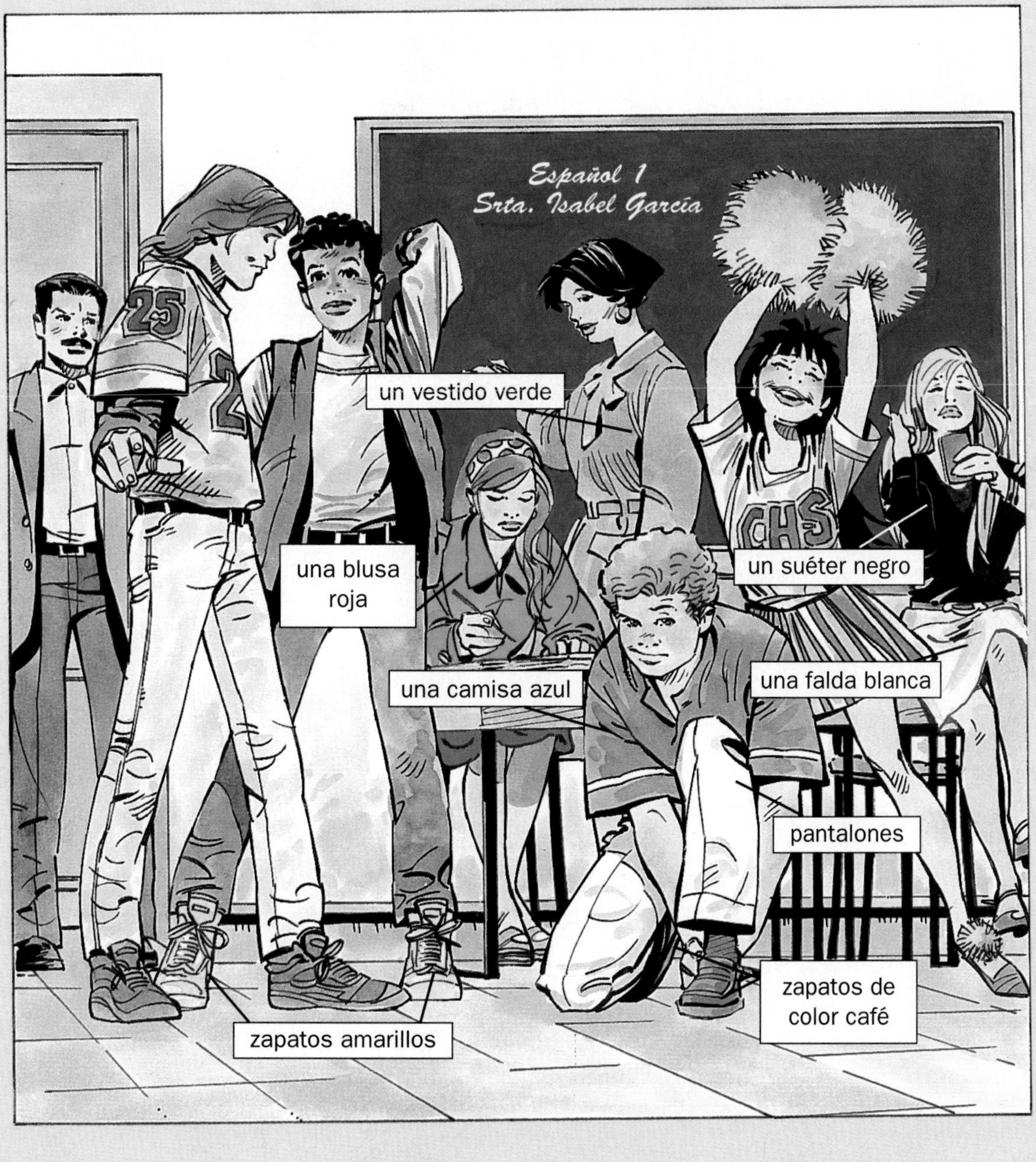

Español 1
Srta. Isabel García
un vestido verde
una blusa roja
un suéter negro
una camisa azul
una falda blanca
pantalones
zapatos de color café
zapatos amarillos

Conexión gramatical
Estudia las páginas 14–16 en **¿Por qué lo decimos así?**

ACTIVIDADES ORALES

1 • PIÉNSALO TÚ — La ropa de los estudiantes

Say who is wearing these items.

En la clase de la señorita García, ¿quién lleva... ?

1. una falda negra
2. zapatos verdes
3. pantalones blancos
4. una blusa azul y amarilla
5. una blusa de color café
6. una blusa verde
7. pantalones azules
8. una blusa blanca

2 • PIÉNSALO TÚ — Los colores del mundo normal

Pick a logical color for each item.

En el mundo normal, ¿de qué color es... ?

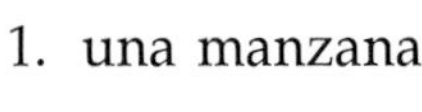

1. una manzana

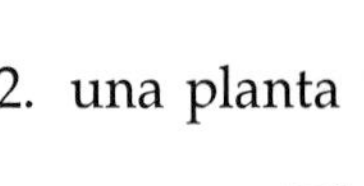

2. una planta

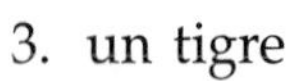

3. un tigre
4. la bandera de los Estados Unidos
5. un pingüino
6. ¿ ?

VOCABULARIO ÚTIL

amarillo y negro	blanco y negro	de color café
rojo	rojo, blanco y azul	verde

3 • PIÉNSALO TÚ Los colores del mundo loco

Pick a crazy color for each item.

En el mundo loco, ¿de qué color es... ?

1. el chocolate
2. un elefante
3. una banana
4. un sandwich
5. un dólar
6. ¿ ?

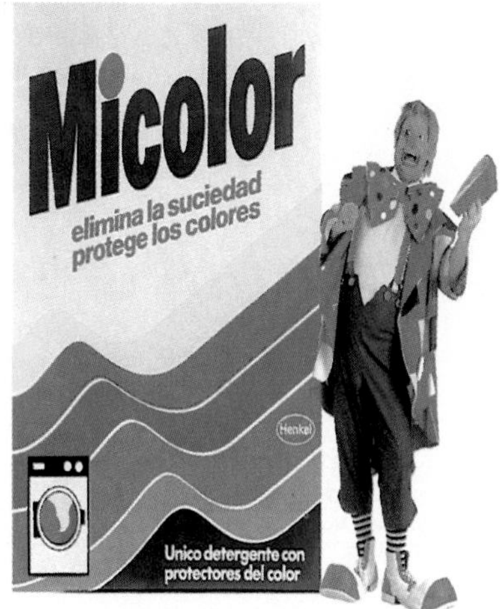

VOCABULARIO ÚTIL

amarillo	azul	blanco	de color café
gris	negro	rojo	verde

SPANISH VOWELS

The Spanish vowels are **a**, **e**, **i**, **o**, **u**. The first four always sound like the vowels in the notes of the musical scale, but they are shorter and crisper in Spanish.

a: **fa**, **la** **e**: **re** **i**: **mi**, **ti** **o**: **do**, **sol**

The **u** sounds like *u* in the name *Lulu*. Remember "short and crisp" for Spanish vowels.

PRÁCTICA Listen to your teacher say this common rhyme that Hispanic children learn in school when they study the vowels.

A – E – I – O – U
¡El burro sabe
más que tú!

Now it's your turn. Pronounce the vowels clearly as you repeat the rhyme. (Don't forget to point emphatically at a classmate when you say the word **tú**.)

Here is another popular nonsense rhyme, the Hispanic version of "Eeny, meeny, miney, moe." Use it in class when you need to pick someone for a game or group activity. See how well you can say it. (The person who corresponds to **fue** is "it.")

Pin, marín
de don Pingüé
cúcara, mácara
títere, fue.

GRAMÁTICA

NAMING THINGS
Grammatical Gender and Singular Articles

ORIENTACIÓN
A *noun* (**sustantivo**) represents a person or animal (man, sister, president, dog), a thing (shirt, book, table, apple), a place (city, yard, classroom, office), or an idea (love, truth, democracy).

A All Spanish nouns have *gender*; that is, they are either masculine or feminine. But these are only grammatical distinctions and generally don't mean that something has "male" or "female" characteristics.

Usually, nouns ending in
–o are masculine
–a are feminine

B Most nouns that end in **–o** are masculine, and most nouns that end in **–a** are feminine.

zapat**o** (*shoe*) masculine gender
camis**a** (*shirt*) feminine gender

C Nouns ending in letters other than **–o** or **–a** do not automatically tell you their gender. The gender of these nouns is learned through practice.

suéter (*sweater*) masculine gender
clase (*class*) feminine gender

D Most nouns that refer to males are masculine and most nouns that refer to females are feminine, regardless of how the noun ends.

profesor Álvarez profesora García

un and una = a

E The singular indefinite article in English is *a* or *an* (*a book, an apple*). Spanish has two singular indefinite articles: **un** (for masculine nouns) and **una** (for feminine nouns).

MASCULINE	FEMININE
un zapato *a shoe* **un** suéter *a sweater*	**una** camisa *a shirt* **una** clase *a class*

F The English definite article is *the* (*the book, the apple*). Spanish has two singular definite articles: **el** (for masculine nouns) and **la** (for feminine nouns).

el* and *la* = *the

MASCULINE		FEMININE	
el zapato	*the shoe*	**la** camisa	*the shirt*
el suéter	*the sweater*	**la** clase	*the class*

EJERCICIO 1 La ropa de hoy

¿Qué ropa llevan hoy los estudiantes de la Escuela Central? Completa las preguntas con **un** o **una** y contesta según el dibujo.

Complete the questions with un or una.

Study Hint

Here's a hint about remembering the gender of nouns. Whenever you learn a new noun, learn the article with it—either **el** or **la**. This will help you remember what gender it is. Don't practice just the name alone: **suéter**... **suéter**... Practice saying **el suéter**... **el suéter**...

MODELO: blusa roja →

TÚ: ¿Quién lleva *una blusa roja*?
COMPAÑERO/A: *Beatriz.*

***un* = *a, an* (*masculine*)**
***una* = *a, an* (*feminine*)**

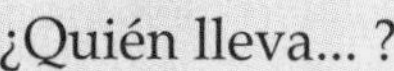

¿Quién lleva... ?

1. blusa roja
2. suéter azul y verde
3. camisa verde
4. falda verde
5. suéter amarillo y verde con pantalones negros
6. zapato negro y... zapato de color café

EJERCICIO 2 Los dibujos de hoy

*Answer the question using **el** or **la**.*

el = the (masculine)
la = the (feminine)

La señorita García describe dibujos en la clase de español. Indica con **el** o **la** los dibujos que describe.

¿Qué es de color... ?

1. rojo
2. gris
3. amarillo
4. café
5. negro
6. verde
7. azul
8. blanco

MODELO: ¿Qué es de color *rojo*? → *la manzana*

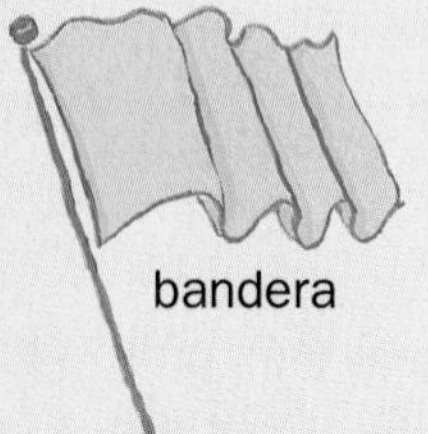

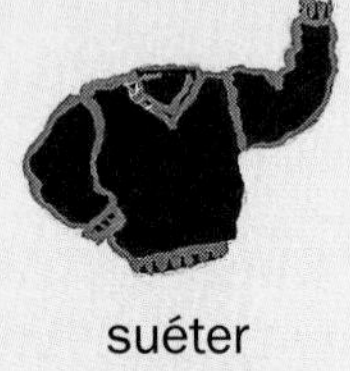

VOCABULARIO 2 PALABRAS NUEVAS

La ropa (Clothing)
la blusa
la camisa
la falda
los pantalones
el suéter
el vestido
el zapato

Los colores (Colors)
amarillo/amarilla
azul
blanco/blanca
(de) color café
gris
negro/negra
rojo/roja
verde

Los lugares (Places)
la clase de español
la escuela
los Estados Unidos
el mundo

Las cosas (Things)
la bandera
la manzana
la planta

Los verbos (Verbs)
lleva
llevan

Palabras útiles (Useful Words)
¿de qué color es... ?
hoy
¿quién?

Palabras del texto (Words from the Text)
Piénsalo tú

el sustantivo

contesta
indica

loco/loca
normal

según

LECCIÓN 3

LOS MANDATOS EN LA CLASE DE ESPAÑOL

Así se dice...

VOCABULARIO

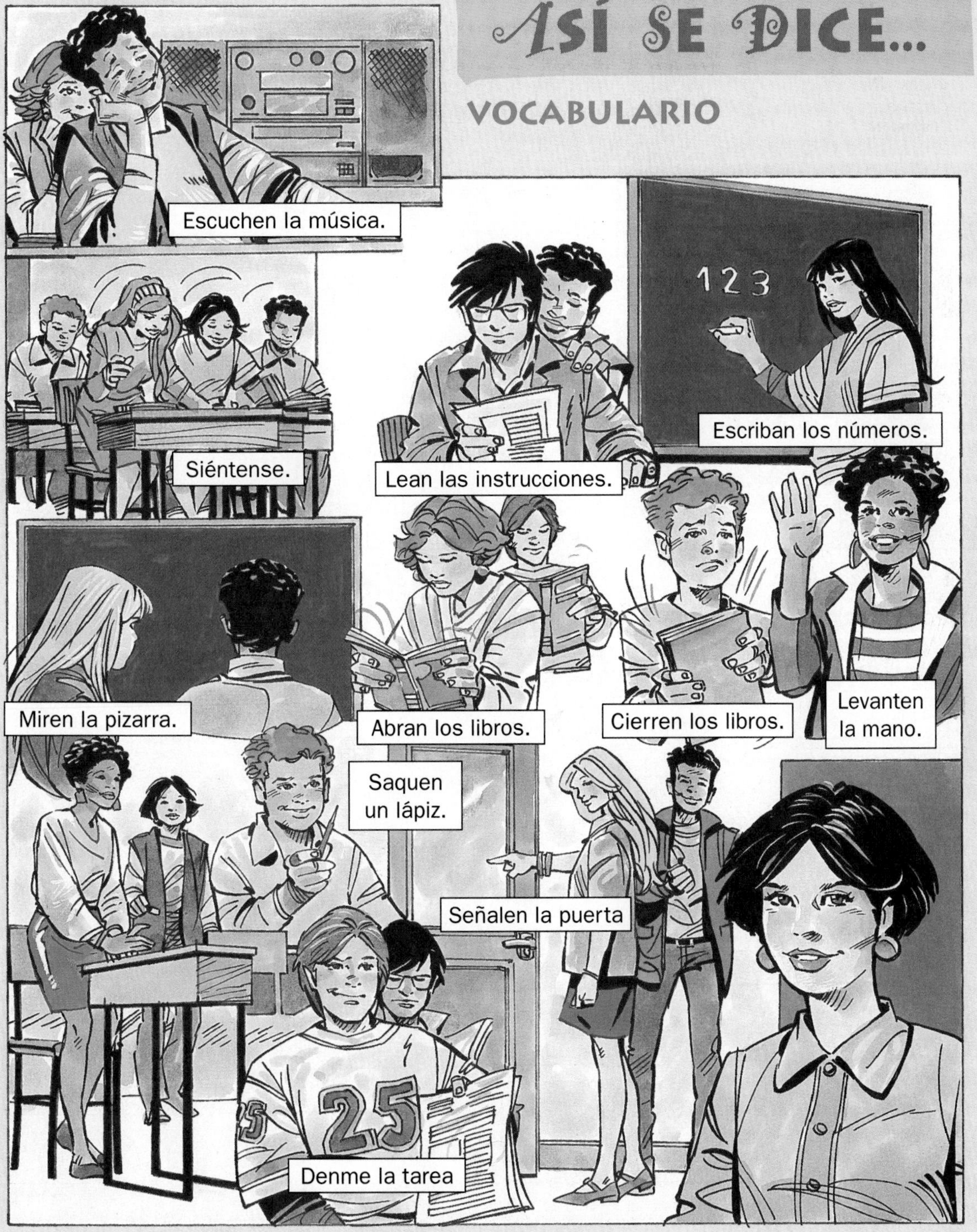

Escuchen la música.
Siéntense.
Lean las instrucciones.
Escriban los números.
Miren la pizarra.
Abran los libros.
Cierren los libros.
Levanten la mano.
Saquen un lápiz.
Señalen la puerta
Denme la tarea

Conexión gramatical
Estudia las páginas 20–21 en **¿Por qué lo decimos así?**

ACTIVIDADES ORALES

1 • PIÉNSALO TÚ — En la clase de la señorita García

Choose the correct command.

Escoge el mandato apropiado para cada dibujo.

1. a. Lean el libro.
   b. Escuchen la música.
   c. Miren la pizarra.

2. a. Escriba su nombre en la pizarra.
   b. Cierre el libro.
   c. Abra la puerta.

3. a. Déme la tarea.
   b. Saque un lápiz.
   c. Levante la mano.

4. a. Señale la puerta.
   b. Abra el libro.
   c. Levante el lápiz.

2 • PIÉNSALO TÚ **Los mandatos del director de la banda**

Busca el dibujo apropiado para cada mandato.

Pick the correct drawing.

1. ¡Corran!
2. ¡Pónganse de pie!
3. ¡Miren a la derecha!
4. ¡Miren a la izquierda!
5. ¡Den una vuelta!
6. ¡Caminen a la derecha!
7. ¡Salten!

ch, f, m, n, AND *s*

Five Spanish consonants that sound nearly identical to English are **ch**, **f**, **m**, **n**, and **s**. Several others are very similar but not quite as close.

PRÁCTICA Listen to your teacher, then pronounce these sentences.

El **ch**arro **Ch**ávez lleva una **ch**amarra de color **ch**ocolate.

Mi mamá me ama.

Nueve nenes nadan.

«¡Qué figura flaca!», dice Flora Fuentes.

Susana siempre sueña sueños con elefantes rosados y grises.

¿POR QUÉ LO DECIMOS ASÍ?

GRAMÁTICA

INSTRUCTIONS IN THE CLASSROOM
TPR with *usted/ustedes*

ORIENTACIÓN
A *command* (**mandato**) is used to ask or tell someone to do something: *Look! Listen! Stand up!*

A In Spanish, the ending of every verb form gives you information about whom the verb refers to. In the case of commands, the ending tells you whether the speaker is addressing one person or more than one person.

A command to one person ends in –a or –e.

B Commands that are given to one person usually end in the letter **a** or **e**.

Señor Álvarez, **cierre** la puerta, por favor.	*Mr. Álvarez, close the door, please.*
Paco, **abra** la puerta.	*Paco, open the door.*

A command to more than one person ends in –an or –en.

C Commands that are given to more than one person end in **–an** or **–en**.

Roberto y Patricia, **escuchen**, por favor.	*Roberto and Patricia, listen, please.*
Ernesto y Chela, **lean** el ejercicio.	*Ernesto and Chela, read the exercise.*

Note that these are "polite" commands. You will hear them in the classroom during TPR practice. The instructions in the textbook use "informal" commands.

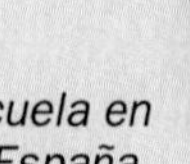
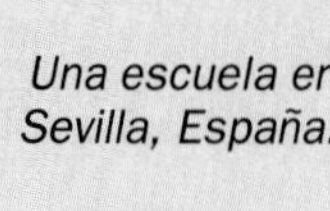

Una escuela en Sevilla, España.

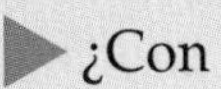 EJERCICIO **La banda**

¿Con quién habla el director de la banda?

Who is the band-leader talking to?

Con Esteban. Con todos los estudiantes.

MODELOS: ¡Camine! → *Con Esteban.*

¡Miren a la izquierda! → *Con todos los estudiantes.*

1. ¡Camine!
2. ¡Miren a la izquierda!
3. ¡Den una vuelta!
4. ¡Salte!
5. ¡Mire a la izquierda!
6. ¡Corran!
7. ¡Miren a la derecha!
8. ¡Caminen!

VOCABULARIO  PALABRAS NUEVAS

Los mandatos (Commands)

abra(n)
camine(n)
cierre(n)
corra(n)
déme / denme
dé / den una vuelta
escriba(n)
escuche(n)
estudie(n)
levante(n)
 la mano
lea(n)
mire(n)
 a la derecha
 a la izquierda
póngase / pónganse de pie
salte(n)
saque(n)
señale(n)
siéntese / siéntense

Las personas (People)

la banda
el director / la directora

Las cosas (Things)

el examen
las instrucciones
el lápiz
el libro
la música
el número
la pizarra
la puerta
la tarea

Los verbos (Verbs)

habla

Palabras útiles (Useful Words)

a
su/sus
todos

Palabras del texto (Words from the Text)

decide
mira

LOS SALUDOS Y LAS DESPEDIDAS

Así se dice...

VOCABULARIO

LOS SALUDOS

LAS DESPEDIDAS

Y TÚ, ¿QUÉ DICES?

ACTIVIDADES ORALES

Conexión gramatical
Estudia las páginas 24–25 en **¿Por qué lo decimos así?**

1 • PIÉNSALO TÚ — Diálogos en la clase de español

Choose the correct dialogue.

▶ Busca el diálogo apropiado para cada dibujo.

1. a. —Buenos días, señorita García.
   —Buenos días, Felicia.

   b. —Buenas tardes, Patricia.
   —No, profesora. Me llamo Felicia.
   —Ah, perdón. Buenas tardes, Felicia.

2. a. —¡Hola, Víctor!
   —¡Hola, Chela! ¿Cómo estás?
   —Bien, gracias. ¿Y tú?
   —Estoy muy bien.

   b. —Adiós, Chela. Hasta luego.
   —Chau, Víctor. Nos vemos.

3. a. —Adiós, Ernesto. Hasta luego.
   —Hasta mañana, señorita.

   b. —Buenas tardes, Ernesto. ¿Qué tal?
   —Muy bien, profesora. Gracias.

¡A charlar!

▶ Use the phrase **¿Cómo estás?** to ask how someone your own age is feeling. To ask someone older than you, use this phrase: **¿Cómo está usted?** You will find out more about addressing people older than you in **Segundo paso.**

2 • DIÁLOGO — ¡Nos vemos!

Complete the dialogues with your partner.

▶ Completa los diálogos con un compañero o una compañera de clase.

1. —Buenas tardes, ____.
   —Buenas ____, ____.
2. —Buenos días, ____.
   —¡Hola, ____! ¿Qué tal?
   —____. ¿Y tú? (Muy) Bien / Más o menos / ¡Súper!
   —Estoy ____.
3. —Adiós, ____. Hasta mañana.
   —Chau, ____, ____. Hasta luego / Nos vemos

¿POR QUÉ LO DECIMOS ASÍ?

GRAMÁTICA

HOW ARE YOU?
The Verb *estar* (Part 1)

***estar* = *to be* (*feeling*)**

A The verb **estar** (*to be*) is used to ask or tell how someone is feeling.

—Hola, Paco. ¿Cómo **estás**?	—*Hi, Paco. How are you?*
—**Estoy** bien, gracias.	—*I'm fine, thanks.*

B As with commands, the endings of the different forms of **estar** give you information about whom the verb refers to.

yo	est**oy**	*I am*
tú	est**ás**	*you are*
él	est**á**	*he is*
ella	est**á**	*she is*

PRONUNCIACIÓN

MORE ABOUT VOWELS

In Spanish, every vowel in a word is pronounced fully, never as *uh*, the way many vowels in English are pronounced. Develop the habit of saying each vowel clearly as you practice speaking Spanish. **¡OJO!** Be especially careful with the letter **a** at the end of words.

PRÁCTICA Have some fun by turning this whimsical song into a nonsensical verse. First, "sing" it the way it is written to the tune of "The Bear Went over the Mountain":

La mar estaba serena,
la mar estaba serena,
la mar estaba serena,
serena estaba la mar.

Now let's see what it sounds like when you replace all the vowels with a single vowel. Begin with the vowel **e**.

Le mer estebe serene,
le mer estebe serene,
le mer estebe serene,
serene estebe le mer.

If you were able to "sing" it that way, continue by substituting the other vowels.

Li mir istibi sirini...
Lo mor ostobo sorono...
Lu mur ustubu surunu...

EJERCICIO 1 ¡Saludos!

Complete the dialogue.

Ana Alicia habla con los estudiantes de la clase de español. Completa el diálogo con **estoy**, **estás** y **está**.

ANA ALICIA: ¡Hola, Paco! ¿Qué tal?
PACO: Más o menos, chica. Y tú, ¿cómo ____[1]?
ANA ALICIA: Bien, bien. Chela, ¿cómo ____[2]?
CHELA: ¿Yo? ¡ ____[3] súper, chica!
ANA ALICIA: Y la señorita García, ¿cómo ____[4]?
CHELA: Ah, ella ____[5] muy bien.

***yo estoy** = I am*
***tú estás** = you are*
***él está** = he is*
***ella está** = she is*

EJERCICIO 2 Más saludos

Pick the correct answer.

Un estudiante habla con sus compañeros de la clase de español. Escoge la respuesta correcta.

1. —¿Cómo estás, Beatriz?
   a. —Estoy muy bien, gracias.
   b. —Él está muy bien, ¿no?
2. —¿Y cómo está Víctor?
   a. —Yo estoy más o menos.
   b. —¿Él? Más o menos.
3. —¿Estás bien, Juana?
   a. —Sí, estoy muy bien, gracias.
   b. —Sí, ella está bien.
4. —¡Yo estoy súper! ¿Y tú?
   a. —Estoy más o menos.
   b. —¿Ella? Está más o menos.

VOCABULARIO  4 PALABRAS NUEVAS

Los saludos y las despedidas (Greetings and Leave-Takings)

Buenos días.
Buenas tardes.
¿Qué tal?

¿Cómo estás?
¿Cómo está él/ella?

Más o menos.
(Muy) Bien, gracias.

¡Muy bien!
¡Súper!
(Yo) Estoy muy bien.

Adiós.
Chau.
Hasta luego.
Hasta mañana.
Nos vemos.

Palabra de repaso: ¡Hola!

Palabras útiles (Useful Words)

gracias
más

Palabras del texto (Words from the Text)

¡A charlar!
¡Ojo!

¿CÓMO ESTÁS?

SEGUNDO PASO

San Juan, Puerto Rico.

San Juan, Puerto Rico.

San Juan, Puerto Rico.

San Juan, Puerto Rico.

LECCIÓN 

MÁS SALUDOS

In this lesson you will:

- *learn more ways to say hello and goodbye*
- *learn to address other people in Spanish*
- *tell how someone feels*

LECCIÓN 

LOS DÍAS DE LA SEMANA Y LOS NÚMEROS DEL 0 AL 39

In this lesson you will:

- *count to 39*
- *identify days of the week*

LECCIÓN 

¿QUÉ ROPA LLEVAS HOY?

In this lesson you will:

- *tell what you are wearing*
- *describe people and things*

LECCIÓN 

¿QUÉ HORA ES, POR FAVOR?

In this lesson you will:

- *ask and tell time*
- *learn useful classroom expressions*

MÁS SALUDOS

Así se dice...

VOCABULARIO

—Buenas tardes, Esteban. ¿Cómo estás?
—¡Muy bien! ¿Y tú?
—Más o menos.

—Buenos días, señorita García. **¿Cómo está usted?**
—Bien, gracias. ¿Y **usted**, Chela?
—Estoy **un poco enferma** hoy.
—**¡Qué lástima!**

—Buenas tardes, José. ¿Cómo está usted?
—Bien, **pero** estoy muy **ocupado**. ¿Y usted?
—Estoy **bastante** bien, gracias.

—**Buenas noches**, Daniel. ¿Cómo estás?
—Estoy bien, gracias. ¿Y tú?
—**Regular**. **Un poco cansada**...
—¡Yo **también**!

Y TÚ, ¿QUÉ DICES?

ACTIVIDADES ORALES

Conexión gramatical
Estudia las páginas 32–35 en **¿Por qué lo decimos así?**

1 • PIÉNSALO TÚ — Saludos y despedidas

Pick the correct sentences.

Busca las oraciones apropiadas para cada dibujo. **¡OJO!** Hay varias respuestas posibles.

a. Buenas tardes.
b. ¿Cómo está usted?
c. Hasta luego.
d. Buenas noches.
e. Estoy un poco enfermo.
f. ¿Cómo estás?
g. Estoy ocupada.
h. Hasta mañana.

1.

Víctor — señor Álvarez

2.

Paco — Roberto

3.

Beatriz — José

4.

Esteban — Felicia

5.

señor Álvarez — señorita García

6.

Ana Alicia — Esteban

¡A charlar!

Here is an easy way to introduce a friend to another person.

LUIS: Pancho, ésta es mi amiga Ángela. Ángela, éste es mi amigo Pancho.
PANCHO: Mucho gusto.
ÁNGELA: Igualmente, Pancho.

2 • DIÁLOGO Un estudiante travieso

Read the dialogue.

Ernesto practica español con el señor Álvarez, su profesor de matemáticas y el amigo de la señorita García.

ERNESTO:	Buenas tardes, señor Álvarez. ¿Cómo está usted?
SEÑOR ÁLVAREZ:	Muy bien, gracias. ¡Qué bueno es su español!
ERNESTO:	Muchas gracias. Y... ¿cómo está la señorita García?
SEÑOR ÁLVAREZ:	Ernesto, ¡abra su libro en la página ocho!

Y AHORA, ¡CON TU PROFESOR(A)!

Ask your teacher how he or she is feeling.

Pregúntale a tu profesor o profesora cómo está.

3 • INTERACCIÓN Conversaciones

Make up dialogues for each situation.

Con tu compañero o compañera, inventa diálogos para cada situación.

1. Dos muchachos/muchachas hablan por teléfono por la noche.
2. Un profesor y un estudiante hablan en la escuela por la mañana.
3. Dos estudiantes hablan en la cafetería por la tarde.

MODELO: Dos muchachos (muchachas) hablan por teléfono por la noche. →

TÚ: Buenas noches. ¿Qué tal?
COMPAÑERO/A: Más o menos. ¿Cómo estás tú?
TÚ: Muy bien.
COMPAÑERO/A: ¡Qué bueno!

Buenos días.	¿Cómo estás?	(Muy) Bien, gracias.	¡Qué bueno!
Buenas tardes.	¿Qué tal?	(Muy) Mal.	¡Qué barbaridad!
Buenas noches.	¿Cómo está usted?	Regular.	¡Qué lástima!
¡Hola!		Más o menos.	
		Estoy (un poco) enfermo/enferma.	
		Estoy contento/contenta.	
		Estoy cansado/cansada.	

[a]Mñsdía... Buenos días.
[b]A... *There's always a feeling of family resemblance in the air at this hour.*

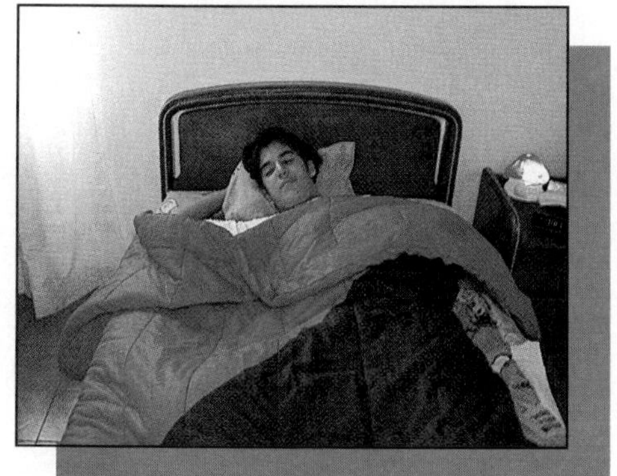
Caracas, Venezuela: Raúl Galván está un poco cansado hoy.

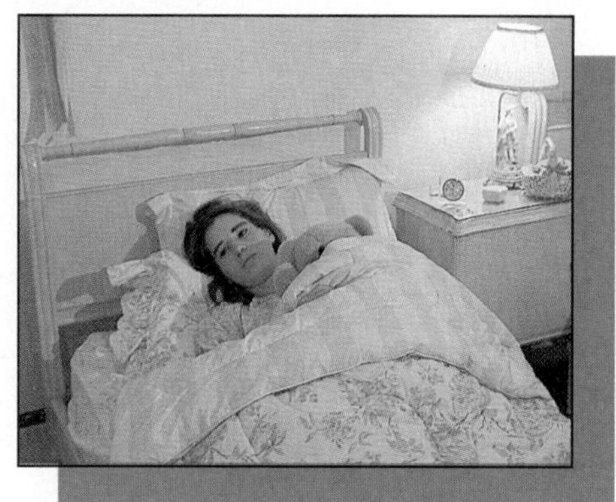
Buenos Aires, Argentina: Marisa Bolini está un poco enferma hoy.

¿POR QUÉ LO DECIMOS ASÍ?

GRAMÁTICA

TALKING TO OTHER PEOPLE
You (*tú* and *usted*)

ORIENTACIÓN
A *personal pronoun* (**pronombre personal**) represents a person (I, you, he, she) or persons (we, you, they). In English, the pronoun *you* refers to the person you are addressing.

*Both **tú** and **usted** = you (singular)*

A In Spanish, the words **tú** and **usted** correspond to English *you*. **Tú** (informal *you*) is used with a friend or other young person, that is, someone you usually address by first name.

¿Cómo estás **tú**, Paco?	*How are you, Paco?*

*Usted is abbreviated as **Ud.***

Usted (polite *you*) is used to show respect to an adult, especially one you don't know well, that is, a person you would address as Mr. (Mrs., Dr., and so on).

¿Cómo está **usted**, señorita García?	*How are you, Miss García?*

***tú** → a friend or child*
***usted** → an adult*

In Spanish class, you can use **tú** with a classmate, but your teacher may ask you to address her or him as **usted**. If you speak Spanish with another adult at your school, you should use **usted**.

*Note that Miss García addressed her students as **usted** at first; but later, when she knew them better, she used **tú**.*

B In conversation, the pronoun **tú** is often omitted but **usted** is generally used. Notice the difference between the following greetings.

¿Cómo estás, Juana?	*How are you, Juana?*
¿Cómo está **usted**, señor Álvarez?	*How are you, Mr. Álvarez?*

EJERCICIO 1 Saludos

Imagínate que hablas con estas personas. ¿Cuál es la pregunta apropiada?

Pick the correct question.

¿Cómo estás? **¿Cómo está usted?**

MODELOS: un compañero de tu clase de español → *¿Cómo estás?*
una doctora mexicana → *¿Cómo está usted?*

1. un compañero de tu clase de español

2. una doctora mexicana

3. tu profesor o profesora de español

4. una estudiante de Puerto Rico

5. una amiga de Venezuela

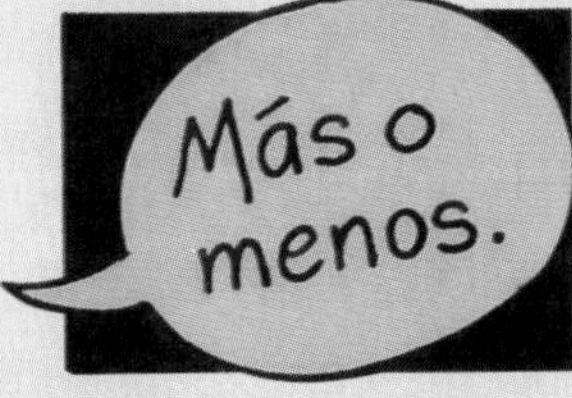

6. un dentista español

Study Hint

You have just learned two Spanish words for *you*: **tú** and **usted**. It is important to use them properly, so that you don't unintentionally sound disrespectful. If you are not sure which one to use, just remember that **tú** is for a family member, friend, or other informal acquaintance. **Usted** is more polite. That's why it is better to use **usted** with a friend's parent, an adult neighbor, or a person you don't know, such as a receptionist, salesperson, and so on. When in doubt, use **usted**. If **tú** is more appropriate, the person you are speaking with will let you know!

Caracas, Venezuela.

HOW ARE YOU?
The Verb *estar* (Part 2)

ORIENTACIÓN

The *subject* of a sentence tells you who or what the sentence is about. The subject can be a proper name (*Ms. Smith* is busy), a noun (*The teacher* is busy), or a pronoun (*She* is busy).

A Here are the five Spanish subject pronouns you have used so far along with the forms of **estar** (*to be*) that go with them. As you saw in **Primer paso**, different verb endings correspond to different subjects. Notice that three of the pronouns use the same verb form.

yo = I
tú/usted = you
él/ella = he/she

Singular Forms of **estar**		
yo	estoy	*I am*
tú	estás	*you* (informal) *are*
usted	está	*you* (polite) *are*
él	está	*he is*
ella	está	*she is*

estar* = *to be (feeling)

B In **Primer paso** you learned to use the verb **estar** to ask or tell how someone is feeling.

—¿Cómo **está usted**, señorita García? — *—How are you, Miss García?*
—**Estoy** bastante bien, gracias. — *—I'm quite well, thanks.*

—¿Cómo **está** el señor Álvarez? — *—How is Mr. Álvarez?*
—**Él está** muy ocupado hoy. — *—He's very busy today.*

—Y **tú**, Felicia, ¿cómo **estás**? — *—And you, Felicia, how are you?*
—**Estoy** bien, gracias. — *—I'm fine, thanks.*

Some descriptive words end in –o when they describe a male, –a when they describe a female.

C You have used several words and phrases with **estar** to describe how you are or how others feel. Some of those words end in **–o** when they describe a male and in **–a** when they describe a female.

Paco está ocupad**o** hoy. — *Paco is busy today.*
Patricia está ocupad**a** hoy. — *Patricia is busy today.*

MASCULINE	FEMININE	
cansado	cansada	*tired*
contento	contenta	*happy, content*
enfermo	enferma	*sick, ill*
ocupado	ocupada	*busy*

EJERCICIO 2 En la escuela

Víctor habla en español con varias personas hoy. Completa los diálogos con **estoy, estás** o **está**.

Complete the dialogues.

1. Víctor habla con el señor Álvarez.

VÍCTOR: ¿Cómo ____[1] usted, señor Álvarez?
SEÑOR ÁLVAREZ: Bastante bien, gracias. ¿Y usted?
VÍCTOR: Pues, más o menos. Y... ¿cómo ____[2] la señorita García?
SEÑOR ÁLVAREZ: No sé. Probablemente ____[3] ocupada.

2. Víctor habla con Patricia.

VÍCTOR: ¿Cómo ____[1] Esteban hoy? ¿Y Ana Alicia?
PATRICIA: Ella ____[2] bien, pero él ____[3] muy ocupado. ¡Ay! Esa clase de matemáticas...
VÍCTOR: Y tú, ¿cómo ____[4] ?
PATRICIA: Yo ____[5] muy ocupada... ¡también con matemáticas!
VÍCTOR: Y, ¿cómo ____[6] el señor Álvarez?
PATRICIA: ¡Él ____[7] muy contento, claro!

EJERCICIO 3 ¡Qué horror!

Hay un examen de matemáticas hoy. ¿Cómo están los estudiantes? Mira los dibujos y completa las descripciones con las palabras apropiadas.

How does each student feel before the exam?

1. Esteban está muy ____ .
2. Felicia está bastante ____ .
3. Paco está ____, probablemente.
4. Ernesto está un poco ____ .
5. Beatriz no está ____ . Está ____. ¡Es muy buena estudiante!

VOCABULARIO ÚTIL

cansado/cansada
contento/contenta
enfermo/enferma
nervioso/nerviosa
ocupado/ocupada

VOCABULARIO  PALABRAS NUEVAS

Los saludos (Greetings)
Buenas noches.

¿Cómo está usted?
¿Y usted?

Bastante bien.
Regular.

Estoy...
- cansado/cansada
- contento/contenta
- enfermo/enferma
- nervioso/nerviosa
- ocupado/ocupada

Palabras de repaso: buenos días, buenas tardes, ¿cómo estás?, más o menos, muy bien

¡A charlar! (Let's Talk)
Ésta es mi amiga...
Éste es mi amigo...
Mucho gusto.
Igualmente.

Las clases (Classes)
el español
las matemáticas

El lugar (Place)
la cafetería

Palabra de repaso: la escuela

Las personas (People)
el amigo / la amiga
el muchacho / la muchacha

Los verbos (Verbs)
estar
- estoy
- estás
- está

hablas
hablan

practica

Los adjetivos (Adjectives)
bueno/buena
mexicano/mexicana
travieso/traviesa

Palabras útiles (Useful Words)
bastante
¡claro!
¿cuál?
hay
mi
No sé.
pero
por la mañana
por la noche
por la tarde
por teléfono
probablemente
pues
¡Qué barbaridad!
¡Qué bueno!
¡Qué lástima!
también
tu/tus
un poco

Palabras del texto (Words from the Text)
Y ahora, ¡con tu profesor(a)!

la conversación
la descripción
la interacción
la lista
la oración
la respuesta
la situación

imagínate
inventa
pregúntale

estos/estas
segundo/segunda
varios/varias

LOS DÍAS DE LA SEMANA Y LOS NÚMEROS DEL 0 AL 39

***** octubre *****						
LUNES	MARTES	MIÉRCOLES	JUEVES	VIERNES	SÁBADO	DOMINGO
	1	2	3	4	5	6
7	8	9	10	11	12	13
14	15	16	17	18	19	20
21	22	23	24	25	26	27
28	29	30	31			

ASÍ SE DICE...

VOCABULARIO

0 cero	10 diez	20 veinte	30 treinta
1 uno	11 once	21 veintiuno	31 treinta y uno
2 dos	12 doce	22 veintidós	32 treinta y dos
3 tres	13 trece	23 veintitrés	33 treinta y tres
4 cuatro	14 catorce	24 veinticuatro	34 treinta y cuatro
5 cinco	15 quince	25 veinticinco	35 treinta y cinco
6 seis	16 dieciséis	26 veintiséis	36 treinta y seis
7 siete	17 diecisiete	27 veintisiete	37 treinta y siete
8 ocho	18 dieciocho	28 veintiocho	38 treinta y ocho
9 nueve	19 diecinueve	29 veintinueve	39 treinta y nueve

Conexión gramatical
Estudia las páginas 40–42 en **¿Por qué lo decimos así?**

ACTIVIDADES ORALES

1 • PIÉNSALO TÚ — ¿Cuántos llevan... ?

Say how many are wearing these items.

▶ Cuenta los estudiantes de la clase que llevan...

____ pantalones	____ falda
____ camisa	____ suéter

Now say how many are wearing these items.

▶ Y ahora, cuenta los estudiantes de la clase que llevan...

____ pantalones azules	____ un vestido verde
____ una falda blanca	____ una blusa amarilla
____ un suéter rojo	____ una camisa azul
____ zapatos negros	

2 • INTERACCIÓN — En el calendario hispano

With your partner, ask and answer questions about the calendar.

▶ Con tu compañero o compañera, inventa preguntas y respuestas según el calendario. Sigue los modelos.

¿Qué días son... ?

MODELO: lunes (L) →

L	M	M	J	V	S	D
		1	2	3	4	5
6	7	8	9	10	11	12
13	14	15	16	17	18	19
20	21	22	23	24	25	26
27	28	29	30	31		

TÚ: ¿Qué días son *lunes*?
COMPAÑERO/A: *El 6, el 13, el 20 y el 27.*

1. lunes (L)
2. viernes (V)
3. domingo (D)
4. jueves (J)
5. sábado (S)

¿Qué día de la semana es... ?

MODELO: el 31 →

TÚ: ¿Qué día de la semana es *el 31*?
COMPAÑERO/A: Es *viernes*.

6. el 27
7. el 16
8. el 28
9. el 24
10. el 15

Y AHORA, ¿QUÉ DICES TÚ?

▶ ¿Qué día de la semana es hoy?

Tell what day of the week it is today.

PRONUNCIACIÓN

DIPHTHONGS

The Spanish vowels **i** and **u** often combine with other vowels to form diphthongs, sounds in which the two vowels seem to glide together. When this happens, the other vowel (**a**, **e**, or **o**) is emphasized slightly more than the **i** or **u**. The common diphthongs with **i** are **ie** and **ia**, as in ***sie*te** and **grac*ias***; two with **u** are **ue** and **ua**, as in **n*ue*ve** and ***cua*tro**. **¡OJO!** If there is an accent mark on the **i** or the **u** (as in **d*ía***), the vowels are pronounced separately.

PRÁCTICA Listen to your teacher, and then see how well you can pronounce these sentences.

¡Los siete valientes llevan faldas de hierba!

Bienvenido a la clase de ciencias.

Now, see how you do with this tongue twister. First work on good pronunciation; then see if you can pick up your speed!

Cuando cuentes cuentos,
cuenta cuántos cuentos cuentas
cuando cuentas cuentos.

When you tell stories,
count how many stories you tell
when you tell stories.

Finally, try this famous saying in Spanish. Use it to tease a friend who comes back after an absence.

¡Hierba mala nunca muere!

Weeds never die!

¿POR QUÉ LO DECIMOS ASÍ?

GRAMÁTICA

NAMING THINGS
Plural Nouns and Articles

ORIENTACIÓN
The term *singular* means "one." These nouns are singular: shirt, teacher, class, color. The term *plural* means more than one. These nouns are plural: shirts, teachers, classes, colors.

A In Spanish, most nouns have both singular and plural forms.

SINGULAR	PLURAL
el zapato *the shoe* la camisa *the shirt*	los zapatos *the shoes* las camisas *the shirts*

***los/las* = *the* (*plural*)**

B Note that Spanish also has plural forms of the word *the*. The plural of the masculine article **el** is **los**, and the plural of the feminine article **la** is **las**.

	SINGULAR		PLURAL
MASCULINE	**el** { libro, número, diálogo	→	**los** { libros, números, diálogos
FEMININE	**la** { planta, pregunta, actividad	→	**las** { plantas, preguntas, actividades

C Here are three simple rules for making Spanish nouns plural.

To form plurals of words ending in vowels, add –s.

If the noun ends in a vowel, add **–s**.

el libro → los libros *the books*
la blusa → las blusas *the blouses*
la clase → las clases *the classes*

If the noun ends in a consonant, add **–es**.

el señor → los señor**es** *the men*
el suéter → los suéter**es** *the sweaters*
el examen → los exámen**es** *the tests*
la flor → las flor**es** *the flowers*

To form plurals of words ending in consonants, add -es.

If the noun ends in **–z**, change the **z** to **c** before you add **–es**.

el lápiz → los lápi**ces** *the pencils*

To form plurals of words ending in z, change z to c and add -es.

EJERCICIO 1 ¿Uno o más?

Mira los dibujos y escoge la frase apropiada.

Pick the correct phrase.

MODELO:

a. el elefante
b. los elefantes → *b. los elefantes*

él/la = the (singular)
los/las = the (plural)

1.

a. el zapato
b. los zapatos

2.

a. la planta
b. las plantas

3.

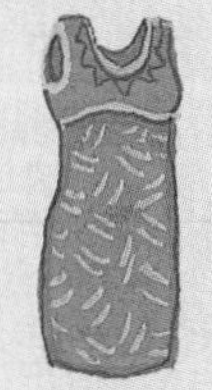

a. el vestido
b. los vestidos

4.

a. el suéter
b. los suéteres

5.

a. el director
b. los directores

6.

a. la profesora
b. las profesoras

7.

a. la camisa
b. las camisas

8.

a. el examen
b. los exámenes

EJERCICIO 2 Los mandatos de la profesora

Make up eight commands.

Inventa ocho mandatos para los estudiantes de la señorita García.

MODELO: Escriban... → Escriban *la tarea, por favor.*

Escriban...	el	libros
Lean...	la	puerta
Cierren...	los	pizarra
Señalen...	las	números
Cuenten...		calendario
Denme...		tarea
Miren		plantas
		camisetas
		instrucciones
		examen
		estudiantes
		ejercicio

VOCABULARIO  PALABRAS NUEVAS

Los días de la semana (Days of the Week)

el calendario
el día
la semana

lunes
martes
miércoles
jueves
viernes
sábado
domingo

octubre

Los números (Numbers)

cero	once
uno	doce
dos	trece
tres	catorce
cuatro	quince
cinco	dieciséis
seis	diecisiete
siete	dieciocho
ocho	diecinueve
nueve	veinte
diez	treinta

El mandato (Command)

cuente(n)

El adjetivo (Adjective)

hispano/hispana

Palabras útiles (Useful Words)

¿cuántos?
que

Palabras del texto (Words from the Text)

Y ahora, ¿qué dices tú?
la frase

cuenta
sigue

LECCIÓN 3

¿Qué ropa llevas hoy?

Así se dice...

VOCABULARIO

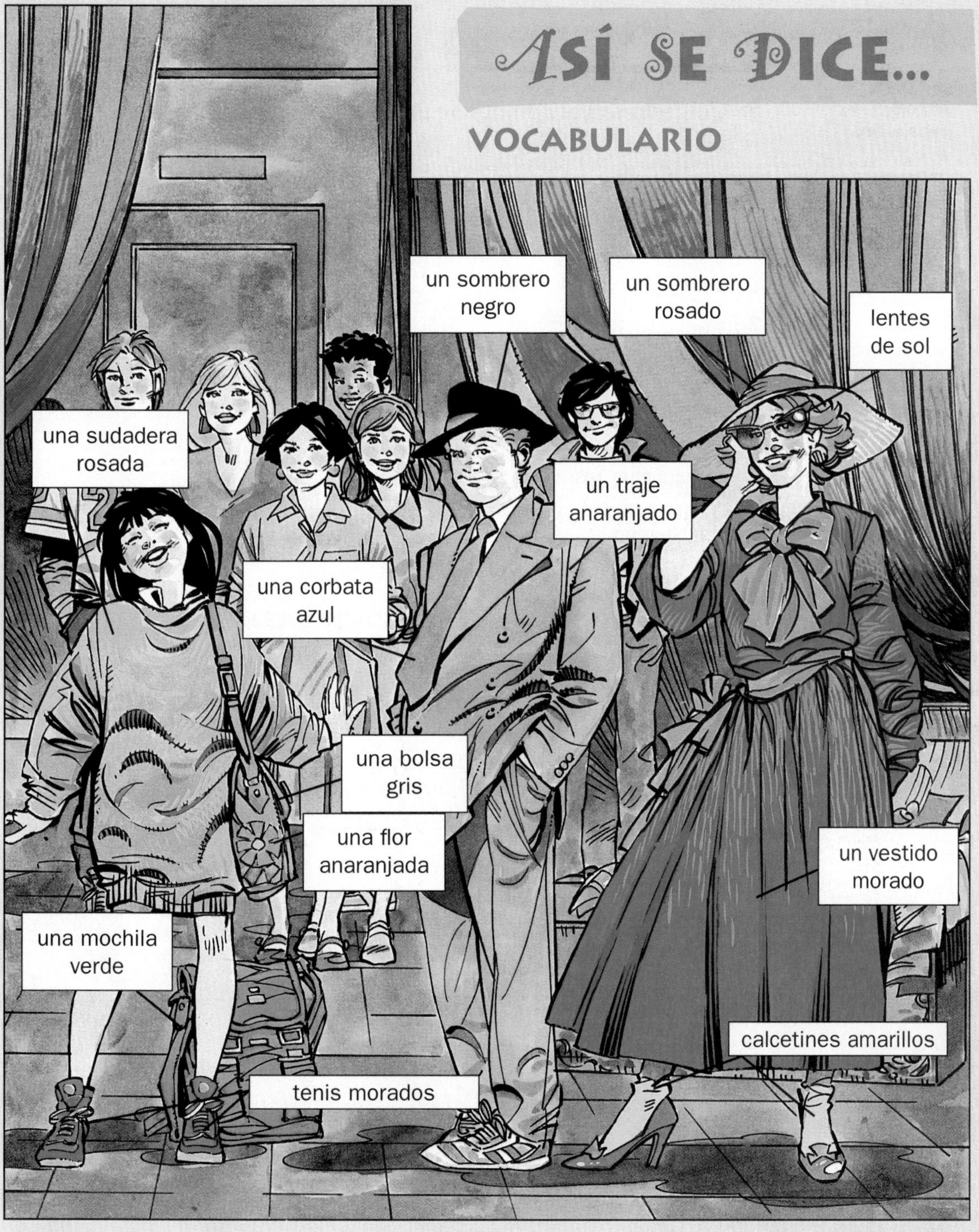
un sombrero negro
un sombrero rosado
lentes de sol
una sudadera rosada
un traje anaranjado
una corbata azul
una bolsa gris
una flor anaranjada
un vestido morado
una mochila verde
calcetines amarillos
tenis morados

Conexión gramatical
Estudia las páginas 47–51 en **¿Por qué lo decimos así?**

ACTIVIDADES ORALES

1 • PIÉNSALO TÚ — ¿Quién lleva... ?

Say who is wearing these items today.

Contesta con el nombre de un compañero o de una compañera de la clase.

¿Quién en la clase lleva... ?

1. ropa azul
2. jeans azules
3. una camiseta blanca
4. una sudadera gris
5. calcetines rosados
6. una corbata
7. ropa morada
8. una chaqueta roja
9. tenis negros
10. lentes

VOCABULARIO ÚTIL
nadie

2 • INTERACCIÓN — ¿Qué ropa llevan?

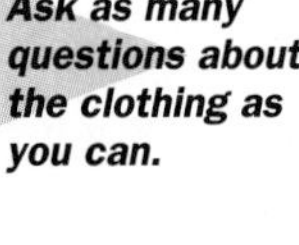

Ask as many questions about the clothing as you can.

Con tu compañero o compañera, inventa preguntas y respuestas según el dibujo.

José Campos

señorita García

señor Álvarez

MODELO:

TÚ: ¿Lleva José *un traje*?
COMPAÑERO/A: *No.* José lleva *camiseta y pantalones.*

TÚ: ¿Lleva la señorita García *una falda azul*?
COMPAÑERO/A: *Sí.*

3 • PIÉNSALO TÚ ¿Qué diferencias hay?

Busca las siete diferencias entre los dos dibujos.

Find the differences.

MODELO: En el dibujo A hay un vestido azul y blanco, pero en el dibujo B hay un vestido morado y blanco.

PRONUNCIACIÓN

ll AND *y*

At the beginning and in the middle of words, **ll** and **y** both sound like *y* in English *yes* (**me *ll*amo**, ***y*o**, **amari*ll*o**, **ma*y*o**).

By itself, or at the end of a word, **y** is pronounced like Spanish **i** (*y*, **mu*y***).

PRÁCTICA Listen to your teacher and see how well you can pronounce the following sentences.

La yema es amarilla.

Es el yoyó de Yolanda y Yuri.

¿Cómo se llama la llama llorona?

¿POR QUÉ LO DECIMOS ASÍ?

GRAMÁTICA

WHAT ARE YOU WEARING?
The Verb *llevar*

Here are the three forms of the verb **llevar** (*to wear*) that correspond to the five Spanish subject pronouns you have used so far. Note that, as with **estar**, the same verb form is used with three of the pronouns.

***llevar* = to wear**

Singular Forms of **llevar**		
yo	**llevo**	*I wear; I am wearing*
tú	**llevas**	*you* (informal) *wear; you are wearing*
usted	**lleva**	*you* (polite) *wear; you are wearing*
él	**lleva**	*he wears; he is wearing*
ella	**lleva**	*she wears; she is wearing*

Hoy yo **llevo** pantalones grises y Paco **lleva** pantalones negros. — *Today I'm wearing gray pants, and Paco is wearing black pants.*

EJERCICIO 1 **Por teléfono**

▶ Chela y Felicia practican español por teléfono. Completa la conversación con **llevo, llevas** o **lleva**.

Complete the conversation.

CHELA: Felicia, ¿qué ____[1] hoy?
FELICIA: ¿Yo? ____[2] una camiseta roja y pantalones grises.
CHELA: ¿Y qué ____[3] Patricia?
FELICIA: ¿Ella? ____[4] una camiseta roja y pantalones blancos. Y tú, ¿qué ____[5]?
CHELA: ¡Qué coincidencia! ¡____[6] una camiseta roja también!

yo llevo* = *I'm wearing
tú llevas* = *you're wearing
él/ella lleva* = *he's/she's wearing

EJERCICIO 2 ¡Qué ridículo!

Complete the statement, then express your opinion.

Con tu compañero o compañera, completa las oraciones con **llevo, llevas** o **lleva**. Luego usa **Es correcto, No es correcto** o **¡Es ridículo!** para expresar tu opinión.

MODELO: El policía ____ un uniforme amarillo y una corbata morada. →

TÚ: El policía *lleva* un uniforme amarillo y una corbata morada.

COMPAÑERO/A: *¡Es ridículo!*

1. Yo ____ un sombrero anaranjado.
2. Tú ____ jeans y camiseta.
3. El director / La directora de la escuela ____ un traje y una camisa blanca.
4. Tú ____ pantalones verdes y una sudadera morada.
5. El profesor / La profesora de la clase de español ____ jeans y un suéter blanco.
6. Yo ____ una falda y una corbata.
7. Un pingüino ____ un traje rojo y una camisa amarilla.
8. Ernesto ____ tenis amarillos.

DESCRIBING PEOPLE AND THINGS
Adjective-Noun Agreement

ORIENTACIÓN
An *adjective* (**adjetivo**) modifies (or describes) a noun or pronoun: large (dog), important (idea), blue (shoes), (I am) smart, (you are) nice.

A In Spanish, an adjective that modifies a singular noun or pronoun is also singular. When the adjective modifies a plural noun or pronoun, it is likewise plural. This is called *agreement*. Adjectives also agree with the gender (masculine/feminine) of the nouns or pronouns they modify.

- ***masculine singular: -o***
- ***feminine singular: -a***
- ***masculine plural: -os***
- ***feminine plural: -as***

	SINGULAR	PLURAL
MASCULINE	el libro **rojo**	los libros **rojos**
FEMININE	la falda **roja**	las faldas **rojas**

B Here are three easy rules for using adjectives.

Adjectives that end in **–o** describe masculine nouns or males.

El sombrero es **negro**.	*The hat is black.*
Ernesto es un poco **loco**.	*Ernesto is a bit crazy.*

The same adjectives end in **–a** when they describe feminine nouns or females.

La chaqueta es **negra**.	*The jacket is black.*
Juana es un poco **loca**.	*Juana is a bit crazy.*

Most adjectives that end in a consonant or in **–e** describe both masculine and feminine nouns as well as males and females.

La camisa es **azul**.	*The shirt is blue.*
El traje es **azul**.	*The suit is blue.*
El libro es **verde**.	*The book is green.*
La planta es **verde**.	*The plant is green.*
Beatriz es **inteligente**.	*Beatriz is intelligent.*
Roberto es **inteligente**.	*Roberto is intelligent.*

C The rules for making adjectives agree with plural nouns or pronouns are identical to the rules for making nouns plural.

If the adjective ends in a vowel, add **–s**.

rojo → rojo**s**
verde → verde**s**
morada → morada**s**

If the adjective ends in a consonant, add **–es**.

azul → azul**es**
gris → gris**es**

D As in English, an adjective can precede or follow the noun it modifies or be separated from it by a verb. The second example uses adjectives with the verb forms **es** (*is*) and **son** (*are*) to describe things.

In Spanish, adjectives usually follow the nouns they describe:
- ***un vestido negro***
- ***una casa blanca***
- ***pantalones grises***

Roberto lleva una **camiseta blanca** y **zapatos negros**.	*Roberto is wearing a white T-shirt and black shoes.*
La **camiseta** es **blanca** y los **zapatos** son **negros**.	*The T-shirt is white and the shoes are black.*

EJERCICIO 3 Las fotos del anuario

Pick the correct adjective to describe each item of clothing.

Las fotos del anuario de la escuela son en blanco y negro. Pero, ¿de qué color es realmente la ropa que llevan los estudiantes? Contesta las preguntas con el adjetivo apropiado.

MODELO:

¿Qué llevan Paco y Roberto en la foto?	camisas pantalones	negros moradas →

TÚ: ¿Qué llevan Paco y Roberto en la foto?
COMPAÑERO/A: *Camisas moradas y pantalones negros.*

1. ¿Qué llevan Felicia y Patricia?	vestidos chaquetas	rojas amarillos
2. ¿Qué llevan Ernesto y Víctor?	sombreros corbatas	azules blancos
3. ¿Qué lleva Juana?	un suéter una falda calcetines	blancos gris anaranjada
4. ¿Qué lleva Ana Alicia?	una blusa zapatos un traje	rosada blanco azules
5. ¿Qué lleva Esteban?	una camisa un suéter zapatos	amarillo grises verde

Study Hint

By now, you may think you'll *never* really learn how Spanish adjectives and nouns work! Don't be discouraged. The system is pretty simple once you get the hang of it, and in time you'll develop a feel for agreement. Your teacher doesn't expect you to make your adjectives and nouns match perfectly right away. Try not to worry about the rules when you are speaking, but do keep them in mind when you check your writing.

EJERCICIO 4 Los colores del mundo

¿De qué color son estas cosas?

Pick logical colors for these items.

MODELO: La bandera de los Estados Unidos es ____, ____ y ____ . →
La bandera de los Estados Unidos es *roja, blanca* y *azul.*

1. La bandera de los Estados Unidos es ____, ____ y ____ .
2. Los elefantes son ____ .
3. El océano es ____ o ____ .
4. Un piano es ____ y ____ .
5. Los tomates son ____ o ____ .
6. Las bananas son ____ .
7. Una rosa es ____ o ____ o ____ .
8. Una jirafa es ____ y ____ .
9. Los rubíes son ____ y las esmeraldas son ____ .

***¡OJO!* Be sure the color adjectives agree with the nouns.**

VOCABULARIO  PALABRAS NUEVAS

La ropa (Clothing)

la bolsa
el calcetín
la camiseta
la corbata
la chaqueta
los jeans
los lentes de sol
la mochila
el sombrero
la sudadera
los tenis
el traje

Palabras de repaso: la falda, los pantalones, el vestido

Los colores (Colors)

anaranjado/anaranjada
morado/morada
rosado/rosada

Palabras de repaso: amarillo/amarilla, azul, blanco/blanca, gris, negro/negra, rojo/roja, verde

Las cosas (Things)

el anuario
la flor
la foto

Otros sustantivos (Other Nouns)

la diferencia
la opinión

Palabras útiles (Useful Words)

entre
nadie
¡Qué coincidencia!
realmente
si

Los verbos (Verbs)

llevar
llevo
llevas
lleva
practican

Palabras del texto (Words from the Text)

correcto/correcta
siguiente/siguientes

¿QUÉ HORA ES, POR FAVOR?

¿QUÉ HORA ES, POR FAVOR?

SON LAS DIEZ.

ASÍ SE DICE...

VOCABULARIO

UNAS EXPRESIONES DE CORTESÍA

¡PERDÓN!

POR FAVOR... GRACIAS.

DE NADA.

CON PERMISO.

LAS ACTIVIDADES DE PATRICIA

SON LAS NUEVE.

ES LA UNA.

SON LAS CINCO Y CINCO.

SON LAS SIETE Y DIEZ.

SON LAS DIEZ Y VEINTE.

DICCIONARIO ESPAÑOL INGLÉS

Y TÚ, ¿QUÉ DICES?

Conexión gramatical
Estudia las páginas 56–57 en **¿Por qué lo decimos así?**

ACTIVIDADES ORALES

1 • PIÉNSALO TÚ ¿Qué hora es?

Busca la hora que corresponde a cada reloj.

Pick the correct time.

1. Son las cinco y diez.
2. Es la una.
3. Son las seis y veinte.
4. Son las nueve y cinco.
5. Son las cuatro.

a. b. c. d. e.

A.

B.

C.

D.

¡A charlar!

Here are some expressions you may find useful in class. Can you match each Spanish expression with the appropriate drawing shown at the left?

1. **No comprendo. Repita, por favor.**
2. **¡Yo sé! (¡Yo lo sé!)**
3. **—¿Cómo se dice esto en español?**
   —Se dice «lápiz».
4. **Perdón, profesora...**

2 • PIÉNSALO TÚ **Situaciones**

Pick the correct expression.

Escoge la expresión apropiada para cada situación.

1.

a. Perdón.
b. ¿Cómo se dice esto en español?

2.

a. ¡Por favor!
b. ¿Qué hora es?

3.

a. ¡Ay, no comprendo!
b. Con permiso.

4.

a. ¿Cómo se escribe tu nombre?
b. Muchas gracias.

3 • DEL MUNDO HISPANO Globo: Tu música en tu idioma

▶ Adivina el nombre del programa de radio según el día y la hora.

Guess the name of the program.

Tu música en tu idioma

¡¡Siempre con lo nuevo y algo más!!

La mejor programación musical en español, las 24 horas del día con los éxitos del momento y los mejores programas de la Frecuencia Modulada.

Noticias con Adriana Pérez Cañedo.
Lunes a Viernes 7 A.M.

EN PRIMERA FILA

Espectáculos con Javier Trejo Garay.
Lunes a Viernes 11 A.M.

Comentarios con Lorena Ezcurdia.
Lunes a Viernes 1 P.M.

Sólo deportes con Alfredo Domínguez Muro.
Lunes a Viernes 8 A.M. y 2 P.M.

¡¡Cotorrísimo!! con Martha Aguayo y Martín Achirica.
Lunes a Viernes 6 P.M.

Inolvidable con José López.
Lunes a Viernes 7 P.M.

Sólo música mezclada.
Sábado 10 P.M.

Un día en la vida de tus artistas favoritos.
Sábados y Domingos durante todo el día.

MODELO: Es lunes y son las once de la mañana. →
El programa se llama *En primera fila*.

1. Es miércoles y es la una de la tarde.
2. Es jueves y son las siete de la noche.
3. Es domingo y son las dos de la tarde.
4. Es sábado. Son las diez de la noche y es un programa de música.

¡A charlar!

▶ Here are some Spanish expressions used to distinguish between A.M. and P.M. hours.

Son las ocho **de la mañana.** *It's 8:00* A.M. (*in the morning*).

Es la una y veinte **de la tarde.** *It's 1:20* P.M. (*in the afternoon*).

Son las nueve y diez **de la noche.** *It's 9:10* P.M. (*in the evening*).

¿POR QUÉ LO DECIMOS ASÍ?

GRAMÁTICA

WHAT TIME IS IT?
Telling Time (Part 1)

A To ask what time it is in Spanish, use this question.

¿Qué hora es? — *What time is it?*

B To answer the question, use **Son las** + the hour.

Son las cinco. — *It's five (o'clock).*

For one o'clock, use **Es la** instead of **Son las** in the answer.

Es la una. — *It's one (o'clock).*

***y* = and**
***y* + minutes = minutes past the hour**

C To give minutes past the hour, use **y** (*and*) + the number of minutes.

Son las ocho **y** diez. — *It's eight-ten (8:10).*
Es la una **y** veinte. — *It's one-twenty (1:20).*

EJERCICIO 1 **Una clase aburrida**

Ask the time and give the correct answer.

Hoy Ernesto no lleva reloj. Le pregunta a Víctor qué hora es. Inventa la conversación con tu compañero o compañera.

MODELO:  →

TÚ: ¿Qué hora es ahora?
COMPAÑERO/A: *Son las diez.*

1. 2. 3. 4.
5. 6. 7. 8.

***son las* + the hour = it's (the hour) o'clock**
***es la una* = it's one o'clock**
***y* + minutes = minutes past the hour**

EJERCICIO 2 ¿Qué hora es?

Di la hora con tu compañero o compañera. *Tell the time.*

TÚ: ¿Qué hora es?
COMPAÑERO/A: _____ .

1. 
2. 

3. 
4. 

5. 
6. 

VOCABULARIO  PALABRAS NUEVAS

¿Qué hora es? (What Time Is It?)
la hora
el reloj

es la una
son las...

de la mañana
de la tarde
de la noche

Expresiones de cortesía (Expressions of Courtesy)
Con permiso.
De nada.
¡Perdón!
Por favor.

Palabra de repaso: gracias

¡A charlar! (Let's Talk)
¿Cómo se dice esto en español?
Se dice...

¿Cómo se escribe... ?

No comprendo.
¡Yo (lo) sé!

La clase (Class)
la historia

Los sustantivos (Nouns)
el idioma
el programa

El mandato (Command)
repita(n)

Los adjetivos (Adjectives)
aburrido/aburrida

Palabras del texto (Words from the Text)
corresponde

adivina
di

LAS CLASES

Lima, Perú.

Lima, Perú.

¿QUÉ PODEMOS DECIR?

Mira las fotografías. ¿Qué fotos asocias con las siguientes descripciones?

- Un grupo de estudiantes. ¿Cuántas estudiantes hay? ¿Hay un profesor en la clase? ¿Cómo están las estudiantes? ¿contentas? ¿ocupadas? ¿Qué ropa llevan?
- Unos muchachos que practican fútbol. ¿Cuál es más popular en tu escuela, el fútbol o el béisbol?
- Una muchacha en la escuela. ¿Qué ropa lleva?

San José, Costa Rica.

LECCIÓN 1

EN EL SALÓN DE CLASE

In this lesson you will:

- *describe your classroom and the objects in it*
- *use numbers up to 100*
- *ask and talk about quantity (how many?)*
- *learn one way to say no in Spanish*

LECCIÓN 

EL HORARIO DE CLASES

In this lesson you will:

- *talk about your school schedule*
- *talk about what classes you have*
- *learn more about telling time*

LECCIÓN 

MIS ACTIVIDADES FAVORITAS

In this lesson you will:

- *say what you like and don't like to do*
- *talk about the activities you associate with the months of the year*

LECCIÓN 1 EN EL SALÓN DE CLASE

Hay muchas cosas en la mochila de Felipe, ¿verdad? Hay un libro, tres lápices, un cassette, una foto (¿de su novia?) y... ¡sus tenis!

Sevilla, España.

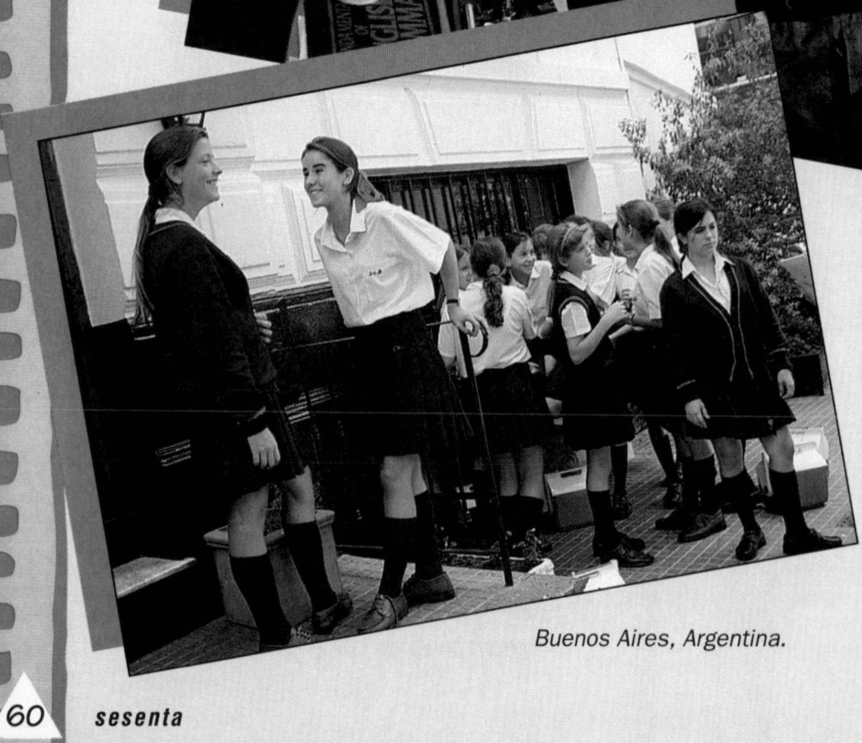

En la escuela de Marisa Bolini, todas las estudiantes llevan uniforme.

Buenos Aires, Argentina.

LUIS: ¿Cuántos estudiantes hay en tu clase de historia?

ÁNGELA: No muchos, ocho muchachos y diez muchachas.

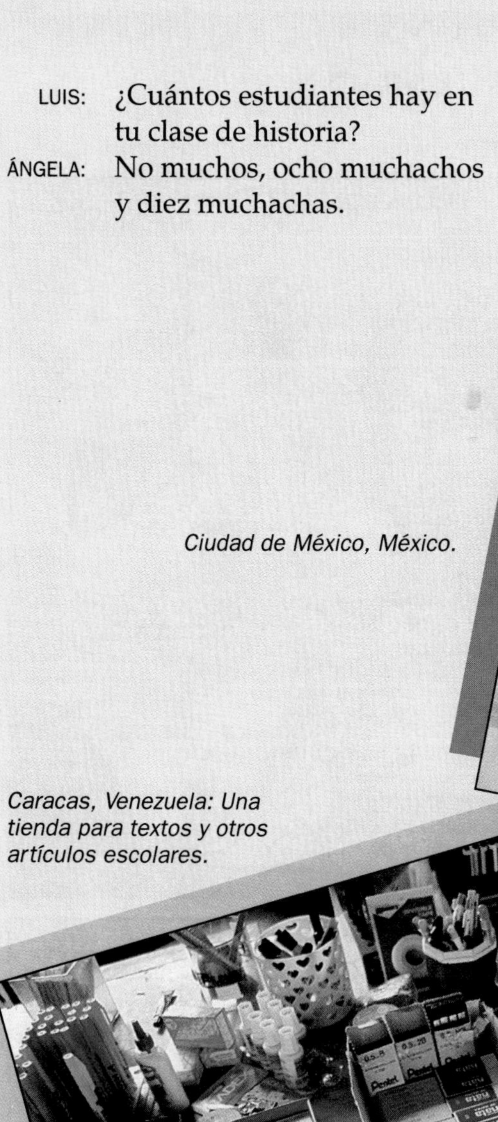

Ciudad de México, México.

Caracas, Venezuela: Una tienda para textos y otros artículos escolares.

ACADEMIAS
COLON
TE OFRECEN

- GRUPOS REDUCIDOS
- VARIOS NIVELES
- PROFESORES NATIVOS
- HORARIOS DE MAÑANA, TARDE Y NOCHE Y ESPECIALES DE VIERNES O SABADOS
- CURSOS INDIVIDUALES INTENSIVOS
- VIDEO y T.V.
- PREPARACION ESCUELA OFICIAL DE IDIOMAS
- PREPARACION PARA CERTIFICADOS DE CAMBRIDGE Y TOELF
- CURSOS DE VERANO EN INGLATERRA, EE.UU., IRLANDA, FRANCIA, ALEMANIA E ITALIA

VOCABULARIO

¿QUÉ HAY EN EL SALÓN DE CLASE?

ACTIVIDADES ORALES Y LECTURAS

Conexión gramatical
Estudia las páginas 69–74 en **¿Por qué lo decimos así?**

1 • INTERACCIÓN ¿Cuántos hay?

Tell how many objects there are.

Paso 1. En tu salón de clase, cuenta...

MODELO: los pupitres →

TÚ: ¿Cuántos *pupitres* hay?
COMPAÑERO/A: Hay (*veintiséis*).

los pupitres	los carteles	los mapas
los borradores	los cuadernos	¿ ?

Paso 2. En tu salón de clase, cuenta...

MODELO: las mesas →

TÚ: ¿Cuántas *mesas* hay?
COMPAÑERO/A: Hay (*tres*).

las pizarras	las sillas	las banderas
las ventanas	las puertas	¿ ?

2 • PIÉNSALO TÚ ¿Cuántos estudiantes de español hay?

Say how many students are in each level.

Hay cuatro niveles de español en la Escuela Central. ¿Cuántos estudiantes hay en cada nivel? Inventa preguntas y respuestas según la tabla.

NIVEL	CHICOS	CHICAS	TOTAL
Español 1	59	37	96
Español 2	46	39	85
Español 3	32	35	67
Español 4	21	27	48

MODELO:

TÚ: ¿Cuántos *estudiantes* hay en total en *Español 2*?
COMPAÑERO/A: Hay *ochenta y cinco*.

TÚ: ¿Cuántas *chicas* hay en *Español 1*?
COMPAÑERO/A: Hay *treinta y siete*.

3 • INTERACCIÓN En la clase de español

Talk about the drawing with your partner.

¿Qué hay en la clase de la señorita García? Mira el dibujo y di si hay o no hay estas cosas.

MODELOS: un calendario viejo →

TÚ: ¿Hay *un calendario viejo*?
COMPAÑERO/A: *Sí hay.*

una planta grande →

TÚ: ¿Hay *una planta grande*?
COMPAÑERO/A: *No, no hay.*

1. una bandera de los Estados Unidos
2. una silla roja
3. carteles grandes
4. una pizarra negra
5. un gato blanco
6. pupitres nuevos
7. mochilas verdes
8. un reloj pequeño
9. ¿ ?

RETRATO CULTURAL

JAIME ESCALANTE

El profesor de matemáticas Jaime Escalante es el conductor de la serie de televisión «*Futures*». El profesor Escalante enseña° matemáticas y principios científicos de manera divertida. Luego, muestra° su aplicación en situaciones reales como los laboratorios de NASA. Invitados° especiales como Arnold Schwarzenegger, Kareem Abdul-Jabbar y Jackie Joyner-Kersee explican cómo las matemáticas les ayudaron en sus carreras.° Esta serie de la televisión pública es interesante... ¡y realmente divertida!

teaches

he shows

Guests

les... *helped them in their careers*

READING TIP 1

TRY TO READ "IN SPANISH" AND RELAX!

Reading in Spanish is a bit challenging, but it's also fun to discover how much you really do understand if you give yourself a chance. There's no need to run to a dictionary as soon as you see written Spanish. The Reading Tips throughout this book will show you how to use what you already know and how to develop strategies for understanding words you don't recognize.

A reading is like a jigsaw puzzle. First you check it out and put together all the pieces you can to get a general picture. Then you use those clues to help fit the rest of the pieces into place.

As you begin a new selection, read it through once without using the dictionary. See what general idea you have when you finish. Then read the selection again; you will be surprised to see that you understand more than you thought. Try this strategy with the reading that follows.

¡TE INVITAMOS A LEER!

LOS TRES ZAPATOS

Find out about Juana's room.

PERO ANTES... Juana Muñoz tiene° un problema. Su cuarto° está muy desordenado.° Hay cosas por todas partes. Y tú, ¿tienes este problema también? ¿Hay muchas cosas en tu cuarto? ¿Qué cosas hay?

has

room / messy

Son las cuatro de la tarde. Juana Muñoz, una estudiante de la señorita García, está en su cuarto. Ella es una muchacha alegre,° pero hoy no está contenta porque... ¡su cuarto es un desastre!

contenta

En su escritorio hay bolígrafos azules, amarillos, rojos, negros, verdes, morados, ¡de todos los colores! Hay papeles, muchos lápices y nueve cuadernos. Y también hay novelas, libros de español, de arte y de historia. Además° hay dos plantas, un reloj,

In addition

un calendario, treinta cassettes de música, varios zapatos, dos manzanas y muchas otras cosas.

A las cuatro de la tarde, la mamá de Juana entra al° cuarto y...

entra... *comes into the*

JUANA: ¡Hola, mamá!
MAMÁ: ¡Hola, hija! ¿Cómo estás?
JUANA: Más o menos, mamá. ¿Y tú?
MAMÁ: Bien, gracias. ¿Sabes° qué hora es?
JUANA: Mamá, hay un reloj en mi cuarto. Mira, son las...
MAMÁ: ¡Ay, Juana! Tu escritorio es... ¡un desastre!
JUANA: Sí, es verdad, pero estoy muy ocupada y...
MAMÁ: Pero, Juana, mira... ¡Hay un zapato en tu escritorio!
JUANA: Este...° No, mamá... Hay tres zapatos...
MAMÁ: Ay, hija. ¡Qué barbaridad!

Do you know

Well, uh . . .

Complete each sentence with the correct response.

¿QUÉ IDEAS CAPTASTE? Completa cada oración con la respuesta correcta.

MODELO: Juana es (la mamá / una estudiante) de la señorita García. →
Juana es *una estudiante* de la señorita García.

1. Juana está en (casa / la escuela).
2. ¿Cómo está el cuarto de Juana? Está (ordenado / desordenado).
3. En el escritorio hay libros de (música / arte).
4. También hay (lápices / bolígrafos) de muchos colores.
5. La mamá de Juana dice que hay (un reloj / un zapato) en el escritorio.

PRONUNCIACIÓN

s AND z

Most Spanish speakers pronounce the letters **s** and **z** just alike, always with the hissing sound of **s**, not with a buzzing sound.*

PRÁCTICA Listen to your teacher pronounce this little rhyme that Hispanic children sing on the playground during recess.

Estos ojitos tan azulitos	*These little blue eyes*
se duermen bien.	*fall right asleep.*
¡Te-rén-ten-ten!	*Tee-reep-teep-teep!*

*In parts of Spain, the letter **z** is distinguished from the letter **s** and pronounced with a *th* sound as in the English *thin*.

Madrid, España

¿POR QUÉ LO DECIMOS ASÍ?

GRAMÁTICA

TELLING WHAT THERE IS
The Verb Form *hay*

A The word **hay** corresponds to the English phrases *there is* and *there are.*

hay = there is / there are

Hay una planta en la ventana. *There is a plant in the window.*

Hay veintidós estudiantes en la clase. *There are twenty-two students in class.*

B To ask *What is (there) . . . ?* or *What are (there) . . . ?*, use the question **¿Qué hay... ?**

¿Qué hay? = What is there? / What are there?

—**¿Qué hay** en el pupitre? —*What is (there) on the desk?*
—Hay un lápiz. —*There's a pencil.*

—**¿Qué hay** en la mesa? —*What is (there) on the table?*
—Hay quince libros. —*There are fifteen books.*

C To ask *How many are there?*, use **¿Cuántos hay?** (for masculine nouns) or **¿Cuántas hay?** (for feminine nouns).

¿Cuántos/ ¿Cuántas hay? = How many are there?

—¿Qué hay en el lóquer? —*What is (there) in the locker?*
—Hay chaquetas. —*There are jackets.*
—**¿Cuántas hay?** —*How many are there?*
—Hay dos. —*There are two.*

To ask how many of a particular thing there are, use **¿Cuántos/¿Cuántas** + a plural noun + **hay?**

—**¿Cuántos** pupitres **hay?** —*How many desks are there?*
—Hay veintitrés. —*There are twenty-three.*
—Y **¿cuántas** sillas **hay**? —*And how many chairs are there?*
—(Hay) Trece. —*(There are) Thirteen.*

Hay uno/una. = There's one.

D To answer that there is only one of something, use **uno** (for masculine nouns) or **una** (for feminine nouns).

—¿Cuántos escritorios hay?	—*How many desks are there?*
—(Hay) **Uno**.	—*(There is) One.*
—Y ¿cuántas banderas hay?	—*And how many flags are there?*
—(Hay) **Una**.	—*(There is) One.*

Hay muchos/ muchas. = There are a lot / lots / many.

To answer that there are a lot (or lots) of something, you say **muchos** for masculine nouns or **muchas** for feminine nouns.

Hay **muchos** (cuadernos).	*There are a lot (of notebooks).*
Hay **muchas** (sillas).	*There are lots (of chairs).*

No hay... = There are none. / There are no . . .

To answer that there are none, say **No hay** + a plural noun.

—¿Cuántos calendarios hay?	—*How many calendars are there?*
—**No hay** calendarios.	—*There aren't any calendars.*

EJERCICIO 1 En una tienda de ropa

Ask how many things there are and answer appropriately.

¿cuántos? / muchos with masculine plural noun; ¿cuántas? / muchas with feminine plural noun

No hay... = There are no . . . or There are none.

Con tu compañero/a, inventa preguntas con **¿cuántos?** o **¿cuántas?** Contesta con **muchos** o **muchas** según el caso.

MODELOS: trajes →

TÚ: ¿*Cuántos* trajes hay (en una tienda de ropa)?
COMPAÑERO/A: Hay *muchos*.

banderas →

TÚ: ¿*Cuántas* banderas hay?
COMPAÑERO/A: ¡No hay banderas en una tienda de ropa!

1. trajes
2. banderas
3. bolsas
4. sombreros
5. cuadernos
6. mochilas
7. pupitres
8. camisetas
9. vestidos
10. carteles
11. calcetines
12. ¿ ?

EJERCICIO 2 En el cuarto de Roberto

¿Qué hay en el cuarto de Roberto? Con tu compañero/a, inventa preguntas con **¿cuántos?** o **¿cuántas?** Contesta con un número. Usa **uno** o **una** según el dibujo.

Ask how many of each item there are, and answer with a number.

MODELO: bolígrafos →

TÚ: ¿Cuántos *bolígrafos* hay?
COMPAÑERO/A: Hay *uno.*

1. bolígrafos
2. mochilas
3. libros
4. sillas
5. relojes
6. manzanas
7. cuadernos
8. lápices
9. calendarios
10. ¿ ?

ANSWERING IN THE NEGATIVE

The Word *no*

A You have already used the word **no** to answer questions negatively. Here are three contexts in which you have used **no**.

—Te llamas Paco, ¿verdad?
—**No**. Me llamo Ernesto.

—¿Lleva Paco traje?
—**No**. Lleva chaqueta.

—Ana Alicia, ¿qué hora es?
—**No** comprendo, señorita.

no* = *no, not, don't, doesn't, isn't, etc.

B In Spanish, **no** can express *no, not, don't, doesn't, isn't,* and so on. Note the English equivalents of Spanish **no** in the following sentences.

—Esteban, ¿llevas una camiseta azul?	*—Esteban, are you wearing a blue T-shirt?*
—**No**, **no** llevo una camiseta azul.	*—No, I'm **not** wearing a blue T-shirt.*
—¿Hay una planta en el salón de clase?	*—Is there a plant in the classroom?*
—**No**, **no** hay.	*—No, there is**n't**.*
—¿Comprendes, Beatriz?	*—Do you understand, Beatriz?*
—**No**, **no** comprendo.	*—No, I do**n't** understand.*

In Spanish, subject + no + verb.

C In Spanish, **no** usually comes just before the verb.

Yo **no llevo** corbata hoy.	*I'm not wearing a tie today.*
Paco **no está** muy contento.	*Paco isn't very happy.*
No hay tiza para la pizarra.	*There isn't any chalk for the chalkboard.*

San Juan, Puerto Rico: Señales de tránsito.

EJERCICIO 3 **En el salón de clase**

Con tu compañero/a, di que **no** y corrige la información según el dibujo.

Say "no" and correct the statement.

MODELO: Paco lleva una camiseta verde. →

TÚ: Paco lleva una camiseta verde.
COMPAÑERO/A: *No,* Paco *no lleva* una camiseta verde. *Lleva una camiseta azul.*

1. Paco lleva una camiseta verde.
2. Patricia está contenta.
3. Chela está bien.
4. Son las nueve.
5. Juana lleva una falda roja.
6. Hay 30 días en octubre.
7. Hay una papelera pequeña.
8. Hay una bandera grande.

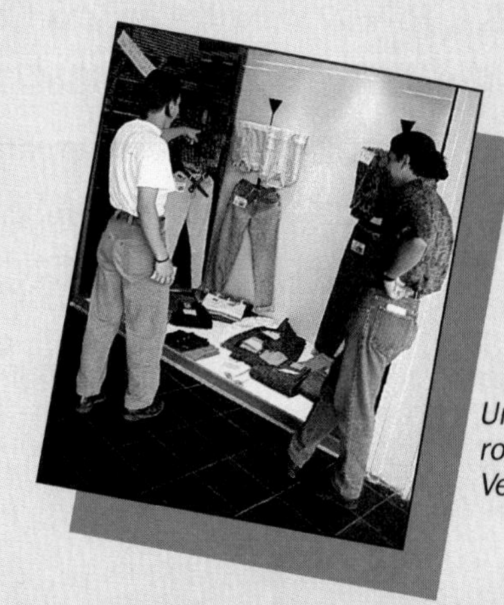

Una tienda de ropa en Caracas, Venezuela.

EJERCICIO 4 ¡Números importantes!

Can you give the correct answer?

¿Cuál es la respuesta correcta?

MODELO: ¿Hay 40 estados en los Estados Unidos? →
No, no hay cuarenta estados. Hay cincuenta.

VOCABULARIO ÚTIL

la estrella

una pulgada

el equipo

1. ¿Hay 40 estados en los Estados Unidos?
2. ¿Hay 42 estrellas en la bandera de los Estados Unidos?
3. ¿Hay 12 minutos en una hora?
4. ¿Hay 16 horas en un día?
5. ¿Hay 17 días en una semana?
6. ¿Hay 27 días en septiembre?
7. ¿Hay 15 cosas en una docena?
8. ¿Hay 32 pulgadas en una yarda?
9. ¿Hay 9 personas en un equipo de fútbol americano?
10. ¿ ?

VOCABULARIO  PALABRAS NUEVAS

En el salón de clase
el bolígrafo
el borrador
el cartel
el cuaderno
el escritorio
la mesa
el papel
la papelera
el pupitre
el sacapuntas
la silla
la tiza

Palabras semejantes: **el mapa, el uniforme**

Palabras de repaso: la bandera, el calendario, el lápiz, el libro, la pizarra, la puerta, el reloj, la ventana

Los números
cuarenta
cincuenta
sesenta
setenta
ochenta
noventa
cien

Las personas
el chico / la chica
el novio / la novia

Palabra de repaso: el/la estudiante

Los lugares
la casa
el cuarto
la tienda de ropa

Los verbos
dice
tiene

Los adjetivos
grande
mucho/a
muchos/as
otro/a
pequeño/a
viejo/a

Palabras útiles
de
en total
hasta

Palabras de repaso: ¿cuántos/as?, muy

Palabras del texto
Pero antes...
¿Qué ideas captaste?
¡Te invitamos a leer!

el nivel
el retrato
la tabla

corrige
usa

Palabra semejante: **cultural**

LECCIÓN 2

EL HORARIO DE CLASES

LETICIA: ¿Cuántas clases tienes?
FRANCISCO: Catorce.
LETICIA: ¿Catorce? ¡Es mucho!

Ciudad de México, México.

HUMBERTO: ¿Qué clase tienes a las diez y quince?
CAROLINA: Literatura, con el profesor Rivero.
HUMBERTO: ¡Súper! ¡Yo también!

San Juan, Puerto Rico.

Madrid, España.

Alicia Vargas Dols tiene clase de historia los lunes, miércoles y viernes. ¡Es su clase más interesante!

Clave

M.S. Muy Satisfactorio
S. Satisfactorio
N.A. Necesita Ayuda

	1er. Semestre		2do. Semestre		Promedio
	Oct.	Dic.	Marzo	Mayo	
Español	m.s.	m.s.	m.s.	m.s.	
Inglés	S.	S.	m.s.	m.s.	
Matemáticas	S.	ms.	S.	S.	
Ciencias	S.	S.	m.s.	m.s	
Estudios Sociales	m.s.	m.s.	m.s.	m.s.	
Educación Física	n.a.	n.a.	S.	S.	
Arte	m.s	m.s.	m.s.	m.s	
Computadora	S.	S.	S.	S	
Música	m.s.	m.s.	m.s.	m.s.	

Madrid, España: Ejemplos de textos que usan los estudiantes en la escuela secundaria.

Así se dice...

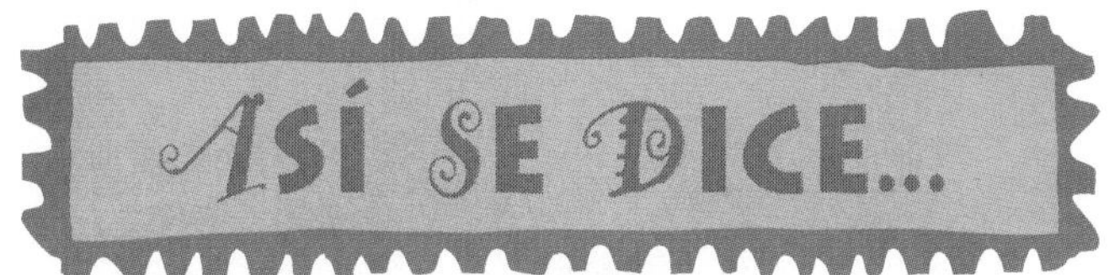

VOCABULARIO

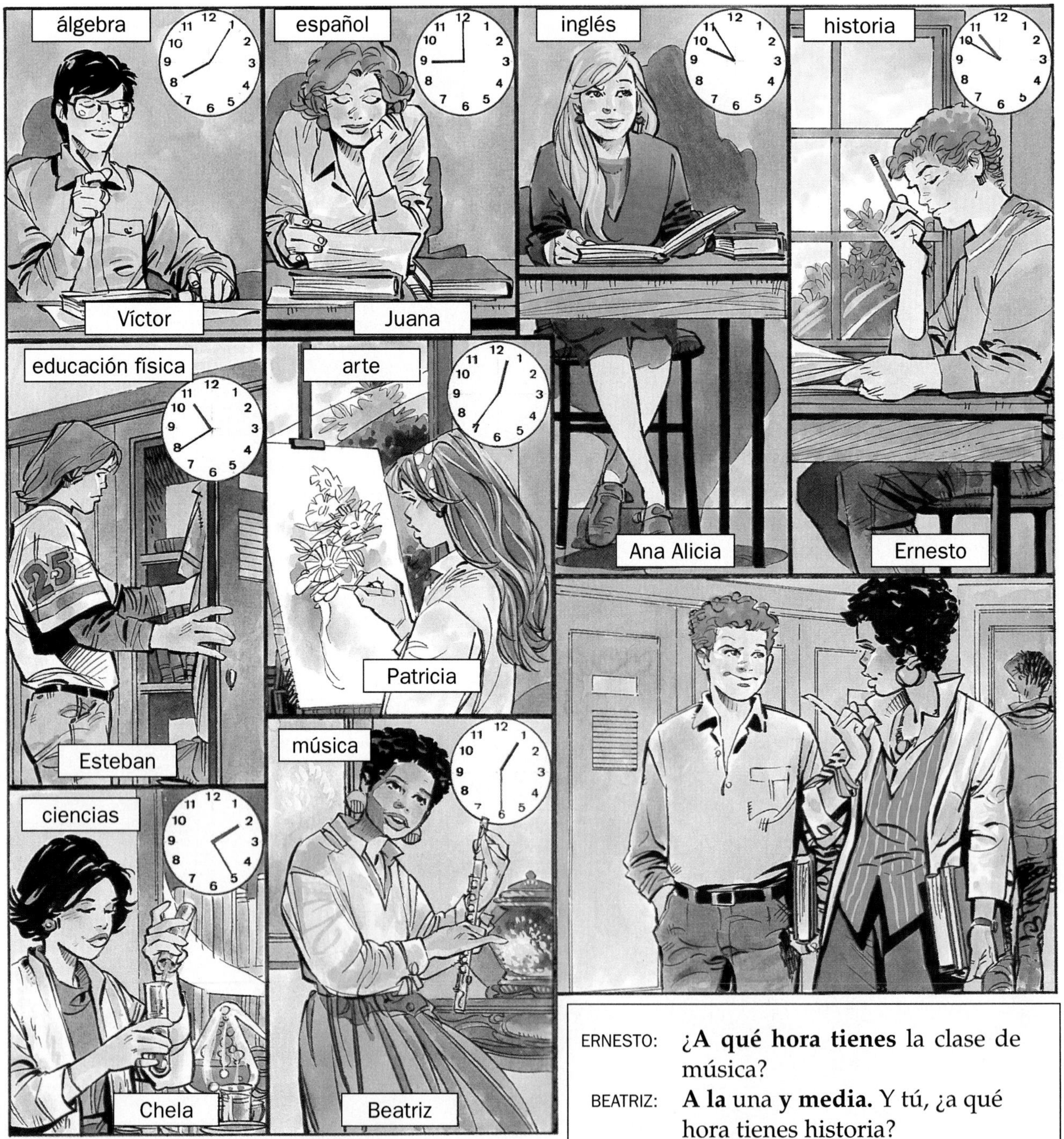

álgebra
Víctor
español
Juana
inglés
Ana Alicia
historia
Ernesto
educación física
Esteban
arte
Patricia
ciencias
Chela
música
Beatriz

ERNESTO: **¿A qué hora tienes** la clase de música?

BEATRIZ: **A la** una **y media.** Y tú, ¿a qué hora tienes historia?

ERNESTO: **A las** once **menos** diez.

ACTIVIDADES ORALES Y LECTURAS

Conexión gramatical
Estudia las páginas 86–90 en **¿Por qué lo decimos así?**

1 • INTERACCIÓN Las clases

Ask and answer questions about the chart.

▶ Con tu compañero/a, pregunta y contesta según la tabla. Sigue el modelo.

MODELOS:

TÚ: ¿Quién tiene una clase de *arte* (*muy*) *difícil*?
COMPAÑERO/A: *Roberto.*

TÚ: ¿Cómo es la clase de *álgebra*?
COMPAÑERO/A: Es (*bastante*) *aburrida.*

	INTERESANTE	DIFÍCIL	ABURRIDA	BUENA
PATRICIA ROBERTO ANA ALICIA ESTEBAN	arte historia música educación física	computación arte inglés química	geografía álgebra historia arte	inglés comercio biología español

VOCABULARIO ÚTIL
muy / bastante / un poco } + (adjetivo)

Textos de química, biología y geografía que usan los estudiantes en Caracas, Venezuela.

2 • DIÁLOGO Mi horario

Talk about your subjects in school.

Conversa con tu compañero/a sobre las materias que tienes este año.

MODELOS:

TÚ: ¿Qué materias tienes este año?
COMPAÑERO/A: Tengo ____, ____, ____ ...

TÚ: ¿Cuál es tu materia favorita?
COMPAÑERO/A: ____ .

→

TÚ: ¿Cómo es tu clase de ____?
COMPAÑERO/A: Es ____[a] ____.[b]

a. un poco / bastante / muy
b. fácil / buena / difícil / interesante / aburrida

TÚ: ¿Qué materias tienes este año?
COMPAÑERO/A: Tengo *música, álgebra, inglés y geografía.*

TÚ: ¿Cuál es tu materia favorita?
COMPAÑERO/A: *Música.*

TÚ: ¿Cómo es tu clase de *álgebra*?
COMPAÑERO/A: Es *muy interesante.*

3 • INTERACCIÓN El horario de Ana Alicia

Talk about Ana Alicia's class schedule with your partner.

Conversa con tu compañero/a sobre el horario de Ana Alicia.

Hora	Clase	Salón	Profesor(a)	Comentario
8:05 a 8:55	Historia universal	10	DaSilva	un poco aburrida
9:00 a 9:50	Español 1	7	García	¡fantástica!
9:55 a 10:45	Inglés 2	50 B	Williams	un poco difícil
10:50 a 11:40	Álgebra 2	40 B	Álvarez	muy buena
11:45 a 12:30	Almuerzo	cafetería		¡necesario!
12:35 a 1:25	Biología	100	Anderson	muy interesante
1:30 a 2:20	Música	103	Thomas	excelente
2:25 a 3:15	Educación física	gimnasio	Jaeger	divertida

MODELOS:

TÚ:	¿Qué materia tiene Ana Alicia a *las once menos diez de la mañana*?
COMPAÑERO/A:	Tiene *álgebra*.
TÚ:	¿Cómo es, según ella?
COMPAÑERO/A:	Es *muy buena*.
TÚ:	¿A qué hora tiene *música*?
COMPAÑERO/A:	A *la una y media de la tarde*.

4 • DIÁLOGO **Dos bromistas**

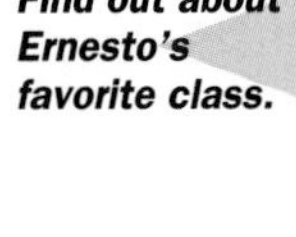
Find out about Ernesto's favorite class.

Chela y Ernesto practican español con José y hablan de la escuela.

JOSÉ: ¿Cuántas materias tienen este año?
CHELA: Yo tengo siete.
ERNESTO: Y yo tengo seis y la hora de estudio.
JOSÉ: ¿Son muy difíciles?
CHELA: Solamente álgebra es difícil. Las otras materias son bastante fáciles, pero... ¡siempre tengo mucha tarea!
ERNESTO: No tengo clase de álgebra pero sí tengo geometría. La clase es difícil pero interesante. Pero mi clase favorita es...
CHELA Y JOSÉ: ¡La hora de estudio!, ¿no? ¡Ja! ¡Ja! ¡Ja!

Y AHORA, ¿QUÉ DICES TÚ?

1. ¿Cuántas materias tienes este año?
2. ¿Qué materia es muy difícil?
3. ¿Tienes hora de estudio? ¿A qué hora es?

5 • DEL MUNDO HISPANO La tele en España

Read the TV guide and complete the sentences.

Paso 1. Lee rápidamente esta guía de programas de televisión de España. Presta atención a la hora y al nombre de los programas. Luego, completa cada oración con una frase correcta.

SABADO 2 de septiembre

tve1

12,35 **CLASICOS EN BLANCO Y NEGRO** **«Los cuatro cocos»** (1929).
2,10 **LA LUNA** (Repetición)
3,05 **EQUIPO DE INVESTIGACION** (Rep.)
4,05 **CORRUPCION EN MIAMI** (Serie) **«Cuando lloran los ojos irlandeses»**
4,55 **NI A TONTAS NI A LOCAS** (Rep.)
5,50 **DOCUMENTAL**
6,20 **EL MIRADOR** (Repetición)
6,50 **DE PELICULA** (Repetición)
7,45 **LARGOMETRAJE** **«La viuda negra»** (1977)
9,10 **BLAKE EL MAGO** (Reposición) **«Espacio para respirar»** (1.ª parte)
10,00 **CAJON DESASTRE** (Infantil)
1,15 **LOTERIA NACIONAL**
1,30 **PARLAMENTO**
2,30 **SABADO REVISTA**
3,00 **TELEDIARIO FIN DE SEMANA**
3,30 **EL TIEMPO**
3,35 **FERDY** (Dibujos animados) **«Añoranza»** Con motivo del próximo cumpleaños de Ferdy, llegan a su casa dos amigos de la infancia dispuestos a hacerle regresar a su hormiguero.

tve2

9,30 **DOMINGUEROS** (Sólo Cataluña)
10,30 **MELOMANOS** (Sólo Cataluña)
11,30 **CONCIERTO** (Solo Cataluña).
1,00 **PLÀSTIC** (Solo Cataluña)
1,30 **OBJETIVO-92** (Excepto Cataluña)
2,00 **BARRES I ESTRELLES** (Sólo Cataluña)
2,30 **L'INFORMATIU CAP DE SETMANA** (Sólo Cataluña)
3,00 **ESTADIO-2** (Toda España) — CICLISMO. Volta a Cataluña. — AUTOMOVILISMO. Alcañiz (Entrenamientos). — BALONCESTO Trofeo Príncipe de Asturias. Real Madrid-Joventut de Badalona. En directo desde El Ferrol.

1. La guía de programas es para...
   a. el domingo. b. el jueves. c. el sábado.

2. Esta sección de la guía es para los programas...
   a. de la mañana. b. de la mañana y de la tarde. c. de la noche.

3. En esta guía hay...
   a. un canal. b. dos canales. c. muchos canales.

Give the name and time of these programs.

Paso 2. Busca los siguientes programas y di cómo se llaman y a qué hora son.

a. una película muy vieja
b. un programa de música
c. un programa para niños
d. un programa de deportes

Y AHORA, ¡CON TU PROFESOR(A)!

1. ¿Cuál es su programa de televisión favorito?
2. ¿Qué día es? ¿A qué hora es?

VISTAZO CULTURAL

UNIFORMES ¿SÍ O NO?

¿Qué opinión tienen los estudiantes de los uniformes? Les preguntamos a varios estudiantes de España e Hispanoamérica sobre ello. ¡Y éstas son sus respuestas!

«Llevar uniforme es muy práctico», dicen estas estudiantes de una escuela secundaria en Madrid, España.

Buenos Aires, Argentina: «En mi escuela, como en muchas escuelas de la Argentina, las chicas llevan guardapolvos° blancos. ¡A mí me gustaría° llevar jeans y camiseta!», dice una estudiante de sexto (6°) grado.

smocks
A mí... *I would like*

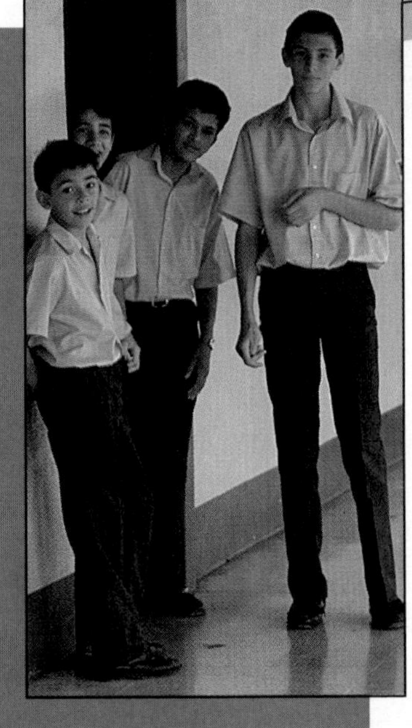

San Antonio de Belén, Costa Rica: «Aquí en Costa Rica, todos los estudiantes llevamos uniforme. ¡Todos somos iguales!°»

¡Todos... *We are all the same!*

«Siempre llevamos uniforme cuando practicamos deportes», dicen estos estudiantes en San Juan, Puerto Rico. «¡Así jugamos mejor!°»

«¡Asi... *We play better that way!*

READING TIP 2

USE WHAT YOU KNOW FROM ENGLISH!

As you learned earlier, many Spanish words are similar to words in English, such as **cómico** (*comical*) or **teléfono** (*telephone*). Do you recall the term for these words? They are *cognates* (**cognados**). A cognate is kind of a "freebie," a word you get as a gift because you don't have to work too hard to learn it.

Before you begin a reading, scan it quickly to find all the cognates you can. Some, such as **estudiante** or **física**, are harder to spot than others, but try to develop an eye for them. Frequently this step gives you an idea of what the reading is about, and you are able to understand more when you read through the first time.

In the reading that follows, how many cognates for school subjects can you find?

¡TE INVITAMOS A LEER!

¿QUIÉN ES EL GENIO°?

genius

Compare an American and a Mexican class schedule.

PERO ANTES... ¿Cuántas materias tienes este año? ¿Cuántas materias son obligatorias? ¿Cuántas son optativas°?

elective

Ernesto Mackenzie es de los Estados Unidos. Ernesto estudia en la Escuela Central y tiene seis materias todos los días: geometría, español, inglés, biología, historia mundial y educación física. Ernesto es inteligente y tiene buenas notas.°

grades

Luis Fernández es de México. Estudia en el Colegio° Madrid y este año tiene diez materias: historia nacional, matemáticas, ciencias naturales, química, literatura, música, geografía, inglés, sicología y educación física. Y no son optativas. ¡Todas son obligatorias!

Escuela

¿Tú crees° que Luis es un genio? ¡Claro que no! Es inteligente, pero no es un genio. Tiene muchas materias porque° en Hispanoamérica y España, los estudiantes no tienen las mismas° materias todos los días.

¿Tú... *Do you think*
because
same

Una escuela secundaria en la Ciudad de México, México. Todos los estudiantes, muchachos y muchachas, llevan uniforme como en muchas escuelas del mundo hispano.

¿QUÉ IDEAS CAPTASTE? Según la lectura, ¿quién diría lo siguiente, Ernesto, Luis o los dos?

Tell which student would make each statement.

1. Tengo diez materias este año.
2. Tengo inglés y educación física.
3. Tengo las mismas materias todos los días.
4. Soy un muchacho inteligente.
5. Tengo un horario diferente todos los días.
6. Mi profesora de español se llama Isabel García.

¿POR QUÉ LO DECIMOS ASÍ?

GRAMÁTICA

TALKING ABOUT WHAT YOU HAVE
The Verb *tener*

***tener** = to have*

To talk about what you or others have, use the verb **tener** (*to have*). Here are the three forms of **tener** that correspond to the subject pronouns you have used so far.

Present Tense of **tener** (*Singular Forms*)		
yo	**tengo**	*I have*
tú	**tienes**	*you* (informal) *have*
usted	**tiene**	*you* (polite) *have*
él/ella	**tiene**	*he/she has*

—Señorita García, ¿**tiene** usted un bolígrafo?
—Sí, aquí **tengo** uno.

—*Miss García, do you have a pen?*
—*Yes, I have one right here.*

—Víctor, ¿cuántas clases **tienes**?
—**Tengo** ocho.

—*Víctor, how many classes do you have?*
—*I have eight.*

EJERCICIO 1 **El nuevo semestre**

Complete the dialogue.

***yo tengo** = I have*
***tú tienes** = you (informal) have*
***él/ella tiene** = he/she has*

Ernesto y Patricia hablan del nuevo semestre. Completa el diálogo con **tengo**, **tienes** o **tiene**.

ERNESTO: Hola, Patricia. ¿Cómo estás?
PATRICIA: Muy ocupada. _____[1] ocho materias este semestre.
ERNESTO: ¡Qué barbaridad! Yo solamente _____[2] seis. _____[3] un semestre muy fácil.
PATRICIA: Y Juana, ¿cuántas materias _____[4] ella?
ERNESTO: Seis también, pero ella _____[5] mucha tarea. Y tú, ¿_____[6] mucha tarea también?
PATRICIA: ¿Con ocho clases? ¡Claro que sí!

EJERCICIO 2 Preguntas curiosas

In pairs, make up questions and answers.

Con tu compañero/a, inventa preguntas y respuestas.

MODELOS: En tu cuarto... fotos de tu novio/a →

TÚ: ¿Tienes fotos de tu novio/a?
COMPAÑERO/A: *Sí, tengo muchas.*
(*Sí, tengo una.*)
(*No, no tengo.*)

Remember: la foto

¿tienes? = do you have?
tengo = I (do) have
no tengo = I don't have

En tu lóquer... libros →

TÚ: ¿Tienes libros?
COMPAÑERO/A: *Sí, tengo muchos.*
(*Sí, tengo uno.*)
(*No, no tengo.*)

En tu cuarto...

1. fotos de tu novio/a
2. un cuaderno amarillo
3. carteles
4. una computadora nueva
5. un gato o un perro
6. ¿ ?

En tu lóquer...

1. libros
2. una pequeña bandera
3. una mochila vieja
4. un cartel interesante
5. un diccionario de español
6. ¿ ?

ARCHIE

WHAT TIME IS IT?
Telling Time (Part 2)

***menos** = minus = minutes to the hour*

A To tell how many minutes it is before the hour, use the word **menos** (*minus*).

Son las nueve **menos** cinco.	*It's five to nine.*
Es la una **menos** diez.	*It's ten to one.*

Note that you use **es** with one o'clock and **son** with the other hours.

*...**y cuarto** = quarter past . . .*
*...**menos cuarto** = quarter to . . .*
*...**y media** = -thirty, half past . . .*

B To express the quarter hour and half hour in Spanish, use the words **cuarto** and **media**.

Es la una **y cuarto**.	*It's a quarter past one.*
Son las ocho **menos cuarto**.	*It's a quarter to eight.*
Es la una **y media**.	*It's one-thirty.*
Son las diez **y media**.	*It's ten-thirty.*

***¿A qué hora?** = (At) What time?*
***A la(s)** + time. = At (time).*

C To ask (at) what time something takes place, use the phrase **¿A qué hora?** The word **a** is also used in the answer.

—**¿A qué hora** tienes la clase de biología?	—*(At) What time do you have biology class?*
—**A** las ocho.	—*(At) Eight (o'clock).*
—¿Y la clase de inglés?	—*And English class?*
—**A** la una.	—*(At) One (o'clock).*

¿Recuerdas?

In **Segundo paso**, you learned to ask and tell the time. You used **es** to talk about one o'clock and **son** for the other hours.

—¿Qué hora es?
—*What time is it?*
—Es la una.
—*It's one o'clock.*

—¿Qué hora es?
—*What time is it?*
—**Son** las cinco.
—*It's five o'clock.*

To talk about minutes past the hour, use **y** (*and*).

Son las cuatro **y** diez.
It's 4:10.
Es la una **y** veinte.
It's 1:20.

Caracas, Venezuela: ¿Qué hora es?

EJERCICIO 3 Una mañana sin reloj

Ask the time and give the correct answer.

El señor Álvarez les pregunta a los estudiantes qué hora es. Inventa las conversaciones con tu compañero/a. Usa oraciones de la lista y complétalas con **y** o **menos** según el contexto.

MODELO: Víctor / 8:20 →

TÚ: *Víctor*, ¿qué hora es?
COMPAÑERO/A: Son las ocho *y* veinte.

1. Víctor / 8:20
2. Patricia / 8:45
3. Paco / 9:55
4. Juana / 10:25
5. Ernesto / 10:40
6. Roberto / 11:05
7. Chela / 12:15
8. Esteban / 12:50
9. Ana Alicia / 1:30

a. Son las diez ____ veinticinco.
b. Son las once ____ veinte.
c. Es la una ____ media.
d. Son las ocho ____ veinte.
e. Son las diez ____ cinco.
f. Son las doce ____ cuarto.
g. Son las once ____ cinco.
h. Es la una ____ diez.
i. Son las nueve ____ cuarto.

EJERCICIO 4 ¿Qué hora es en Barcelona?

Tell the time in the first city and ask the time in the second. Use the chart.

Imagínate que hoy la clase de geografía habla de la hora en el mundo. Pregúntale a tu compañero/a qué hora es en estas ciudades. Consulta la lista para contestar.

MODELO: San Francisco: 12:15 / Nueva York: ¿ ? →

TÚ: *Son las doce y cuarto* en *San Francisco*. ¿Qué hora es en *Nueva York*?
COMPAÑERO/A: *Son las tres y cuarto.*

San Francisco	Los Ángeles	12:15	2:30	4:55	6:25
Albuquerque	Denver	1:15	3:30	5:55	7:25
San Antonio	Wichita	2:15	4:30	6:55	8:25
Nueva York	Miami	3:15	5:30	7:55	9:25
Buenos Aires	Montevideo	4:15	6:30	8:55	10:25
Barcelona	Madrid	10:15	12:30	2:55	4:25

1. San Francisco: 12:15 / Nueva York: ¿ ?
2. Montevideo: 10:25 / Denver: ¿ ?
3. San Antonio: 2:15 / Barcelona: ¿ ?
4. Los Ángeles: 4:55 / Buenos Aires: ¿ ?
5. Miami: 5:30 / Wichita: ¿ ?
6. Barcelona: 2:55 / Albuquerque: ¿ ?
7. Nueva York: 9:25 / Madrid: ¿ ?
8. Wichita: 6:55 / San Francisco: ¿ ?

EJERCICIO 5 Los viernes de Patricia

Talk with your partner about Patricia's schedule.

Patricia está muy ocupada los viernes. Conversa con tu compañero/a sobre el horario de Patricia.

***empieza** = begins, starts*
***termina** = ends, is over*

MODELOS: clase de arte →

TÚ: ¿A qué hora empieza *la clase de arte*?
COMPAÑERO/A: *A la una menos veinticinco de la tarde.*

concierto →

TÚ: ¿A qué hora termina el concierto?
COMPAÑERO/A: *A las nueve y media de la noche.*

¡A charlar!

Use the verb forms **empieza** (*begins*) and **termina** (**ends**) to ask or tell at what time something starts and is over.

—¿A qué hora **empieza** la clase de matemáticas?
—*What time does math class start?*
—**Empieza** a las nueve y **termina** a las diez menos diez.
—*It starts at 9:00 and ends at 9:50.*

①	clase de arte	12:35 - 1:25
②	clase de computación	1:30 - 2:20
③	clase de ciencias	2:25 - 3:15
④	club de fotografía	4:15 - 5:15
⑤	lección de violín	6:15 - 6:45
⑥	concierto	8:00 - 9:30

VOCABULARIO  PALABRAS NUEVAS

Las clases
la hora de estudio
el horario de clases
la materia
el semestre

las ciencias
el comercio
la computación
la educación física
la historia universal
el inglés

Palabras semejantes: **el álgebra, el arte, la biología, la geografía, la geometría, la literatura**

Palabras de repaso: el español, la historia, las matemáticas, la música

¿A qué hora?
¿A qué hora es... ?
a la(s)...
y cuarto
y media
menos

La persona
el niño / la niña

Los lugares
el gimnasio
el lóquer

Palabras de repaso: la cafetería, la escuela

Los sustantivos
el almuerzo
el año
el/la bromista
el canal
la ciudad
la computadora
el deporte
el gato
la guía
el perro

Palabras semejantes: **el programa, la televisión**

¡A charlar!
empieza
termina

Los verbos
tener
tengo
tienes

Los adjetivos
aburrido/a
difícil
divertido/a
fácil

Palabras semejantes: **curioso/a, excelente, fantástico/a, favorito/a, necesario/a**

Palabras de repaso: bueno/a, interesante

Palabras útiles
bastante
¿Cómo es... ?
sin
solamente
todos los días

Palabras del texto
conversa
hazle estas preguntas a...
la lectura
presta atención
¿Quién diría... ?
¿Recuerdas?
sobre
el vistazo

Palabra semejante: **el contexto**

LECCIÓN 3

MIS ACTIVIDADES FAVORITAS

San Juan, Puerto Rico.

A Eduardo le gusta escuchar salsa y música rock. ¡Es un rockero!

Ciudad de México, México.

A Luis le gusta charlar. Tiene muchos amigos.

Buenos Aires, Argentina.

Y la actividad favorita de Marisa es... ¡hablar por teléfono!

Un quiosco en Buenos Aires, Argentina.

ASÍ SE DICE...

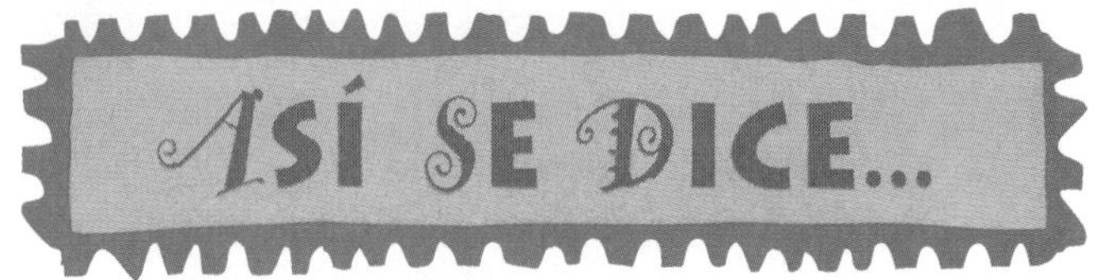

VOCABULARIO

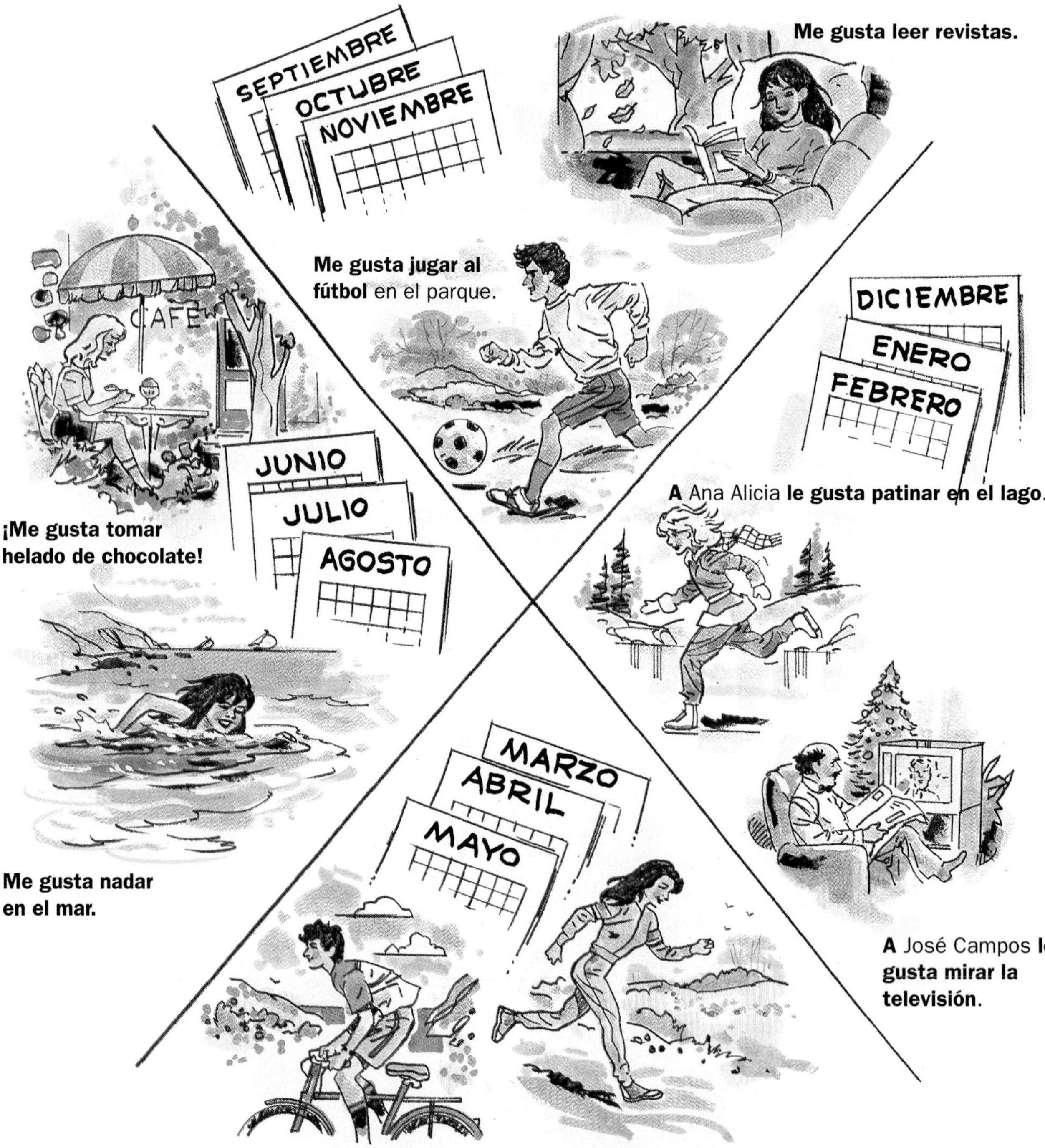

Me gusta leer revistas.

Me gusta jugar al fútbol en el parque.

¡Me gusta tomar helado de chocolate!

A Ana Alicia **le gusta patinar en el lago**.

Me gusta nadar en el mar.

A José Campos **le gusta mirar la televisión**.

Me gusta andar en bicicleta.

Me gusta correr en el parque.

Y TÚ, ¿QUÉ DICES?

ACTIVIDADES ORALES Y LECTURAS

Conexión gramatical
Estudia las páginas 103–104 en **¿Por qué lo decimos así?**

1 • OPCIONES **Mis gustos**

Indicate whether you like or don't like these activities.

Di **sí** o **no**. Luego comparte tus respuestas con tus compañeros.

1. Los viernes por la noche me gusta...
   a. mirar la televisión.
   b. escuchar música clásica.
   c. comer pizza en casa.
   d. ¿ ?
2. Los sábados por la mañana me gusta...
   a. hablar por teléfono con mi novio/a.
   b. jugar al tenis.
   c. leer el periódico.
   d. ¿ ?
3. Los domingos me gusta...
   a. descansar todo el día.
   b. ir al cine con mis amigos.
   c. ver dibujos animados.
   d. ¿ ?
4. En julio me gusta...
   a. correr.
   b. nadar en la piscina.
   c. visitar a mis amigos.
   d. ¿ ?
5. En diciembre me gusta...
   a. ir de compras.
   b. esquiar.
   c. patinar.
   d. ¿ ?

¡A charlar!

To say that something takes place on a particular day, use **el** + day of the week.

No hay clase **el jueves.**
There's no class on Thursday.

To say that something happens every week on a particular day, use **los** + day of the week. Remember to add **-s** if the day is **sábado** or **domingo.**

Los viernes y **los sábados** me gusta ir al cine.
On Fridays and Saturdays I like to go to the movies.

Un centro de videojuegos en Buenos Aires, Argentina.

2 • INTERACCIÓN Las actividades favoritas

Tell what these students like and don't like to do.

Conversa con tu compañero/a sobre las actividades de estos estudiantes.

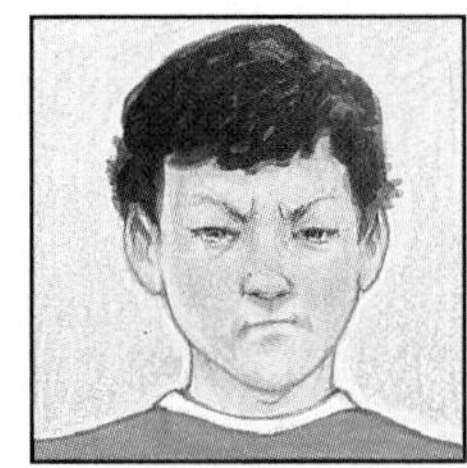

	Le gusta...	*No le gusta...*
Paco	jugar con videojuegos	ir de compras
Esteban	jugar al fútbol americano	ir al dentista
Chela	salir con amigas	hacer la tarea
Beatriz	comer en restaurantes	comer en la cafetería
Felicia	ver videos musicales	trabajar en casa

MODELOS:

TÚ: ¿Qué le gusta hacer a *Paco*?
COMPAÑERO/A: Le gusta *jugar con videojuegos.*

TÚ: ¿A quién le gusta *jugar al fútbol americano*?
COMPAÑERO/A: A *Esteban*.

¡A charlar!

To ask your teacher or anyone you address as **usted** what he or she likes to do, use the phrase **¿le gusta... ?**

—Señorita García, **¿le gusta** salir con sus amigos los fines de semana?
—Sí, me gusta mucho.
—**¿Le gusta** salir con un amigo en particular?
—Este... Pues...

Note that **le gusta...** is the phrase you use to describe what others like to do.

Creo que a la señorita García **le gusta** salir con el señor Álvarez.

Una piscina en San José, Costa Rica.

3 • DIÁLOGO Las actividades del fin de semana

Talk about your weekend activities.

Conversa con tu compañero/a sobre los planes del fin de semana.

MODELO:

TÚ: ¿Qué te gusta hacer los fines de semana?

COMPAÑERO/A: Los sábados me gusta ____ y ____. Los domingos me gusta ____. No me gusta ____ los fines de semana.

TÚ: Pues a mí me gusta ____ también, pero me gusta más ____.

COMPAÑERO/A: ¡Qué ____! (bueno / lástima / raro / divertido / barbaridad / interesante / ridículo)

Planes para el fin de semana

bailar en fiestas	ir al cine
comer en restaurantes	ir de compras
cuidar niños	jugar con videojuegos
escribir cartas	leer novelas
estudiar para un examen	mirar la televisión
hablar por teléfono	trabajar
hacer la tarea	visitar a mis amigos
hacer ejercicio	¿ ?

¡A charlar!

Here are some additional ways to express what you like and don't like to do, or what you don't really have much interest in at all.

¿Te gusta... ?

Sí, **¡me gusta muchísimo!**
Yes, I like it a lot!

Me gusta más...
I like . . . more.

Me da igual.
It's all the same to me.

¡No me gusta nada!
I don't like it at all!

Y AHORA, ¡CON TU PROFESOR(A)!

1. ¿Qué le gusta hacer los sábados por la noche?
2. ¿Qué le gusta hacer los domingos por la tarde?
3. ¿Qué *no* le gusta hacer los fines de semana?

4 • INTERACCIÓN Los meses y las actividades

Talk about the activities with your partner.

Habla con tu compañero/a sobre las actividades en la tabla.

MODELO:

TÚ: ¿Qué le gusta hacer a *Marisa en enero*?
COMPAÑERO/A: Le gusta *nadar en el mar*.

TÚ: ¿Qué te gusta hacer *en enero*?
COMPAÑERO/A: Me gusta ____ .

	MARISA	FELICIA	MI COMPAÑERO/A
OCTUBRE	jugar al tenis	hacer ejercicio	¿ ?
ENERO	nadar en el mar	patinar en el lago	¿ ?
MARZO	ir de compras	ver videos musicales	¿ ?
MAYO	bailar con amigos	andar en bicicleta	¿ ?
JULIO	esquiar	tomar helado	¿ ?

5 • DEL MUNDO HISPANO *Super-Fotos 10*

Read the ad on p. 99 and pick the correct answer.

Lee el anuncio en la página 99 y escoge una palabra o frase apropiada para completar cada oración.

1. *Super-Fotos 10* es una edición especial de la revista...
   a. *GeoMundo.*
   b. *Coqueta.*
   c. *Mecánica popular.*
2. *Super-Fotos 10* es excelente si te gusta...
   a. escuchar música clásica.
   b. estudiar matemáticas.
   c. leer de los «famosos».
3. En *Super-Fotos 10*...
   a. no hay fotos.
   b. hay fotos en colores.
   c. hay fotos en blanco y negro solamente.
4. **Afiches** es un sinónimo de...
   a. zapatos.
   b. plantas.
   c. carteles.
5. Una definición posible de **ídolo** es...
   a. una persona admirada.
   b. una persona aburrida.
   c. una persona ocupada.

YA ESTÁ AQUÍ

SUPER-FOTOS 10

A TODO COLOR

¡UNA VERDADERA EXPLOSIÓN DE FAMOSOS!

27 electrizantes afiches de tus ídolos favoritos

- MADONNA
- MICHAEL JACKSON
- MECANO
- GEORGE MICHAEL
- LUIS MIGUEL
- KARINA
- Y MUCHAS OTRAS ESTRELLAS

¡Corre a comprar tu ejemplar antes que se agote!

SUPER-FOTOS 10

Edición especial de COQUETA

SORPRESA CULTURAL

¿«SPANISH PEOPLE» POR TODAS PARTES?

Miss García likes to tell her class stories about how people from other countries react to our culture. One day she told her students about a **sorpresa cultural** that some of her Spanish-speaking friends had. See if you can figure out what happened.

Thinking About Culture

▶ What word or words do you use to describe your nationality and your racial or ethnic background? Would it be all right if someone called you "English" because you speak English?

What did Miss García's friends notice about the way some people in the United States refer to them?

a. Some people think everyone who speaks Spanish is from Uruguay.

b. Some people think everyone who speaks Spanish is from Spain.

Of course, the answer is (b). So, when *do* you use the term "Spanish"? It depends. If a person is from Spain, she or he is naturally called Spanish. But a person from Chile is Chilean, a person from Mexico is Mexican, and so on.

"Spanish" also refers to the principal language spoken in almost all Latin American countries and Spain. As you already know, it is the first or second language of many communities in the United States too.

¡TE INVITAMOS A LEER!

CARTA DE UNA AMIGA MEXICANA

Find out about María Luisa's classes and favorite activities.

PERO ANTES... ¿Te gusta recibir cartas? Y, ¿te gusta escribir cartas? En esta carta, María Luisa Torres describe sus clases y actividades favoritas. ¿De qué país° es ella? ¿Crees que ella también tiene muchas clases?

país: country

Me gusta tocar la guitarra y cantar con mis amigos.

Ciudad de México

¡Hola, amigos!

¿Qué tal? ¡Saludos desde México! Mi nombre es María Luisa Torres y soy de° la Ciudad de México. Tengo 14 años° y estudio en el Colegio Madrid.

Este año tengo clases interesantes. Me gustan mucho las clases de historia mexicana, geografía, matemáticas, literatura, inglés y arte. Pero también tengo clases muy aburridas, especialmente computación y ética.°

Mis actividades favoritas son leer novelas, hablar con mis amigos y tocar° la guitarra. En las vacaciones de julio y agosto me gusta ir a la playa° de Mocambo, en Veracruz. Claro que me encanta° nadar. ¡Y también me encanta bailar! Me gustaría° tener amigos en los Estados Unidos de 14 a 17 años de edad. Por favor, escriban en español. Mi inglés es bueno, pero no para escribir cartas... ¡todavía°!

Adiós, amigos. Hasta pronto.

María Luisa Torres

soy... I'm from / Tengo... I'm 14 years old

ethics (philosophy course)

playing (a musical instrument)

beach / me... me gusta mucho

Me... I would like

yet

What are María Luisa's answers?

¿QUÉ IDEAS CAPTASTE? Imagínate que eres María Luisa Torres. Un(a) estudiante de los Estados Unidos te hace estas preguntas. Contesta las preguntas, según la lectura.

MODELO: ¿Cómo te llamas? → *María Luisa Torres.*

1. ¿Cuál es el nombre de tu escuela?
2. ¿Cuáles son tus actividades favoritas?
3. ¿Qué clases te gustan?
4. ¿Tienes clases aburridas? ¿Cuáles son?
5. ¿En qué meses tienes vacaciones?
6. ¿Qué te gusta más, escribir en inglés o escribir en español?

Y AHORA, ¿QUÉ DICES TÚ?

1. ¿Qué te gusta más, escribir cartas o recibir cartas?
2. ¿Cuáles son tus actividades favoritas?

h AND *j*

The letter **h** is always silent in Spanish. You cannot hear it, and of course you do not pronounce it when you see it. Instead, the letter **j** is your cue for a sound very much like the English *h* in *house.*

PRÁCTICA Listen to your teacher pronounce this version of a "magic spell" that Mexican-American children say when they bump or jam their finger while playing.

Cojito,° sí;
cojito, no;
así cojito
lo hallo yo.°

° *Lame, Wobbly*
° lo... *I find it*

¿POR QUÉ LO DECIMOS ASÍ?

GRAMÁTICA

EXPRESSING LIKES AND DISLIKES
Me gusta / te gusta / le gusta + Infinitive

A Use the verb **gustar** to tell what you like or don't like to do and to ask others what they like or dislike. To ask just one close friend whether he or she likes to do something, use **te gusta** + an infinitive.

***Gustar** expresses likes and dislikes.*

Chela, ¿**te gusta** esquiar?	*Chela, do you like to ski?*

To answer, use **me gusta** or **no me gusta**.

*Although **gustar** = to like, it literally means to please or to be pleasing to. Literally, then, **Me gusta nadar** = Swimming is pleasing to me.*

Sí, **me gusta**.	*Yes, I do (like it).*
No, **no me gusta**.	*No, I don't (like it).*

You can easily add on to these phrases. Here are some examples.

—Paco, ¿**te gusta** nadar?	*—Paco, do you like to swim?*
—Sí, **me gusta** mucho.	*—Yes, I like it (to swim) a lot.*
—¿También **te gusta** correr?	*—Do you also like to run?*
—No, **no me gusta**.	*—No, I don't (like it).*

B Use the phrase **le gusta** to ask or tell what someone else likes or doesn't like to do.

*Using **gustar**:*
***me gusta...** for what you like to do*
***te gusta...** for what a friend likes to do*
***le gusta...** for what someone else likes to do*

—¿A Paco **le gusta** escuchar música?	*—Does Paco like to listen to music?*
—Sí, **le gusta** mucho.	*—Yes, he likes it a lot.*
—A Chela **le gusta** escuchar música también, ¿no?	*—Chela likes to listen to music, too, doesn't she?*
—No, **no le gusta**.	*—No, she doesn't.*

Look again at the two sentences where **le gusta** is used with the word **a** + a proper name: **¿A Paco le gusta... ?, ¿A Chela le gusta... ?** When you want to indicate a specific person, use **a** + her or his name.

A Paco le gusta nadar y **a Chela** le gusta esquiar.	*Paco likes to swim and Chela likes to ski.*

If the context (the rest of the conversation or text) tells you to whom the **le** refers, you don't have to mention the person by name.

EJERCICIO 1 ¿A quién le gusta?

Use the pictures to ask and answer questions.

▶ Con tu compañero/a, inventa preguntas y respuestas con **a** y el nombre apropiado.

Paco

Chela

señorita García

MODELO: escribir cartas →

TÚ: ¿A quién le gusta *escribir cartas*?
COMPAÑERO/A: *A la señorita García.*

¿A quién le gusta... ? = Who likes . . . ?

1. escribir cartas
2. descansar
3. hablar por teléfono
4. hacer ejercicio
5. ir al cine
6. jugar al tenis
7. bailar salsa
8. escuchar música rap
9. nadar
10. leer novelas románticas

EJERCICIO 2 ¡Me gusta hacer de todo!

Complete the dialogue.

▶ Esteban y Roberto hablan de sus actividades favoritas. Completa la conversación con **me gusta, te gusta** o **le gusta**.

me gusta... = I like . . .
te gusta... = you (informal) like . . .
le gusta... = he/she likes . . .

ESTEBAN: Roberto, ¿qué _____[1] más, escuchar música o mirar la televisión?
ROBERTO: Pues... _____[2] mirar la televisión, pero... _____[3] más escuchar música.
ESTEBAN: Y ¿qué _____[4] hacer a Paco?
ROBERTO: A Paco _____[5] jugar al fútbol. ¿Y tú? ¿Cuáles son tus actividades favoritas?
ESTEBAN: Pues... _____[6] escuchar música. Y _____[7] mirar la televisión. Y también _____[8] jugar al fútbol... y jugar con videojuegos... ¡Creo que _____[9] hacer de todo!
ROBERTO: ¿También _____[10] hacer la tarea?
ESTEBAN: Mmmm... Pues... ¡creo que _____[11] hacer casi todo!

VOCABULARIO  PALABRAS NUEVAS

Las actividades favoritas

andar en bicicleta
bailar
comer
correr
cuidar niños
descansar
escribir
escuchar
esquiar
estudiar
hablar (por teléfono)
hacer (ejercicio)
ir
  al cine
  al dentista
  de compras
jugar
leer
mirar (la televisión)
nadar
patinar
salir (con...)
tomar (helado)
trabajar
ver
visitar

el concierto
los dibujos animados
el fútbol
el fútbol americano

Palabras semejantes: **el chocolate, el tenis**

Palabras de repaso: el amigo / la amiga, la música, el novio / la novia, la tarea

Los meses

enero
febrero
marzo
abril
mayo
junio
julio
agosto
septiembre
octubre
noviembre
diciembre

¿Cuándo?

el fin de semana
todo el día

Palabras de repaso: por la mañana, por la noche, por la tarde

Los lugares

el lago
el mar
la piscina

Palabras semejantes: **el parque, el restaurante**

Palabra de repaso: la cafetería

Los sustantivos

la bicicleta
la carta
la fiesta
el helado
la novela
el periódico
la revista
el videojuego

Palabras semejantes: **la pizza, el teléfono, la televisión, el video**

¡A charlar!

el sábado (domingo, ...)
los sábados (domingos, ...)

Me da igual.
Me gusta más...
¡Me gusta muchísimo!
¡No me gusta nada!

Los gustos

¿A quién le gusta... ?
gustar
  me gusta
  te gusta
  le gusta

Palabras semejantes: **clásico/a, musical**

Palabras útiles

creo que...
en casa
por todos lados
¡Qué horror!
¡Qué ridículo!
raro/a

Palabras de repaso: ¡Qué barbaridad!, ¡Qué bueno!, ¡Qué divertido!, ¡Qué lástima!

Palabras del texto

comparte
la opción
la sorpresa

Conversation Tip

▶ It's hard to chat with someone who gives only short or vague answers to your questions; for example:

—Hi! I'm Connie Howe. Who are you?
—Joe.
—You're new here, aren't you?
—Yes.
—Do you think you'll like it?
—I don't know.

Here's how Joe could make the exchange more interesting:

—Hi! My name's Connie Howe. What's yours?
—Joe Williams. I just moved here from Utah and I'm enrolling.
—What are you going to take?
—Algebra, English, Spanish 1, . . .
—Hey, I'm in Spanish 1 too! When's your class?

To avoid a one-sided conversation, tell enough about yourself to help the other person reply. Ask questions to find out more about the person. The answers will help you think of more to say and keep the conversation going.

SITUACIONES

If you transferred to a new school and met a student, which of these topics would you be curious about? What other things would you want to know about?

the classes	the teachers
the sports	interests you have in common

Tú

It's your first day at a new school and you don't know anyone yet. You meet a student who seems friendly and asks you questions about yourself.

Answer the questions, and find out as much as you can about that student.

Compañero/a

You see a new student who doesn't appear to know anyone in the school yet. Introduce yourself and strike up a conversation. Talk about your classes, schedules, and things you like to do. Get the same information from the new student.

See if you have any classes or interests in common.

¿SABÍAS QUE...

- hay más hispanos en el condado° de Los Ángeles, California, que en Madrid, España? — *county*
- el saltamontes° tiene sangre° blanca? — *grasshopper / blood*
- cuando es la una de la tarde en Denver, Colorado, es la una de la mañana en Bombay, India?

¡TE INVITAMOS A ESCRIBIR!

PROFESORES FAMOSOS

¿Reconoces a estas personas? Pues... ¡son los nuevos profesores de tu escuela!

Guillermo S.

María C.

Pablo P.

Alberto E.

Cleopatra

Arnaldo S.

Primero, piensa...
en las palabras que asocias con cada una de estas personas y haz una lista. Si quieres, puedes usar las siguientes preguntas.

Think up a list of words to describe each person.

¿Cuándo?	¿Quién?	¿Qué?	¿Qué clases?	¿Cómo?
Por la mañana Por la tarde A la(s)...	el profesor la profesora	tiene es / son lleva	ciencias inglés álgebra educación física historia arte	fácil difícil interesante aburrido/a divertido/a ¿ ?

Organize your information.

Luego, organiza tus ideas...
con un mapa semántico. Usa el modelo como guía.

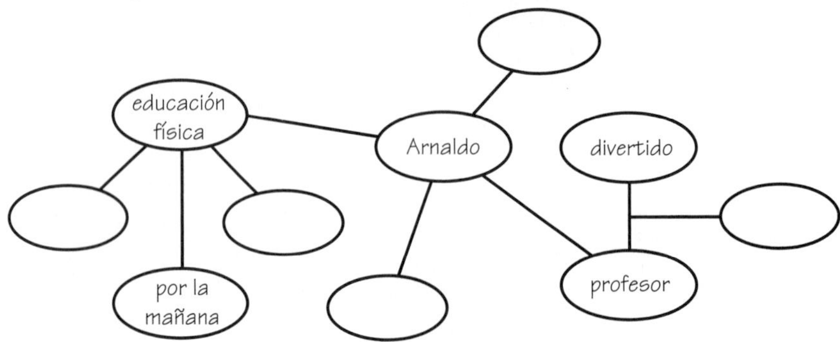

Use your information to write a short paragraph.

Por último, escribe...
un párrafo corto sobre dos profesores. Usa la información de tu mapa semántico. Si quieres, puedes seguir el siguiente modelo.

MODELO:

Este año tengo un nuevo profesor de educación física. Se llama Arnaldo y es un poco loco. Siempre lleva una sudadera roja y lentes de sol. Tiene dos clases por la mañana y tres por la tarde. Las clases de Arnaldo son un poco difíciles pero muy divertidas.

Y AHORA, ¿QUÉ DECIMOS?

Paso 1. Mira otra vez las fotos en las páginas 58–59 y contesta las siguientes preguntas.

- ¿Qué hay en el salón de clase? ¿Qué llevan las estudiantes? ¿Qué clase tienen? ¿Tienes tú esta clase? ¿A qué hora?
- ¿Cuántas clases tiene probablemente la chica en la foto número 2, seis, ocho o más de diez? Y tú, ¿cuántas materias tienes este año?
- ¿Cuántos chicos hay en la foto número 3? ¿Qué clase asocias con esta actividad? ¿Es una actividad divertida?

Paso 2. Juego de adivinanza. Primero, haz una lista de cinco clases. Luego, escribe dos o tres palabras o frases que asocias con cada clase. Por ejemplo:

- En esta clase hay libros, mapas, carteles y diccionarios de otros idiomas.
- En esta clase me gusta jugar al básquetbol y hacer ejercicio.

Por último, lee las oraciones en voz alta. Tu compañero/a tiene que adivinar el nombre de la clase.

NOVEDADES 1

AMIGOS DE LAS AMÉRICAS: JÓVENES VOLUNTARIOS EN HISPANO-AMÉRICA

DESDE LA ARGENTINA: ¿QUÉ ROPA LLEVAN LOS CHICOS?

Portada: Voluntarios en México.

EL PÍCARO PACO

Amigos de las Américas

¿Qué te gusta hacer en el mes de julio? ¿y de agosto? A estos chicos les gusta trabajar de voluntarios durante estos meses. Les gusta practicar español y ayudar a distintas comunidades rurales de América Latina. Muy bueno, ¿verdad? Para más información llama a Amigos de las Américas 1-800-231-7796 o escribe al 5618 Star Lane, Houston, Texas 77057-9927.

La moda[1] de los chicos

En la Argentina a los chicos les gusta llevar ropa, zapatos y accesorios de moda. ¿Sabes cuáles son los más populares?

¿Qué llevan ellas?

jeans azules y negros
camisetas con palabras en inglés
tenis de cualquier tipo y color
sudaderas grandes con dibujos de Mickey Mouse
chaquetas de jean
mochilas de todo tipo
chalecos[2]
pulseras de plata[3]

[1]*fashion*
[2]*vests*
[3]pulseras... *silver bracelets*

¿Qué llevan ellos?

jeans azules
botas o tenis
chalecos de cuero[4]
camisetas de equipos de béisbol
gorras[5]
sudaderas de diferentes universidades
bolsas o mochilas
relojes deportivos

[4]chalecos... *leather vests*
[5]*caps*

¿Y tú? ¿Qué ropa, accesorios y tenis son muy populares con tus compañeros y amigos?

Tito Comprende

Querido Tito:

Estoy muy contento en mi nueva escuela. Me gustan mis compañeros y profesores. ¿Mi problema? Tengo 13 años y soy el más alto[1] de mi clase. Mis compañeros me llaman «el Gigante». ¿Qué puedo hacer?

Andrés «el alto»
en Paraguay

Querido Andrés:

Muchos chicos tienen tu mismo problema. Algunos son muy bajos,[2] otros gorditos[3] o muy delgados.[4] Habla con tus compañeros y diles cómo te sientes[5] y que tu nombre es Andrés. ¡Mucha suerte!

Tu amigo Tito

[1] el... *the tallest*
[2] *short*
[3] *chubby*
[4] *thin*
[5] diles... *tell them how you feel*

Trabalenguas[1]

Con un reloj en mano di este trabalenguas. La persona que dice el trabalenguas más rápido y sin errores, gana.[2]

Don Tiburcio y Ña[3] Teresa
toman su té en la mesa
mientras entretejen
trenzas.[4]

Don Tiburcio y Ña Teresa
a trenes tranquilos trepan[5]
y todo el país atraviesan.[6]

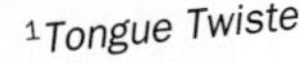

[1] *Tongue Twister*
[2] *wins*
[3] doña
[4] mientras... *while braiding*
[5] a... *climb on quiet trains*
[6] y... *and they cross the entire country*

¿Te gusta decir trabalenguas? Aquí hay otro...

¿Cómo come usted?
¿Cómo como como?
¡Como comiendo[1]!
Como como comen los que comen,
como come usted.

[1] *eating*

UNIDAD 2 ¿CÓMO SOMOS?

Ciudad de México, México.

2

Ciudad de México, México.

¿QUÉ PODEMOS DECIR?

Mira las fotografías. ¿Qué fotos asocias con estas personas?

- Los miembros de una familia
- Un grupo de amigos
- Compañeros de clase

Ahora, ¿qué más puedes decir de estas fotos? Por ejemplo, ¿cuántas personas son jóvenes y cuántas son viejas? ¿Quiénes son amigos y quiénes son familia?

LECCIÓN 1

¿CÓMO SON TUS AMIGOS?

In this lesson you will:

- ***describe your friends in terms of their physical characteristics***

LECCIÓN 

¿CUÁL ES TU DIRECCIÓN Y TU NÚMERO DE TELÉFONO?

In this lesson you will:

- ***give personal information such as your age, your address, and your telephone number***

LECCIÓN 

¿CÓMO ES TU FAMILIA?

In this lesson you will:

- ***describe your family and talk about family relationships***
- ***talk about your belongings and those of others***

San Juan, Puerto Rico.

LECCIÓN 1 ¿CÓMO SON TUS AMIGOS?

Marisa es muy elegante, ¿verdad? ¿Y su amiga Gabriela? Gabriela es muy divertida.

Buenos Aires, Argentina.

Ciudad de México, México.

ÁNGELA: ¿Cómo se llama el muchacho de la chaqueta roja?
LETICIA: Juan Carlos. Es muy inteligente, ¿sabes?
ÁNGELA: Y... ¿es romántico también?
LETICIA: Ay, no, romántico no es.
ÁNGELA: ¡Qué lástima!

Lima, Perú.

¡Hola! Soy Marta Cisneros y ésta es Perla, mi amiga. Los gatos son buenos amigos también. Perla es blanca, pequeña y un poco loca. ¿Sus actividades favoritas? ¡Comer y dormir todo el día!

ASÍ SE DICE...

VOCABULARIO

ACTIVIDADES ORALES Y LECTURAS

Conexión gramatical
Estudia las páginas 126–128 en **¿Por qué lo decimos así?**

1 • OPCIONES Mis compañeros de clase

Tell who has these characteristics.

▶ Contesta con el nombre de un compañero o de una compañera de clase.

VOCABULARIO ÚTIL
nadie tiene/es... a nadie le gusta...

1. En esta clase, ¿quién tiene ____ ?
   a. pelo rubio
   b. ojos castaños
   c. piernas largas
   d. pelo largo
   e. pies pequeños
   f. ¿ ?
2. En esta clase, ¿quién es ____ ?
   a. atlético/a
   b. creativo/a
   c. romántico/a
   d. simpático/a
   e. chistoso/a
   f. ¿ ?
3. En esta clase, ¿a quién le gusta ____ ?
   a. correr
   b. comer pizza
   c. jugar al tenis
   d. escuchar música rock
   e. ir al cine
   f. ¿ ?

¡Saludos de la Ciudad de México!

2 • INTERACCIÓN ¿Cómo son los amigos por correspondencia?

Describe the pen pals.

▶ Con tu compañero/a, mira las fotos y describe a los amigos por correspondencia que tienen los estudiantes de español.

MODELO:

TÚ: ¿Quién tiene *pelo castaño*?
COMPAÑERO/A: *Alicia Vargas.*

ojos	pelo	pelo
verdes	largo	rubio
azules	corto	castaño
castaños	lacio	negro
negros	rizado	
grises		

MODELO:

TÚ: ¿Quién es *delgado*?
COMPAÑERO/A: *Raúl Galván.*

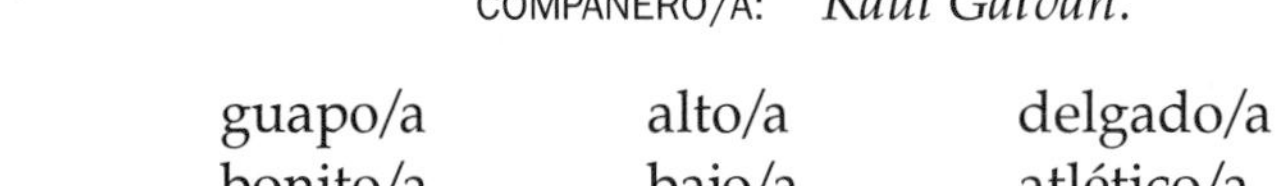

guapo/a	alto/a	delgado/a	gordito/a
bonito/a	bajo/a	atlético/a	pelirrojo/a

Humberto Figueroa (San Juan, Puerto Rico). Amigo por correspondencia: Paco.

Raúl Galván (Caracas, Venezuela). Amiga por correspondencia: Felicia.

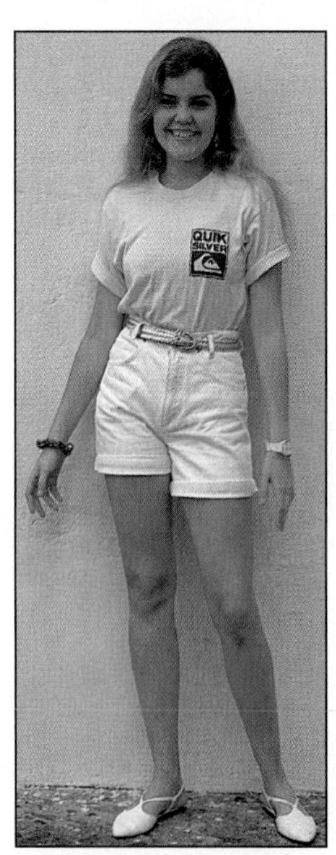

Carolina Márquez (San Juan, Puerto Rico). Amiga por correspondencia: Beatriz.

Alicia Vargas Dols (Madrid, España). Amigo por correspondencia: Esteban.

Marisa Bolini (Buenos Aires, Argentina). Amiga por correspondencia: Ana Alicia.

3 • INTERACCIÓN **El monstruo de Ernesto**

Describe Ernesto's monster.

▶ Pregúntale a tu compañero/a cómo es el monstruo de Ernesto.

MODELO:

TÚ: ¿Cómo es *la cabeza*?
COMPAÑERO/A: Es *pequeña*.

TÚ: ¿Cómo son *los ojos*?
COMPAÑERO/A: Son *grandes*.

Partes del cuerpo		¿Cómo es / son?	
el cuerpo	las piernas	grande	delgado/a
la cabeza	los pies	pequeño/a	gordo/a
las orejas	el pelo	largo/a	bonito/a
la nariz	la boca	corto/a	pelirrojo/a
los ojos	los brazos	feo/a	
las manos			

4 • CONVERSACIÓN **Entrevista: Mi mejor amigo/a**

Interview your classmate.

▶ Hazle las siguientes preguntas a tu compañero/a de clase.

1. ¿Cómo se llama tu mejor amigo/a?
2. ¿De qué color son sus ojos?
3. ¿Es alto/a? ¿Es bajo/a?
4. ¿De qué color es su pelo? ¿Tiene pelo largo o corto? ¿lacio o rizado?
5. ¿Cómo es? ¿Es simpático/a, chistoso/a, tímido/a?
6. ¿Qué le gusta hacer los fines de semana?

5 • DEL MUNDO HISPANO **Ideal para gigantes**

Look at the picture and answer the questions.

▶ Mira esta foto de la revista *Semana* y contesta las siguientes preguntas.

1. ¿Para quién es esta chaqueta?
   a. Para el hombre que está en la foto.
   b. Para un hombre enorme.
   c. Para una mujer delgada.
2. ¿Cómo es la chaqueta?
   a. Es bastante pequeña.
   b. Es muy grande.
   c. Es un poco grande.
3. ¿De qué talla es esta chaqueta?
   a. Talla 5.
   b. Talla 200.
   c. Talla pequeña.

Esta chaqueta de la foto es cinco veces más grande que la más grande de las chaquetas normales. ¡Es una talla 200!

FERNANDO BOTERO (1932–)

- Lugar de nacimiento: Medellín, Colombia
- Profesión: Pintor y escultor

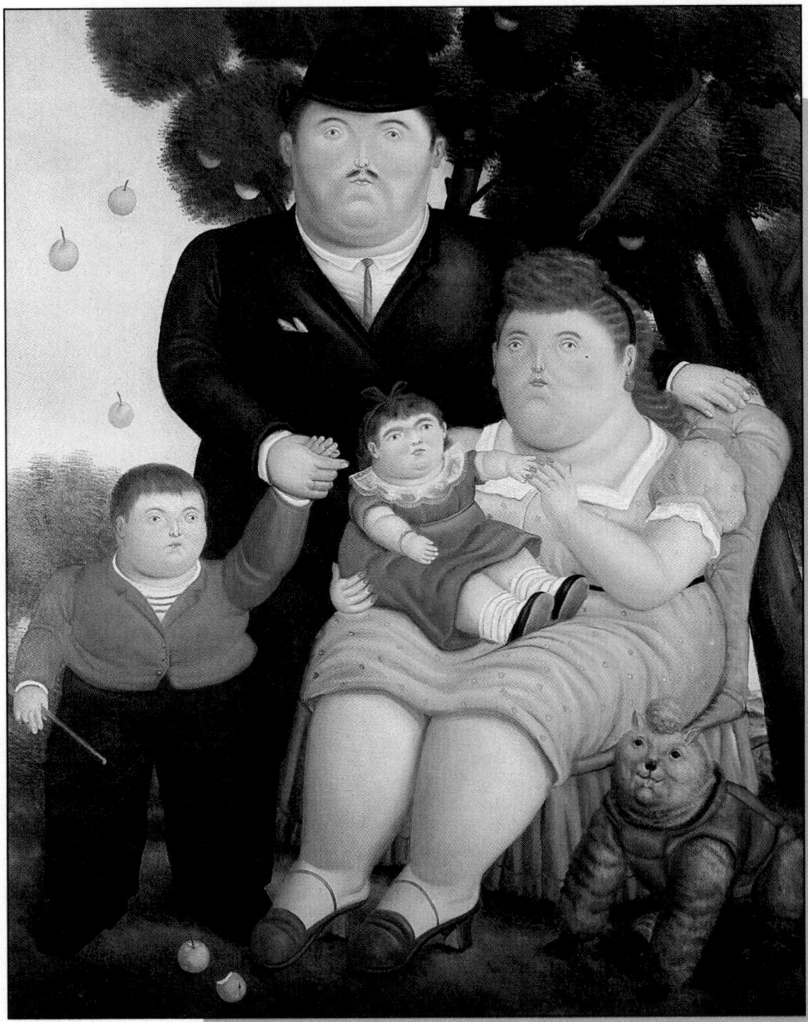

Botero es un pintor colombiano de fama internacional. Su estilo es muy particular; pinta personas y animales enormes. En este cuadro° que se llama *Familia*,* padres e hijos están representados en forma exagerada. Dice Botero: «Mis obras tienen que divertir a la gente».

° *painting*

*1989, oil on canvas, 95″ × 76¾″ (241 × 195 cm)

READING TIP 3

SAVE THE DICTIONARY FOR LAST

Another habit to develop as you learn Spanish is to read through an entire paragraph without stopping to look up any words. When you read it a second time, you will be surprised to discover that you now understand words that made no sense the first time. This happens because you have the general idea of the paragraph the second time.

Now try to guess the most likely meaning of other unfamiliar words from their context. Last of all, use the dictionary and see how close you came to guessing correctly. Remember that trying to read word by word will just slow you down. Reading right on to the end will not only speed you up, it will also help your comprehension.

¡TE INVITAMOS A LEER!

JOE CAMPOS, EL DUEÑO° DE SUPER JOE'S

Find out about Joe's restaurant.

owner

PERO ANTES... ¿Tienes amigos hispanos? ¿Cómo se llaman? ¿De dónde son? ¿Hablas español con tus amigos? ¿Hay un restaurante cerca de° tu escuela? ¿Cómo se llama?

cerca... *near*

Hola. Me llamo Joe Campos. Mi familia es de Puerto Rico y habla español. Tengo un restaurante cerca de la Escuela Central. Mi restaurante se llama Super Joe's y dicen que° mis hamburguesas son las mejores° de la ciudad.

No soy muy joven (tengo 63 años) pero tengo sentido del humor.° Naturalmente, soy amigo de los estudiantes de la Srta. García y me divierto° mucho con ellos porque todos hablamos un poquito° de español. Esto es bueno para todos, ¿verdad? Y también es muy divertido.

Cuando los chicos vienen° a mi restaurante, me llaman José. También me llaman Pepe, que es el sobrenombre° de José. El estudiante Ernesto, que es muy chistoso, me llama «Gran Chef». Y es la pura verdad. ¡Yo soy un gran cocinero°!

dicen... *they say that*
las... *the best*
sentido... *a sense of humor*
me... *I have fun* / *little bit*
come
nickname
cook

Tell if the sentences are true or false and say why.

¿QUÉ IDEAS CAPTASTE? Lee las oraciones de la columna A y di **cierto** o **falso** según la lectura. Después, explica por qué es cierto o falso con las oraciones de la columna B.

MODELO: Joe Campos es profesor de biología. →
Falso. Tiene un restaurante.

Columna A

1. Joe Campos es profesor de biología.
2. Sus hamburguesas son horribles.
3. Joe no es muy joven.
4. Habla español.
5. También se llama Pepe.
6. Tiene sentido del humor.

Columna B

a. Tiene 63 años.
b. Su familia es de Puerto Rico.
c. Le gusta divertirse con los estudiantes.
d. Tiene un restaurante.
e. Son las mejores de la ciudad.
f. Es el sobrenombre de José.

PRONUNCIACIÓN

THE *r* BETWEEN VOWELS

By now you have noticed that Spanish **r** is not at all like the American English *r*. But the single **r** between vowels does have an English counterpart. You often produce this sound in English, but you don't think of it as an *r*. It is a single tap of the tongue just above and behind your teeth, the sound you probably make when you say *buddy, ladder, Freddy.* For instance, the words **para ti** are very similar to *pot o' tea.* Try it!

PRÁCTICA Listen to your teacher, then practice these phrases.

Un marinero con mucho dinero... ¡en enero!

Un caracol de oro

¿POR QUÉ LO DECIMOS ASÍ?

GRAMÁTICA

¿Recuerdas?

In **Segundo paso** you used two forms of the verb **ser** (*to be*)—the singular form **es** (*is*) and the plural form **son** (*are*)—to describe things in terms of color.

La blusa **es** azul.
The blouse is blue.

Los tenis **son** morados.
The sneakers are purple.

You have also used **es** and **son** to identify people and things.

—¿Qué **es** esto?
—*What is this?*

—**Es** un vestido.
—*It's a dress.*

—¿Quién **es**?
—*Who is it (he)?*

—**Es** Paco.
—*It's (He's) Paco.*

—¿Quiénes **son**?
—*Who are they?*

—**Son** Roberto y Chela.
—*They're Roberto and Chela.*

IDENTIFYING AND DESCRIBING PEOPLE AND THINGS
The Verb *ser*

A Here are the three singular forms of **ser** that correspond to the Spanish singular subject pronouns you have learned.

Present Tense of **ser** (*Singular Forms*)		
yo	**soy**	*I am*
tú	**eres**	*you* (informal) *are*
usted	**es**	*you* (polite) *are*
él/ella	**es**	*he/she is*

B You can use the verb **ser** with adjectives to describe people or things. When you use **ser** with an adjective, the adjective agrees in gender and number with the person or thing described.

***ser* = *to be* (*color, identification, description*)**

—¿**Eres** organizad**o**, Esteban? —*Are you organized, Esteban?*
—No, no **soy** muy organizad**o**. —*No, I'm not very organized.*

—¿**Es** usted exigent**e**, Srta. García? —*Are you strict, Srta. García?*
—Sí, **soy** un poco exigent**e**. —*Yes, I'm a bit strict.*

—¿Cómo **es** tu escuel**a**? —*What's your school like?*
—**Es** muy modern**a**. —*It's very modern.*

—¿Cómo **son** los profesor**es**? —*What are the teachers like?*
—**Son** muy exigent**es**. —*They're very demanding.*

EJERCICIO 1 **Las respuestas**

¿Qué contestan los estudiantes de la Srta. García? Escoge la respuesta para cada pregunta. Sigue el modelo.

Pick the right answer.

MODELO:

TÚ: ¿Quién eres? →
COMPAÑERO/A: *Soy Roberto.*

Paso 1. La Srta. García pregunta.

yo soy = *I am*
tú eres = *you are (informal)*
usted es = *you are (polite)*
él/ella es = *he/she is*

1. ¿Quién eres?
2. ¿Quién es él?
3. ¿Quién soy yo?

a. Usted es la profesora.
b. Es Paco.
c. Soy Roberto.

Paso 2. Identificaciones.

1. ¿Qué es esto?
2. ¿Quién es ella?
3. ¿Quién es usted?

a. Es Juana.
b. Soy la Srta. García.
c. Es un cuaderno.

Paso 3. Descripciones: ¿Cómo es Beatriz?

1. Soy alta, ¿verdad?
2. Beatriz es alta, ¿verdad?
3. Eres muy alta, ¿verdad?

a. Sí, soy muy alta.
b. Sí, eres muy alta.
c. Sí, es muy alta.

EJERCICIO 2 Las adivinanzas

La clase de la Srta. García inventa adivinanzas. Busca las respuestas en la lista.

Guess the answers to the riddles.

MODELO:

TÚ: Tú eres un mes que empieza con **m**. ¿Quién eres? →
COMPAÑERO/A: Soy marzo.

¿qué? = *what?*
¿quién? = *who?*

1. Tú eres un mes que empieza con **m**. ¿Quién eres?
2. Yo soy un deporte que empieza con **v**. ¿Qué deporte soy?
3. Es un lugar que empieza con **p**. ¿Qué lugar es?
4. Ella es una persona en el salón de clase. ¿Quién es?
5. Tú eres otra persona en el salón de clase. ¿Quién eres?
6. Yo soy la bandera de los Estados Unidos. ¿Cómo soy?
7. Tú eres una manzana. ¿Cómo eres?
8. Es un número que empieza con **d**. ¿Qué número es?

a. Soy roja.
b. Eres el voleibol.
c. Eres roja, blanca y azul.
d. Es la profesora.
e. Soy marzo.
f. Es la piscina.
g. Soy un(a) estudiante.
h. Es el dieciséis.

EJERCICIO 3 Descripciones

In pairs, make up questions and answers.

Paso 1. Con tu compañero/a, inventa preguntas y respuestas según el modelo.

MODELO: organizado/a →

TÚ: ¿Eres *organizado/a*?
COMPAÑERO/A: Sí, soy muy *organizado/a*. (No, no soy *organizado/a*.)

-o: = masculine
-a: = feminine

1. organizado/a
2. estudioso/a
3. chistoso/a
4. creativo/a
5. generoso/a
6. independiente
7. impulsivo/a
8. paciente
9. tímido/a

Describe your best friend.

Paso 2. Ahora pregúntale a tu compañero/a cómo es su mejor amigo/a. Usa los adjetivos del **Paso 1**.

MODELO: organizado/a →

TÚ: ¿Es ____ organizado/a?
COMPAÑERO/A: Sí, es muy organizado/a. (No, no es organizado/a.)

EJERCICIO 4 ¿Cómo son?

In pairs, make up questions and answers.

Con tu compañero/a, inventa preguntas y respuestas según el modelo.

MODELO: Patricia / joven / Víctor y Ernesto →

TÚ: ¿Cómo es *Patricia*?
COMPAÑERO/A: Es *joven*.

TÚ: ¿Cómo son *Víctor y Ernesto*?
COMPAÑERO/A: Son *jóvenes* también.

Adjectives agree with nouns in gender and number.

Plurals: If the adjective ends in
- *a vowel, add -s*
- *a consonant, add -es*

1. Patricia / joven / Víctor y Ernesto
2. Paco / delgado / Beatriz y Ana Alicia
3. Esteban / alto / Paco y Roberto
4. Chela / atlética / Esteban
5. Roberto y Víctor / inteligentes / Juana
6. Paco y Ernesto / simpáticos / Felicia

VOCABULARIO  PALABRAS NUEVAS

La descripción física
Soy / Eres / Es...
- **alto/a**
- **bajo/a**
- **bonito/a**
- **calvo/a**
- **delgado/a**
- **feo/a**
- **fuerte**
- **gordito/a**
- **gordo/a**
- **guapo/a**
- **joven**
- **pelirrojo/a**

Tengo / Tiene ojos...
- **azules**
- **castaños / color café**
- **grises**
- **negros**
- **verdes**

Tengo / Tiene pelo...
- **castaño**
- **corto**
- **lacio**
- **largo**
- **negro**
- **rizado**
- **rubio**

Tiene bigote

Palabras de repaso: grande, pequeño/a, viejo/a

Más descripciones
creativo/a
chistoso/a
estudioso/a
exigente
generoso/a
organizado/a
paciente
simpático/a
tímido/a

Palabras semejantes: **atlético/a, enorme, gigante, impulsivo/a, inteligente, paciente, romántico/a**

Las partes del cuerpo
la boca
los brazos
la cabeza
las manos
la nariz
los ojos
las orejas
el pelo
las piernas
los pies

Las personas
el amigo / la amiga por correspondencia
el hombre
el mejor amigo / la mejor amiga
la mujer

Los sustantivos
el deporte
el gigante
el monstruo
la talla

Los verbos
ser
- **soy**
- **eres**
- **es**

ser de

Palabra de repaso: son

Otras preguntas
¿Cómo es?
¿Cómo son?
¿De qué talla... ?
¿Quién es... ?
¿Quién tiene... ?

Palabras útiles
a nadie
nadie

Palabras del texto
las adivinanzas
cierto
explica
falso

Palabra semejante: **describe**

LECCIÓN 2

¿CUÁL ES TU DIRECCIÓN Y TU NÚMERO DE TELÉFONO?

¡Saludos desde Sevilla! Me llamo Felipe Iglesias y tengo quince años.

Sevilla, España.

ROS ALLAIN J J Mozart 3344 332-5851
" AMERICA T A DE Zapata 834..........898-7374
" ANA M E S DE Yrigoyen 1432..........47-1854
" ANA M P H Castro Barros 564.......928-3850
" ANA N P White 4028........................93-4827
" ANGELICA F Av Las Heras 3894.......567-8136
" ANTONIO Estados Unidos 5850..........67-0242
" ANTONIO T Morón 9734..................952-0497
" CARDA A R DE Arenales 4283........ 542-1305
" DIANA I C DE Sinclair 329..............536-8136
" ELLENA M M DE Esmeralda 1350.....552-0451
" EMILIA Av Olazábal 2870..................89-9096
" EMILIA F DE Arévalo 1756.................53-2410

María Luisa Torres vive en la Ciudad de México. Tiene catorce años y es muy simpática.

Ciudad de México, México.

¡Hola, amigos! Me llamo Humberto Figueroa y vivo en el Viejo San Juan.

San Juan, Puerto Rico.

Una calle en la zona vieja de Madrid, España.

VOCABULARIO

SR. ÁLVAREZ: **¿De dónde es** Alicia Vargas?
SRTA. GARCÍA: **Es de** España. **Vive en** Madrid, **en la calle** Alcalá.
SR. ÁLVAREZ: **¿Cuántos años tiene?**
SRTA. GARCÍA: Dieciséis.

Y TÚ, ¿QUÉ DICES?

ACTIVIDADES ORALES Y LECTURAS

Conexión gramatical
Estudia las páginas 138–141 en **¿Por qué lo decimos así?**

1 • INTERACCIÓN Los estudiantes de la Srta. García

Talk about the information in the chart.

Conversa con tu compañero/a sobre los datos personales de estos estudiantes.

NOMBRE	APELLIDO	EDAD	VIVE EN...
Juana	Muñoz Villela	16 años	una casa pequeña
Patricia	Galetti	14 años	un apartamento
Esteban	Garrett	16 años	una casa grande
Beatriz	Jordan	15 años	un apartamento

MODELO:

TÚ: ¿Cuál es el apellido de *Beatriz*?
COMPAÑERO/A: *Jordan.*

TÚ: ¿Quién vive en *una casa pequeña*?
COMPAÑERO/A: *Juana.*

TÚ: ¿Cuántos años tiene *Esteban*?
COMPAÑERO/A: *Dieciséis.*

¡A charlar!

To ask where someone is from, use the phrase **¿De dónde... ?** + a form of the verb **ser**. To answer, use a form of **ser** + **de**.

—**¿De dónde es** Luis Fernández?
—*Where is Luis Fernández from?*

—**Es de** México.
—*He's from Mexico.*

—Carolina, **¿de dónde eres** tú?
—*Carolina, where are you from?*

—**Soy de** Puerto Rico.
—*I'm from Puerto Rico.*

Una casa y un edificio de apartamentos en la Ciudad de México.

2 • INTERACCIÓN Los amigos por correspondencia

Talk about the pen pals.

Habla con tu compañero/a sobre los amigos hispanos por correspondencia. ¿Cómo se llaman? ¿Cuántos años tienen? ¿Qué les gusta hacer?

MODELO:

TÚ: ¿De dónde es *Julio Bustamante*?
COMPAÑERO/A: Es de *Costa Rica*.

TÚ: ¿Cuántos años tiene?
COMPAÑERO/A: *Dieciséis*.

TÚ: ¿Qué le gusta hacer?
COMPAÑERO/A: *Salir con amigos al campo*.

¡A charlar!

You may have noticed that Alicia, the pen pal from Spain, has two last names (**apellidos**): Vargas Dols. The first is her father's last name, and the second is her mother's last name. Having two last names is quite common in Spanish-speaking countries. People use both last names in certain situations. For example, if Alicia were to meet a new friend, she would probably introduce herself as Alicia Vargas. On the other hand, if she were to write her name on an application form, she would include both last names: Alicia Vargas Dols.

¡Hola! Mi nombre es Alicia Vargas Dols y vivo en Madrid, España. Tengo dieciséis años. Me gusta estudiar otras lenguas, como el inglés y el francés, y aprender de la vida en otros países.

Me llamo María Luisa Torres. Tengo catorce años. Me gusta salir con mis amigos y leer novelas. Vivo en México, D.F.

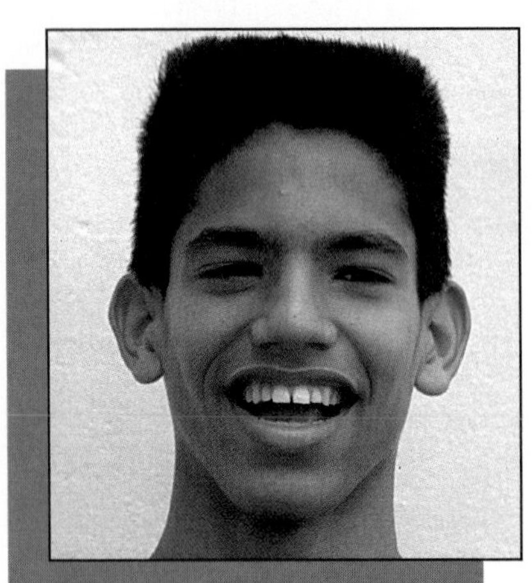

Soy Eduardo Rivas, de Puerto Rico. Tengo diecisiete años. A mí me gusta escuchar música rock y jugar al fútbol.

¡Saludos de Costa Rica! Me llamo Julio Bustamante. Tengo dieciséis años. Me gusta recibir cartas de amigos de otros países. Mi actividad favorita: salir con mis amigos al campo.

3 • DIÁLOGO Los datos personales

Completa el diálogo con tu compañero/a.

Complete the conversation.

TÚ: ¿Cómo te llamas?
COMPAÑERO/A: ____. ¿Y tú?

TÚ: ____. ¿Cuántos años tienes?
COMPAÑERO/A: Tengo ____ años.

TÚ: ¿Dónde vives?
COMPAÑERO/A: Vivo en la calle ____ , ________ .
(número)

TÚ: ¿Tienes teléfono?
COMPAÑERO/A: Sí, mi número de teléfono es el ____ .
(No, no tengo teléfono.)

¡A charlar!

Both Spanish and English use abbreviations for writing letters. Here are common abbreviations used before names:

Sr.	señor
Sra.	señora
Srta.	señorita
Dr./Dra.	doctor/doctora

Handy abbreviations for writing addresses include:

Avda.	avenida
No./Núm.	número
apto.	apartamento
dpto.	departamento
ZP	zona postal
CP	código postal
D.F.	Distrito Federal

4 • DEL MUNDO HISPANO Línea directa

En esta sección de la revista *Tú*, hay datos de jóvenes hispanos que quieren tener amigos de otros países. Con tu compañero/a, habla sobre estos jóvenes.

In pairs, talk about the information in the personals section.

MODELO:

TÚ: ¿Cuál es la dirección de *Jenny Alexandra Mora*?
COMPAÑERO/A: *Avenida Bocayá 17-50.*

TÚ: ¿Cuántos años tiene?
COMPAÑERO/A: *Quince.*

¡línea directa!

¡línea directa!

¡línea directa!

¡línea directa!

Nombre: Jenny Alexandra Mora.
Edad: 15 años.
Dirección: Avenida Bocayá 17-50 Interior, 9 Apt. 320, Etapa 8, Santa Fe de Bogotá, COLOMBIA.
Pasatiempos: Leer, escuchar música, escribir poemas, ver películas de terror y coleccionar la revista TÚ.

Nombre: Joely Aguilar.
Edad: 22 años.
Dirección: Calle Cedro E-7, Valle Arriba Heights, Carolina 00873, PUERTO RICO.
Pasatiempos: Viajar, ir a la playa, disfrutar de la naturaleza, leer.

Nombre: Tonalti Minerva Castillo.
Edad: 17 años.
Dirección: Apartado 59497 Santa Fe de Bogotá, COLOMBIA.
Pasatiempos: Bailar, escuchar música, coleccionar e intercambiar todo lo relacionado a la banda Soda Stéreo y conocer gente de diferentes países.

Nombre: Erick Quintana.
Edad: 20 años.
Dirección: Apartado 8-4197, El Dorado, PANAMÁ.
Pasatiempos: Ir al cine, escuchar música y hacer ejercicio.

Nombre: Julia Alicia Garces.
Edad: 14 años.
Dirección: Yapeyú 9362 (1205) Cap. Fed. Buenos Aires, ARGENTINA.
Pasatiempos: Oír música, leer y nadar. Pueden escribirme también en inglés y en alemán.

Nombre: Humberto Belloso.
Edad: 13 años.
Dirección: Calle 18 de Marzo, Col. Tajín C.P. 93781, Poza Rica, Veracruz, MÉXICO.
Pasatiempos: Coleccionar sellos, calcomanías y tarjetas postales, escuchar música y leer.

VISTAZO CULTURAL

LAS DIRECCIONES DEL MUNDO HISPANO

En América Latina y en España, la forma de escribir direcciones varía de país en país. Aquí tienes algunos ejemplos.

Una casa en Buenos Aires, Argentina.

Un anuncio para clases de inglés en Buenos Aires, Argentina.

Una oficina de servicio postal en Guaynabo, Puerto Rico.

¡TE INVITAMOS A LEER!

UNA CARTA DE MARISA BOLINI

Find out about Alicia's pen pal.

PERO ANTES... Ana Alicia recibe una carta de su amiga por correspondencia. ¿Cómo se llama su amiga? ¿De dónde es?

Buenos Aires, 15 de octubre

Querida Ana Alicia:

¿Cómo estás? Me llamo Marisa Bolini y tengo 15 años. Soy argentina. Vivo con mi familia en un departamento° en la ciudad de Buenos Aires. Tengo una hermana.° Se llama Adriana y tiene 12 años. Es muy simpática, pero habla sin parar° y hace unas preguntas increíbles.°

Yo soy alta y delgada. Tengo ojos y pelo castaños. Me gusta jugar al tenis y nadar, pero no me gusta correr. ¡Es aburridísimo°! También me gusta mucho la ropa elegante y, por supuesto,° el rock. ¿Cuál es tu grupo de música favorito? ¿Conoces personalmente° a alguna estrella° de Hollywood? Mi actor favorito es Tom Cruise. Y vos,° ¿tenés° un actor favorito?

Chau, o como dicen ustedes, «bye-bye».

Tu amiga argentina,

Marisa Bolini

apartamento
sister
sin... nonstop / incredible
muy aburrido
por... of course
¿Conoces... Do you personally know / alguna... a star
tú (Argentina) / tienes (Argentina)

Tell what Marisa would say.

¿QUÉ IDEAS CAPTASTE? Imagínate que llamas por teléfono a Marisa y le haces estas preguntas. ¿Qué contesta ella?

MODELO: ¿Cuántos años tienes, Marisa? → *Tengo quince años.*

1. ¿De dónde eres?
2. ¿En qué ciudad vives?
3. ¿Vives en una casa?
4. ¿Con quién vives?
5. ¿Cómo se llama tu hermana? ¿Cuántos años tiene ella?
6. ¿Cómo eres?
7. ¿Te gustan los deportes? ¿Cuáles?
8. ¿Qué tipo de ropa te gusta? ¿y de música?
9. ¿Cómo se llama tu actor favorito?

¿POR QUÉ LO DECIMOS ASÍ?

GRAMÁTICA

¿Recuerdas?

In **Unidad 1** you learned to use three forms of the verb **tener** (*to have*). Here is a review of the singular forms.

Present Tense of **tener**	
yo	**tengo**
tú	**tienes**
usted	**tiene**
él/ella	**tiene**

HOW OLD ARE YOU?
The Verb *tener* + Age

To find out someone's age in Spanish, ask the question **¿Cuántos años... ?** + a form of the verb **tener.** To answer, use a form of **tener** + the number of years.

—**¿Cuántos años tienes?**	—*How old are you?*
—**Tengo** dieciséis (años).	—*I'm sixteen (years old).*
—**¿Cuántos años tiene** Ernesto?	—*How old is Ernesto?*
—**Tiene** quince (años).	—*He's fifteen (years old).*

EJERCICIO 1 **¿Cuántos años tiene?**

Conversa con tu compañero/a sobre la edad de las siguientes personas.

Tell their ages.

The word ***ó*** *(or) between numbers has a written accent mark.*

tiene... (años) *= he/she is . . . (years old)*

MODELO: Es un compañero de la clase de español. ¿14, 52 ó 94? →

TÚ: Es un compañero de la clase de español. ¿Cuántos años tiene?
COMPAÑERO/A: Tiene *catorce.*

1. Es un compañero de la clase de español.
   ¿14, 52 ó 94?
2. Es una profesora de esta escuela.
   ¿38, 75 ó 100?
3. Es una niña muy pequeña.
   ¿2, 17 ó 54?
4. Es una señorita joven.
   ¿10, 24 ó 49?
5. Es el director de la escuela.
   ¿19, 50 ó 72?
6. Es una señora muy vieja.
   ¿15, 32 ó 95?

EJERCICIO 2 La familia de Carolina Márquez

Ask and give the age of each family member.

¿Cuántos años tienen los miembros de la familia Márquez? Con tu compañero/a, inventa preguntas y respuestas. Sigue los modelos.

MODELOS: Carolina →

TÚ: *Carolina*, ¿cuántos años tienes?
COMPAÑERO/A: Tengo *quince* (años).

Sr. Márquez →

TÚ: *Sr. Márquez*, ¿cuántos años tiene usted?
COMPAÑERO/A: Tengo *cuarenta y cuatro* (años).

WHERE DO YOU LIVE?
The Verb *vivir*

To ask or tell where someone lives, use the verb **vivir** (*to live*). Here are the three singular forms of **vivir** you have learned so far.

vivir **= *to live***

Present Tense of **vivir** (*Singular Forms*)		
yo	**vivo**	*I live*
tú	**vives**	*you* (informal) *live*
usted	**vive**	*you* (polite) *live*
él/ella	**vive**	*he/she lives*

—¿Dónde **vives**? — *—Where do you live?*
—**Vivo** en la calle Bolívar. — *—I live on Bolívar Street.*

—¿Dónde **vive** Juana? — *—Where does Juana live?*
—**Vive** en la avenida Central. — *—She lives on Central Avenue.*

EJERCICIO 3

¿Dónde viven los amigos por correspondencia?

Tell where the pen pals live.

▶ Mira el mapa y completa cada oración con la frase apropiada.

MODELO: Soy Luis Fernández y ____. →
Soy Luis Fernández y *vivo en México.*

yo vivo = *I live*
tú vives = *you (informal) live*
usted vive = *you (polite) live*
él/ella vive = *he/she lives*

1. Soy Luis Fernández y ____.
2. Marta, tú ____, ¿verdad?
3. Ella es Mariana Peña y ____.
4. Marisa, tú ____, ¿no?
5. Me llamo Raúl Galván y ____.
6. Julio Bustamante ____.
7. Humberto, tú ____, ¿no?
8. Srta. Vargas, usted ____ ¿verdad?

a. vive en España
b. vivo en México
c. vives en Puerto Rico
d. vives en el Perú
e. vive en Costa Rica
f. vivo en Venezuela
g. vive en Puerto Rico
h. vives en la Argentina

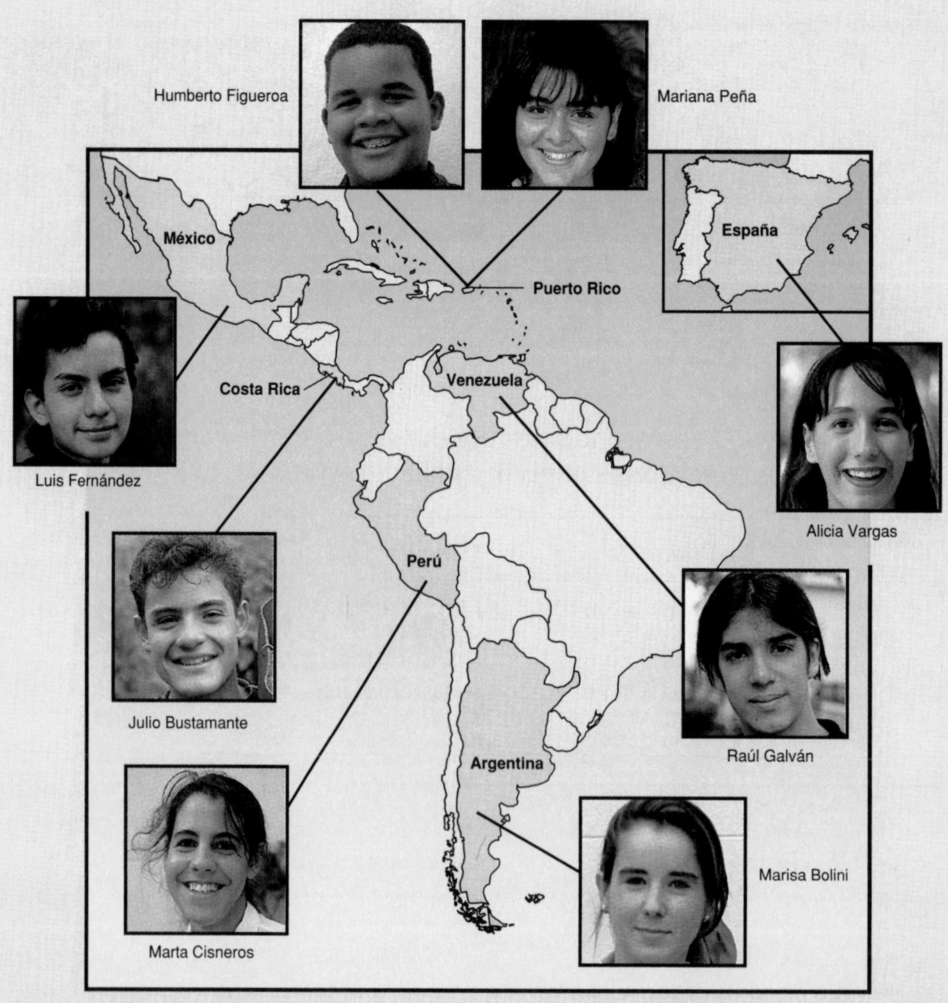

EJERCICIO 4 **Su dirección, por favor.**

Completa los diálogos con **vivo, vives** o **vive.**

Complete the dialogues.

1. ERNESTO: ¿Dónde _____ usted, Sr. Álvarez?
   SR. ÁLVAREZ: Yo _____ en un apartamento en la calle Lincoln.
2. CHELA: ¿Dónde _____ Carolina Márquez?
   PACO: Ella _____ en San Juan, Puerto Rico, ¿no?
3. ESTEBAN: ¿Dónde _____ tú, Ana Alicia?
   ANA ALICIA: _____ aquí, en los Estados Unidos.
4. VÍCTOR: ¿Dónde _____ Raúl Galván?
   FELICIA: _____ en un apartamento en Caracas, Venezuela.
5. PATRICIA: ¿Dónde _____ tú, Juana?
   JUANA: _____ en la avenida Central.

VOCABULARIO

PALABRAS NUEVAS

Los datos personales

el apellido
la avenida
la calle
la ciudad
la dirección
la edad
el número de teléfono

¿Cuántos años tienes?
Tengo... años.
¿De dónde eres?
Soy de...
¿De dónde es?
Es de...
¿Dónde vives?
Vivo en...

Los lugares

el campo
la casa
metros sur de...
el país
tercero (3º) izquierda

Palabra semejante: **el apartamento**

Los sustantivos

la farmacia
el francés
el/la joven
la lengua
la vida

Los verbos

aprender
recibir
tener... años
vivir
vivo
vives
vive

Palabra del texto

el ejemplo

LECCIÓN 3

¿CÓMO ES TU FAMILIA?

Caracas, Venezuela.

Me llamo Raúl Galván. Vivo en Caracas, Venezuela, con mi mamá y mis dos hermanas, Pilar y Andrea. Pilar tiene 18 años y es bastante seria. Andrea tiene 13 años. Es muy simpática, pero a veces es un poco traviesa. La verdad, ¡las dos son buenas hermanas!

Yo soy Adriana Bolini, la hermana de Marisa. Tengo 12 años. Soy inteligente, simpática, bonita... y ¡muy modesta!

Buenos Aires, Argentina.

Ciudad de México, México.

Soy Juanito Fernández, el hermano de Luis.
Aquí estoy con mi papá y Jorge, mi hermano mayor.

ASÍ SE DICE...

VOCABULARIO

LA FAMILIA DE LUIS FERNÁNDEZ GARCÍA

LOS ABUELOS

EL ABUELO

Francisco García Delgado
68 años

LA ABUELA

Matilde Luna de García
66 años

LOS PADRES

LA MADRE

María Celia García de Fernández
45 años

EL PADRE

Pedro Luis Fernández
51 años

LOS HIJOS

LA HERMANA

Mercedes
23 años

EL HERMANO MAYOR

Jorge
22 años

Luis
15 años

EL HERMANO MENOR

Juanito
9 años

ACTIVIDADES ORALES Y LECTURAS

Conexión gramatical
Estudia las páginas 153–157 en **¿Por qué lo decimos así?**

1 • INTERACCIÓN La familia de Juana

Con tu compañero/a, describe la familia de Juana según la tabla.

Describe Juana's family.

	EDAD	ES...	LE GUSTA...
La madre de Juana	46	baja y simpática	leer novelas
El padre de Juana	52	un poco estricto	hacer ejercicio
El abuelo de Juana	75	muy chistoso	hablar con amigos
La hermana de Juana	19	seria	estudiar ciencias
El hermano de Juana	10	muy curioso	andar en bicicleta

MODELO:

TÚ: ¿Cuántos años tiene *el abuelo de Juana*?
COMPAÑERO/A: *Setenta y cinco.*

TÚ: ¿A quién le gusta *leer novelas*?
COMPAÑERO/A A *la madre de Juana.*

TÚ: ¿Cómo es *el hermano de Juana*?
COMPAÑERO/A: ¡Es *muy curioso*!

Caracas, Venezuela: Dos hermanos en la Plaza Bolívar.

¡A charlar!

To talk about two or more relatives (parents, brothers and sisters, and so on), use the masculine plural form, even if the group includes both males and females.

los padres = el padre y la madre
los abuelos = el abuelo y la abuela
los hermanos = el hermano y la hermana
los tíos = el tío y la tía

To refer to a relative by remarriage, drop the end vowel of the noun that stands for the blood relative and add the ending **-astro/a**.

herman**o** → herman**astro**
madr**e** → madr**astra**

Can you guess the Spanish equivalents for *stepfather* and *stepsister*?

2 • INTERACCIÓN ¿Cómo es tu familia?

Describe your family.

▶ Describe a tu familia.

MODELO:

TÚ: ¿Es tu *papá estricto*?
COMPAÑERO/A: No, no *es* (*muy*) *estricto*. (Sí, es *estricto*.)

TÚ: ¿Son tus *abuelos cariñosos*?
COMPAÑERO/A: Sí, *son* (*bastante*) *cariñosos*. (No, no son *cariñosos*.)

Miembros de la familia			¿Cómo es / son... ?
abuelo	abuela	abuelos	cariñoso/a
padre	madre	padres	comprensivo/a
padrastro	madrastra	padrastros	chistoso/a
hermano	hermana	hermanos	divertido/a
hermanastro	hermanastra	hermanastros	estricto/a
tío	tía	tíos	generoso/a
primo	prima	primos	paciente
			simpático/a
			travieso/a

VOCABULARIO ÚTIL
muy bastante un poco

3 • DIÁLOGO Mi familia

Complete the dialogues.

▶ Completa los diálogos con tu compañero/a.

1. Mis hermanos (hermanastros / primos)

TÚ: ¿Tienes hermanos o hermanas (hermanastros/as, primos/as)?
COMPAÑERO/A: Sí, tengo ____ hermano(s) y ____ hermana(s). (No, no tengo hermanos.)

TÚ: ¿Cómo se llama tu hermano/a mayor (menor)?
COMPAÑERO/A: ____ .

TÚ: ¿Cuántos años tiene?
COMPAÑERO/A: ____ .

2. Mi familia

TÚ: ¿Es tu familia grande o pequeña?
COMPAÑERO/A: Es ____ .

TÚ: ¿Cuántas personas hay en tu familia?
COMPAÑERO/A: Hay ____ .

Y AHORA, ¡CON TU PROFESOR(A)!

Interview your teacher.

▶ Hazle las siguientes preguntas a tu profesor(a).

1. ¿Tiene usted una familia grande o pequeña?
2. ¿Tiene usted hijos? ¿Cuántos hijos tiene?
3. ¿Quién es su pariente favorito? ¿Cómo se llama? ¿Cómo es esa persona?

4 • PIÉNSALO TÚ ¿Quién es mi pariente favorito?

Guess David Tracy's favorite relative.

▶ Adivina el pariente favorito de David Tracy según las pistas y los dibujos.

Pistas

1. Mi pariente favorito no tiene diez años.
2. Es una persona alta y delgada.
3. Le gusta llevar sombrero.
4. Lleva pantalones negros todos los días.
5. Tiene pelo gris y lleva lentes.
6. También es una persona muy divertida; ¡le gusta contar chistes!

Y ahora..., ¿sabes quién es mi pariente favorito?

5 • DIÁLOGO **Los amigos por correspondencia**

1. Juana y Ernesto hablan de sus amigos por correspondencia.

ERNESTO: ¿Cómo se llama tu amigo de México?
JUANA: Se llama Luis Fernández García.
ERNESTO: ¿Es pariente de la Srta. García?
JUANA: No, no es su pariente. La Srta. García es de Chicago y Luis es de México.

2. Paco y Esteban hablan de sus amigas por correspondencia.

PACO: Mi amiga por correspondencia se llama Marta Cisneros.
ESTEBAN: ¿Cómo es?
PACO: Es muy guapa. Tiene pelo largo y negro y ojos muy grandes.
SRTA. GARCÍA: Lo siento, chicos. ¡Hay un error! Marta es la amiga por correspondencia de Víctor.
PACO Y ESTEBAN: ¡Qué lástima!

Y AHORA, ¿QUÉ DICES TÚ?

▶ Describe a un amigo o a una amiga por correspondencia ideal.

1. ¿Es un chico o una chica?
2. ¿Cuántos años tiene?
3. ¿De dónde es?
4. ¿Cómo es?
5. ¿Qué le gusta hacer?

¿ES UNA DEMOSTRACIÓN DE CARIÑO?

Miss García's class saw a video about family life in different Hispanic communities. Can you figure out why her students were surprised and acted in an unexpected way?

a. Hispanic families are like all other families in the United States.

b. Hispanics seem to embrace each other more and sit closer together than most other families.

If you answered (b), you are correct. When Hispanics greet each other or spend a lot of time together, it is common to see signs of physical affection—women walking with their arms linked, for example, or men with their arms around each other's shoulders as they talk.

Thinking About Culture

Why do you think that many of Miss García's students may have been surprised at first when viewing the video scenes? How do people learn their attitudes about expressing physical affection? How do you think knowledge of such cultural differences would be helpful if you were an exchange student in another country?

¡TE INVITAMOS A LEER!

LA FAMILIA DE LUIS FERNÁNDEZ GARCÍA

Find out about Luis Fernández García's family.

PERO ANTES... Luis le manda unas fotos de su familia a Juana. Mira las fotos. ¿Cómo es la familia de Luis? ¿Cuántas personas hay en su familia? ¿Viven en una casa o en un apartamento?

Hola, Juana:

¿Cómo estás? Te escribo para mandarte° estas fotos. Espero que te gusten.° A mí me gustan mucho porque... ¡son de mi familia! Aquí estoy yo con mis padres. Mi mamá se llama María Celia García de Fernández. Tiene 45 años y es ama de casa.° Es baja, delgada y muy elegante, ¿no? Mi papá se llama Pedro Luis Fernández y tiene 51 años. Trabaja en un banco. Es alto y tiene pelo negro.

mandarte: send you
Espero... : I hope you like them.
ama... : homemaker

·2·

Éstos son mis abuelos. Ellos no trabajan; están jubilados.° Mi abuelo tiene 68 años. Se llama Francisco García, pero los amigos lo llaman° don Pancho. Mi abuela tiene 66 años. Es baja y un poco gorda. Se llama Matilde Luna de García, pero todos la llaman doña Matilde.

jubilados: retired
lo... : call him

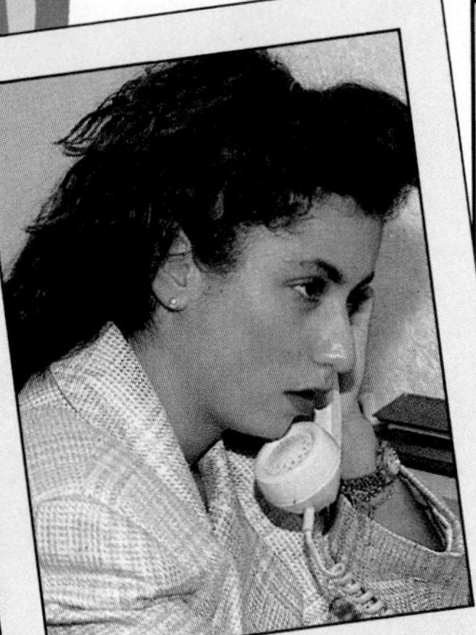

3

Ésta es mi hermana Mercedes. Tiene 23 años y es agente de viajes.° Le gusta mucho viajar.° Mi hermana es delgada y bonita, ¿no? Pero la pobrecita° tiene un novio muy tonto° que se llama Arturo.

agente... *travel agent*
to travel
la... *the poor thing* / *dumb*

4

Éstos son mis hermanos Jorge y Juanito. Jorge tiene 22 años y es arquitecto. Es muy serio y le gusta mucho trabajar. No tiene novia porque siempre está muy ocupado. También es un poco tímido. Juanito es mi hermano menor. Tiene 9 años y es muy chistoso. Le gusta andar en bicicleta y jugar al fútbol con sus amigos. Es bajo y gordito porque le gusta mucho comer. ¡Es mi hermano favorito!

Bueno, Juana, adiós. Escríbeme° pronto y mándame° fotos de tu familia, por favor.

Tu amigo Luis

Write to me
send me

¿QUÉ IDEAS CAPTASTE? Lee cada oración y di quién habla, según la lectura.

Tell who is talking.

MODELO: Tengo 45 años. → *La mamá de Luis.*

1. A mí me gusta mucho viajar.
2. Trabajo en un banco.
3. Estamos jubilados.
4. Juanito es mi hermano favorito.
5. Soy serio y me gusta trabajar.
6. Tengo 66 años.
7. Me gusta andar en bicicleta.
8. Mi novio se llama Arturo.
9. Mi amigos me llaman don Pancho.
10. Soy alto y tengo pelo negro.

PRONUNCIACIÓN

STRESSING THE CORRECT SYLLABLE

When you read a new word in Spanish, it's easy to know which syllable to stress. There are three rules.

1. Words that end in a vowel, **n**, or **s** are stressed on the *next-to-last* syllable (***ca*-sa, ves-*ti*-do, *cla*-se, *lu*-nes, di-*bu*-jos, es-*cu*-chen**).
2. Words that end in consonants, except for **n** or **s**, are stressed on the *last* syllable (**ver-*dad*, ha-*blar*, pa-*pel*, na-*riz***).
3. Words that have a written accent mark are stressed on the accented syllable (***fá*-cil, *lá*-piz, fran-*cés*, per-*dón*, *mú*-si-ca, *ál*-ge-bra**).

PRÁCTICA In the following sentences, a small boy describes some of the people in his family. Use the rules of syllable stress to help you read and pronounce each description. Can you tell which rule explains the pronunciation of the nouns and adjectives in each description?

¿Una familia típica?

1. Mi hermano, el chistoso, vive en una casa baja.

2. Isabel, una mujer mayor, tiene espíritu muy joven.

3. Mi mamá y mi papá son intérpretes.

¿POR QUÉ LO DECIMOS ASÍ?

GRAMÁTICA

FAMILY RELATIONSHIPS AND POSSESSIONS
The Preposition *de*

ORIENTACIÓN
A **preposition** expresses a relationship between two nouns. Some common prepositions in English are *at, in, on, to, of, from, during,* and *between.*

A To express family relationships (or other personal relationships) in Spanish, use the preposition **de** + a proper name or a noun. In this context, **de** = *of.*

la familia **de** Humberto	*Humberto's family*
el amigo **de** Marisa	*Marisa's friend*
la esposa **de** don Pancho	*don Pancho's wife*

B You can also use the preposition **de** to express possession.

la casa **de** Juana	*Juana's house*
el carro **de** la familia García	*the Garcías' car*

The question **¿De quién... ?** or **¿De quiénes... ?** is used to ask *Whose is it?* or *Whose are they?*

***¿De quién?* = Whose? (one person)**
***¿De quiénes?* = Whose? (more than one person)**

—¿**De quién** es la bicicleta?	*—Whose bicycle is it?*
—Es **de Ernesto.**	*—It's Ernesto's.*
—¿**De quién** son los zapatos?	*—Whose shoes are they?*
—Son **de Roberto.**	*—They're Roberto's.*
—¿**De quiénes** son los libros?	*—Whose books are they?*
—Son **de los estudiantes.**	*—They are the students'.*

EJERCICIO 1 Personas y personajes

Ask questions and pick the appropriate answer.

Con tu compañero/a haz preguntas y escoge la respuesta apropiada.

MODELO: Romeo →

TÚ: ¿Quién es *Romeo*?
COMPAÑERO/A: Es *el novio de Julieta.*

1. Romeo
2. Snoopy
3. Lois Lane
4. Sancho Panza
5. Garfield
6. Calvin
7. Tarzán

a. el amigo de Hobbes
b. el esposo de Jane
c. el gato de Jon Arbuckle
d. el perro de Charlie Brown
e. el amigo de don Quijote
f. la novia de Superman
g. el novio de Julieta

EJERCICIO 2 Identificaciones

Tell who these items belong to.

¿De quién son estas cosas? Con tu compañero/a, pregunta y contesta según los dibujos.

MODELOS:

TÚ: ¿De quién es *el libro*?
COMPAÑERO/A: Es de *Beatriz.*

TÚ: ¿De quiénes son *los suéteres*?
COMPAÑERO/A: Son de *Esteban y Chela.*

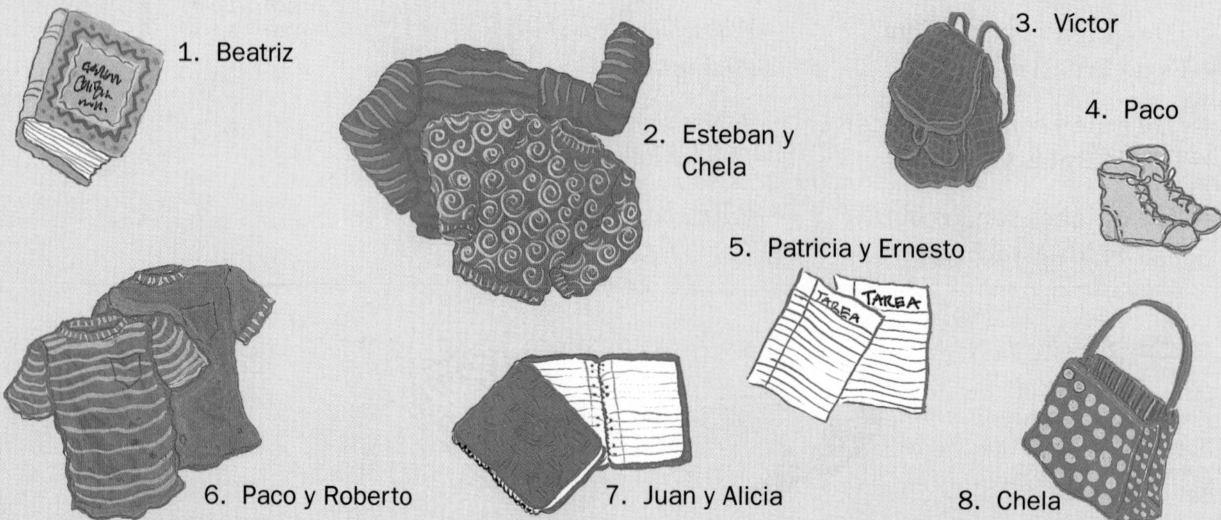

POSSESSIVE ADJECTIVES
Mi(s), tu(s), su(s)

ORIENTACIÓN

A **possessive adjective** tells to whom someone is related or to whom something belongs. The English possessive adjectives for the singular subject pronouns are *my, your, his,* and *her.*

A You just learned to use **de** + a noun to describe personal relationships or possession. Possessive adjectives also express relationships or possession. Here are three of the Spanish possessive adjectives.

mi	*my*	**su**	*your* (polite)
tu	*your* (informal)	**su**	*his/her*

—¿Cómo es **tu** perro? —*What's your dog like?*
—**Mi** perro es pequeño. —*My dog is small.*

Spanish possessive adjectives have a plural form when the following word is plural.

mis amigos	*my friends*	**sus** clases	*your* (polite) *classes*
tus padres	*your* (informal) *parents*	**sus** libros	*his/her books*

—¿Son estrictos **tus** padres? —*Are your parents strict?*
—No, **mis** padres no son estrictos. —*No, my parents aren't strict.*

Possessive adjectives agree with nouns in number:
mi amigo = my friend
mis amigos = my friends

B The words **su** and **sus** can mean *his, her,* or *your* (polite). You can usually tell which meaning is appropriate from the context.

Ernesto no tiene **su** libro.	*Ernesto doesn't have his book.*
Beatriz habla con **sus** amigas.	*Beatriz talks with her friends.*
¿Cuál es **su** dirección, Sr. Álvarez?	*What's your address, Mr. Álvarez?*
Ana Alicia tiene ojos azules. **Su** color favorito es el azul.	*Ana Alicia has blue eyes. Her favorite color is blue.*

¡OJO! Remember that **tú** (with an accent) is the subject pronoun *you,* while **tu** (without an accent) is the possessive adjective *your.*

Tú tienes **tu** cuaderno, ¿no? *You have your notebook, don't you?*

¡OJO!
tú = you
tu = your

EJERCICIO 3 Descripciones

Describe these people/animals. Pick words from the list or use your own.

Paso 1. ¿Cómo describes a estas personas o animales? Escoge palabras de la lista o usa otras palabras para contestar. Sigue el modelo.

MODELO: mamá →

TÚ: ¿Cómo es tu *mamá*?
COMPAÑERO/A: ¿Mi *mamá*? Es *baja y delgada*.

	Descripciones
1. mamá	baja / delgada / cariñosa / simpática / ¿ ?
2. mejor amigo	guapo / fuerte / chistoso / modesto / ¿ ?
3. mejor amiga	alta / bonita / divertida / estudiosa / ¿ ?
4. pariente favorito	alto / comprensivo / estricto / paciente / ¿ ?
5. gato / perro	grande / pequeño / curioso / fuerte / ¿ ?

Describe the following things.

Paso 2. Y ¿cómo describes estas cosas? Usa la lista o inventa otras descripciones.

MODELO: pantalones favoritos →

TÚ: ¿Cómo son tus *pantalones favoritos*?
COMPAÑERO/A: ¿Mis *pantalones favoritos*? Son *viejos y azules*.

	Descripciones
1. pantalones favoritos	largos / nuevos / azules / viejos / ¿ ?
2. clases este año	interesantes / aburridas / difíciles / ¿ ?
3. tenis	viejos / nuevos / negros / ¿ ?
4. camisetas	grandes / locas / viejas / moradas / ¿ ?
5. libros este año	interesantes / aburridos / difíciles / ¿ ?

San Juan, Puerto Rico: Humberto Figueroa con sus padres y su hermana mayor.

EJERCICIO 4 La familia de María Luisa Torres

What are María Luisa's relatives like?

¿Cómo son los parientes de María Luisa, la amiga por correspondencia de Chela? Inventa preguntas y respuestas según los modelos.

MODELOS: papá / muy serio →

TÚ: ¿Cómo es su *papá*?
COMPAÑERO/A: Es *muy serio*.

abuelos / muy cariñosos →

TÚ: ¿Cómo son sus *abuelos*?
COMPAÑERO/A: Son *muy cariñosos*.

1. papá / muy serio
2. abuelos / muy cariñosos
3. hermana menor / un poco traviesa
4. tíos / bastante simpáticos
5. mamá / un poco estricta
6. primo favorito / bastante guapo

Sevilla, España: Felipe Iglesias y su madre en el campo.

VOCABULARIO  PALABRAS NUEVAS

La familia
la abuela
el abuelo
los abuelos
la esposa
el esposo
la hermana
  la hermana mayor
  la hermana menor
la hermanastra
el hermanastro
el hermano
  el hermano mayor
  el hermano menor
los hermanos
la hija
el hijo
los hijos
la madrastra
la madre (mamá)
el padrastro
el padre (papá)
los padres
el/la pariente
la prima
el primo
la tía
el tío
los tíos

Las descripciones
cariñoso/a
comprensivo/a
curioso/a
estricto/a
serio/a

Palabras semejantes: **elegante, modesto/a**

Palabras de repaso: alto/a, atlético/a, bajo/a, bueno/a, chistoso/a, divertido/a, exigente, generoso/a, paciente, pelirrojo/a, travieso/a

El sustantivo
el personaje

Palabras semejantes: **el/la dentista, el error**

Las actividades
contar chistes
hacer ejercicio

Los adjetivos posesivos
mi(s)
su(s)
tu(s)

Palabras útiles
¿De quién es / son?
¿De quiénes son?
junto/a
Lo siento.

Palabra del texto
las pistas

SITUACIONES

You and your partner are thinking of applying to be contestants on a popular TV game show called "**Familia de oro.**" On this show, teams of three family members compete against each other. You and your partner each plan to be captain of your family's team. Now you must each choose two family members to be on your team. In order to be selected, your family team needs to sound interesting and appealing to the TV audience.

Discuss with your partner the family members you are thinking about choosing; explain your reasons for choosing each person. Describe what your relatives look like, what their personalities are like, and what they like to do. Discuss whether you have made good choices for members of your teams.

Lima, Perú: Una familia peruana de vacaciones en la costa del Pacífico.

Conversation Tip

When someone asks your opinion about something, it is important that you show interest in the conversation and that you pay attention, even if you don't always agree with what you hear. Here are some expressions that you can use to let someone know if you agree or disagree with that person's comments.

Expressions to show agreement:

Sí, claro.
Sure. (*Yes, of course.*)

Yo también.
So do I. (*Me, too.*)

¡Qué buena idea!
What a good idea!

Expressions to show doubt:

Entiendo, pero...
I understand, but . . .

Depende.
That depends.

Es una buena idea, pero...
It's a good idea, but . . .

¿SABÍAS QUE...

- la llama es un tipo de camello que vive en América del Sur?
- 50% de la población de América del Sur vive en el Brasil?

- los cuervos viven más de 80 años?
- 50% de la población de Honduras tiene menos de 15 años?
- en México hay un pueblo que se llama Parangaricutirimícuaro? ¡Repite el nombre tres veces rápidamente!

- la famosa Mona Lisa no tiene cejas?

¡TE INVITAMOS A ESCRIBIR!

MI ÁRBOL GENEALÓGICO

Haz tu árbol genealógico. Usa fotos o dibujos de tu familia o de una familia imaginaria. Si es una familia imaginaria, usa fotos de una revista.

List the members of your family.

Primero...
haz una lista de las personas que vas a incluir. ¿Quiénes son? ¿Cómo se llaman? ¿Cuántos años tienen? ¿Cómo son?

Organize your information.

Luego, organiza tu información...
con un mapa semántico. Si quieres, puedes usar el modelo como guía.

MODELO:

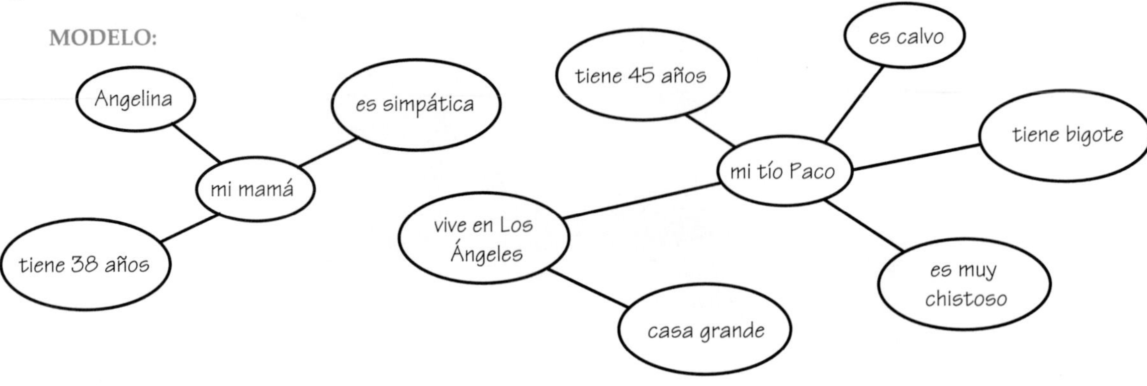

Por último...
pon las fotos o dibujos de tu familia en un cartel. Usa la información del mapa semántico para escribir algo interesante sobre cada persona. Sigue los modelos.

Write about each family member.

MODELOS:

Mi mamá se llama Angelina. Tiene 38 años y es muy simpática.

Mi tío Paco tiene 45 años. Es calvo y tiene bigote. Es muy chistoso. Vive en Los Ángeles en una casa muy grande.

Y AHORA, ¿QUÉ DECIMOS?

Paso 1. **Mira otra vez las fotografías en las páginas 114–115 y compara tu familia con la familia de Luis Fernández. Por ejemplo:**

- En la familia de Luis hay ocho personas. En mi familia hay cinco personas.
- Los abuelos de Luis no son muy viejos. Mis abuelos son viejos.
- Luis tiene un hermano menor. Yo no tengo un hermano menor.
- La hermana de Luis tiene pelo largo y negro. Mi hermana tiene pelo corto y rubio.

Paso 2. **Usa fotos de una revista o dibujos para hacer un árbol genealógico de una familia real o imaginaria. Puedes usar actores, atletas, cantantes, personajes de la televisión, del cine, de los dibujos animados, de las tiras cómicas o de un libro favorito. Escribe una oración debajo de cada foto o dibujo para identificar a cada miembro de tu familia.**

EN LA ESCUELA

UNIDAD 3

¿QUÉ PODEMOS DECIR?

¿De dónde son las personas en estas fotografías? ¿Quiénes son? Mira las fotografías y di qué fotos asocias con estas cosas.

- el mediodía y las comidas
- la clase de ciencias
- los recreos durante el día de clases

Ahora, ¿qué más puedes decir de estas fotos? Por ejemplo, ¿cómo están los estudiantes? ¿contentos? ¿ocupados? ¿Qué ropa llevan? ¿Hay diferencias entre tu escuela y las escuelas en las fotos?

San Juan, Puerto Rico.

San Juan, Puerto Rico.

Ciudad de México, México.

LECCIÓN 

¡A COMER EN LA ESCUELA!
In this lesson you will:

- *name some of your favorite foods*
- *talk about eating habits*

LECCIÓN 

LAS ESCUELAS AQUÍ Y ALLÍ
In this lesson you will:

- *name some places in your school*
- *tell where someone or something is located*
- *ask and say where people are going*

LECCIÓN 

LAS ACTIVIDADES EN LA ESCUELA
In this lesson you will:

- *describe what you do in school each day*
- *express when and how often school activities occur*

LECCIÓN 1

¡A COMER EN LA ESCUELA!

Es la hora del recreo. «Mmm... me gusta comer algo a las once», dice Luis, «¡pero no mucho!»

Ciudad de México, México.

San Juan, Puerto Rico.

CAROLINA: ¿Qué hay de comer hoy?
HUMBERTO: Comidas deliciosas y diferentes.
CAROLINA: ¡Ja! Muy diferentes, ¿eh? Hamburguesas, ensaladas...
HUMBERTO: Y pizza, ¡tu comida favorita!

Buenos Aires, Argentina.

La escuela de Marisa Bolini, como otras escuelas en Buenos Aires, Argentina, no tiene cafetería. Marisa generalmente come con su familia a las dos de la tarde.

Un anuncio para hamburguesas en Madrid, España.

ASÍ SE DICE...

VOCABULARIO

Paco y Ernesto **son** muy **comilones**. ¡**Ellos comen** de todo!

A Patricia le gusta comer comida italiana. ¿Su comida favorita? ¡**Los espaguetis**! Y **cuando tiene sed, toma agua**.

Cuando Ana Alicia **no tiene mucha hambre**, come **un yogur y fruta. A veces compra galletitas para la merienda.**

Y TÚ, ¿QUÉ DICES?

ACTIVIDADES ORALES Y LECTURAS

Conexión gramatical
Estudia las páginas 174–180 en **¿Por qué lo decimos así?**

1 • OPCIONES ¿Qué te gusta comer?

Pick the one for you.

Escoge las opciones apropiadas en cada caso. Luego comparte la información con tus compañeros.

1. Cuando tengo mucha hambre, como...
   a. espaguetis y pan con mantequilla.
   b. una hamburguesa con papas fritas.
   c. una ensalada de fruta.
   d. un sandwich de mantequilla de cacahuete.
   e. ¿ ?
2. Mi comida favorita en la cafetería de la escuela es...
   a. la pizza.
   b. el pollo frito.
   c. la sopa de fideos.
   d. la ensalada de lechuga y tomate.
   e. ¿ ?
3. Los postres de la cafetería de mi escuela son...
   a. deliciosos.
   b. horribles.
   c. bastante buenos.
   d. regulares.
   e. ¿ ?
4. Por la mañana, cuando tengo sed, tomo...
   a. un refresco.
   b. leche.
   c. agua.
   d. jugo de manzana.
   e. ¿ ?
5. A la hora de la merienda, mis compañeros y yo compramos...
   a. galletitas.
   b. helados.
   c. fruta.
   d. donas.
   e. ¿ ?

¡A charlar!

Here are two very useful expressions related to food and eating.

Tengo (mucha) hambre.
I'm (very) hungry.

Tengo (mucha) sed.
I'm (very) thirsty.

Y AHORA, ¡CON TU PROFESOR(A)!

Ask your teacher what he/she likes to eat.

¿Qué le gusta comer a tu profesor(a)? Hazle las siguientes preguntas.

1. ¿Cuál es su comida favorita? ¿Qué comidas detesta?
2. ¿Qué le gusta tomar cuando tiene sed?
3. ¿Quién prepara la comida en su casa?

2 • INTERACCIÓN El menú de la escuela

Talk with your partner about the information in the chart.

Carolina, Eduardo y Humberto comen en la cafetería de la escuela. Habla de lo que comen con tu compañero/a según la información en la tabla.

MODELOS:

TÚ: ¿Qué comen *Carolina y Eduardo los martes*?
COMPAÑERO/A: Comen *pollo frito*.

TÚ: ¿Cuántas veces a la semana come *Humberto espaguetis*?
COMPAÑERO/A: *Dos veces* a la semana.

TÚ: ¿Quién toma *leche los lunes*?
COMPAÑERO/A: *Carolina*.

	CAROLINA	EDUARDO	HUMBERTO
los lunes	espaguetis y leche	una ensalada y un refresco	arroz con pollo y una limonada
los martes	pollo frito y un jugo de manzana	pollo frito y un batido	espaguetis y leche
los miércoles	yogur y ensalada	pizza y una limonada	dos hamburguesas con papas fritas y un jugo de naranja
los jueves	pizza y una limonada	sopa, un sandwich de atún y leche	pizza y un batido
los viernes	una ensalada de fruta y agua mineral	espaguetis y un batido	espaguetis, una ensalada y leche

VOCABULARIO ÚTIL
a veces
una vez a la semana
dos/tres veces a la semana

3 • DIÁLOGO ¿Qué comes en la cafetería?

Talk about the food in your cafeteria.

Conversa con tu compañero/a sobre la comida que ustedes comen en la cafetería.

MODELO:

TÚ: Cuando tienes mucha hambre, ¿qué comes en la cafetería?
COMPAÑERO/A: Como *un sandwich de atún y una sopa de fideos.* ¿Y tú?
TÚ: Como *espaguetis* y *ensalada.*
COMPAÑERO/A: Y cuando tienes sed, ¿qué tomas?
TÚ: A veces tomo *leche o jugo de naranja.*

Para comer

un sandwich (de pollo / de atún / de jamón y queso / ¿ ?)
una sopa (de tomate / de verduras / de fideos)
una hamburguesa
papas fritas
verduras
espaguetis
una ensalada (de lechuga y tomate / de fruta)
un yogur
pollo frito
galletitas
¿ ?

Para tomar

leche
limonada
un refresco
jugo (de naranja / de manzana / de tomate)
un batido
agua mineral
¿ ?

4 • PIÉNSALO TÚ Definiciones: Habla la comida

Identify the food.

Lee estas definiciones y di quién habla.

1. Tengo tres partes: pan, jamón y queso. Mi compañero tiene partes diferentes, por ejemplo: pan, mermelada y mantequilla de cacahuete. ¿Quién soy?
2. Somos rojas, verdes o amarillas. ¡Y siempre somos deliciosas! ¿Quiénes somos?
3. Soy una bebida blanca. Soy muy popular entre los niños, especialmente cuando tengo chocolate. ¿Quién soy?
4. Somos italianos, muy largos y muy delgados. Una compañera favorita es la salsa de tomate. ¿Quiénes somos?
5. Nosotras somos delgadas también. Somos las compañeras favoritas de las hamburguesas. ¿Quiénes somos?

5 • NARRACIÓN El almuerzo de Ernesto

Describe what Ernesto does for lunch.

Hoy Ernesto no tiene dinero para el almuerzo. ¿Qué hace entonces?

SORPRESA CULTURAL

¿COMIDA A LAS DOCE Y MEDIA?

One day during a Spanish class, in a discussion of cultural similarities and differences, Víctor shared a story about an experience his Mexican cousin Lupe had during her first visit to the United States. Can you figure out Lupe's **sorpresa cultural**?

Víctor, who had traveled to Mexico frequently, knew why Lupe was confused about having a meal at 12.30 P.M. He told the class that . . .

a. Mealtimes in the United States and Mexico don't correspond exactly.

b. Mexicans think people from the United States eat too much.

The correct answer is (a). In Mexico and other Spanish-speaking countries, lunch is seldom served before 2:00 P.M. Lupe was confused until Víctor explained mealtimes in the United States. Not only do mealtimes differ, names of meals may also differ from country to country.

Thinking About Culture

Is there a "typical" pattern to mealtimes and names of meals in this country? For example, does your family call the main meal "supper" or "dinner"? How would you describe eating habits in this country to a person from another country? Do you see any connection between mealtimes and school or business hours where you live?

READING TIP 4

COGNATES IN DISGUISE

Most Spanish cognates are easy to notice because they resemble familiar English words. For instance, you can easily spot and understand cognates that end in **-ción** (**tradición**), **-ico/a** (**típico**), or **-oso/a** (**delicioso**). However, you might miss some other useful cognates if you haven't learned to recognize their disguises. Once you do recognize them, they are easy to catch. Here are two endings to watch for.

1. **-mente** = *-ly* (**normalmente**/*normally*; **lógicamente**/*logically*)
2. **-dad** or **-tad** = *-ty* (**formalidad**/*formality*; **libertad**/*liberty*)

In the reading that follows, see how many other examples of cognates you can find.

¡TE INVITAMOS A LEER!

LAS COMIDAS Y LA ESCUELA

Find out about food in Spain and Latin America.

PERO ANTES... En los Estados Unidos, cada región tiene sus comidas típicas. ¿Cuál es la comida típica de tu región? En los diferentes países de España e° Hispanoamérica también hay una gran variedad de comidas. ¿Conoces algunas comidas típicas de países hispanos? ¿Cuáles?

e° y

Casi siempre en las escuelas hispanas hay un pequeño quiosco.° Allí los estudiantes compran cosas como sándwiches, galletitas, refrescos o café. Pero generalmente almuerzan° en casa. Ahora veamos° qué dicen nuestros amigos hispanos sobre sus comidas favoritas.

quiosco° *food stand, kiosk*
almuerzan° *they have lunch*
veamos° *let's see*

Plátanos y tostones.

Humberto (Puerto Rico): «A veces como fruta en la escuela o tomo un café. Para el almuerzo me gustan las frituras de pescado.° También me gusta el arroz con pollo° y, claro, como buen puertorriqueño, me encantan° los tostones.°»

frituras... *fried fish*
arroz... *rice with chicken*
me... me gustan mucho
fried slices of plantain (a type of green banana)

Una parrillada.

Marisa (Argentina): «Generalmente, como una medialuna° de jamón en la escuela a las 10:30 de la mañana. Después, almuerzo en mi casa a las 2:00 de la tarde. Mi comida favorita es la parrillada.°»

croissant

barbecue

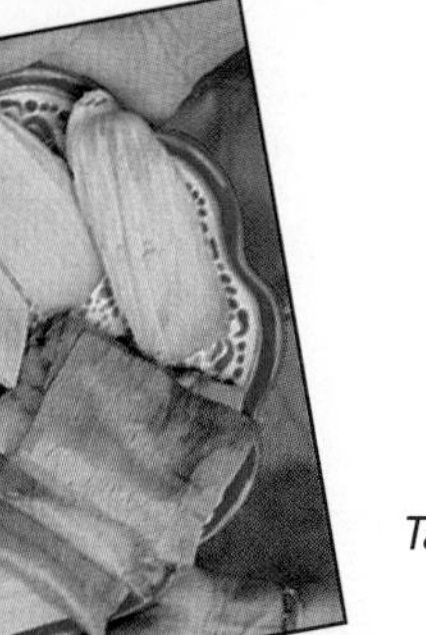

Tamales.

Luis (México): «Pues, muchas veces como tacos o tortas° en la escuela. También me gustan los tamales.° Mi abuela prepara tamales muy picantes.° ¡Mmm... son deliciosos!»

sándwiches (en México)

seasoned chopped meat inside cornmeal dough, wrapped in corn husks and steamed

spicy

Una paella.

Felipe (España): «En la escuela, como un bocadillo° de jamón o de queso por la mañana. A las 2:30 de la tarde, almuerzo con mi familia. La paella° es mi comida favorita y, por suerte, ¡mi madre prepara la mejor paella de España!»

sandwich (en España)

dish made with saffron rice, chicken, sausage, seafood, and vegetables

Como ves,° en los países hispanos, hay mucha variedad de comidas. En general, todas las regiones tienen sus comidas típicas que varían según la ubicación° geográfica, el clima y la tradición culinaria.

Como... *As you can see*

location

¿QUÉ IDEAS CAPTASTE? Nuestros amigos hispanos son de cuatro países: Argentina, España, México y Puerto Rico. Según la lectura, ¿de qué país son sus comidas favoritas?

Say what country each food is from.

MODELO: el arroz con pollo → *Puerto Rico*

1. los tamales
2. la paella
3. las frituras de pescado
4. la parrillada
5. los tostones

GRAMÁTICA

IDENTIFYING YOURSELF AND OTHERS
Personal Pronouns and the Verb *ser* (Singular and Plural Forms)

***ser* = to be (something, someone; like; from)**

A You have used the singular forms of the verb **ser** (*to be*) to identify or describe people or to tell where someone is from. The following examples include the personal pronouns (**yo, tú, usted, él, ella**) that correspond to the singular forms of **ser**.

¿Quién eres/es?	¿Cómo eres/es?	¿De dónde eres/es?
Yo soy Luis.	**Soy** atlético.	**Soy** de México.
Tú eres estudiante.	**Eres** joven.	**Eres** de los Estados Unidos.
Usted es el Sr. Álvarez.	**Usted es** exigente.	**Es** de Puerto Rico.
Él/Ella es mi amigo/a.	**Es** inteligente.	**Es** de Chicago.

You have also used the singular form **es** (*is*) and the plural form **son** (*are*) to identify or describe things.

Note that there is no subject pronoun for "it" in Spanish.

¿Qué es/son?	¿Cómo es/son?
Es un carro.	**Es** grande.
Son papas fritas.	**Son** deliciosas.

B To talk about more than one person, Spanish has plural personal pronouns and plural verb forms. Here are all the personal pronouns and the corresponding forms of **ser**.

Present Tense of **ser**

SINGULAR			PLURAL		
yo	**soy**	*I am*	**nosotros/nosotras**	**somos**	*we are*
tú	**eres**	*you* (informal) *are*	**vosotros/vosotras**	**sois**	*you* (informal plural) *are*
usted	**es**	*you* (polite) *are*	**ustedes**	**son**	*you* (plural) *are*
él/ella	**es**	*he/she is*	**ellos/ellas**	**son**	*they are*

C The masculine pronoun **ellos** (*they*) refers to males or to males and females together, but the feminine **ellas** (*they*) refers only to females.

***ellos** = they (all males or both males and females)*
***ellas** = they (all females)*

—¿Quiénes son **ellos**?	—*Who are they?*
—Son mis amigos Paco y Juana.	—*They are my friends Paco and Juana.*
—¿Cómo son Felicia y Chela?	—*What are Felicia and Chela like?*
—**Ellas** son muy simpáticas.	—*They are very nice.*

D The plural pronoun **ustedes** (*you*) is used to address more than one person. **Ustedes** can correspond to the expression "you all" or "you guys" in English.

***ustedes** (abbreviated **Uds.**) = you (plural)*
***vosotros/as** = you (plural, informal, in Spain)*

Humberto y Eduardo, **ustedes** son de Puerto Rico, ¿verdad?	*Humberto and Eduardo, you're from Puerto Rico, aren't you?*

In Spain, most people use **vosotros** or **vosotras** (*you*) with friends and family. They use **ustedes** to address people more formally. In this text, you probably will not use **vosotros/vosotras** unless your teacher is from Spain. In Latin America, speakers use **ustedes** in both polite and informal situations.

E To include yourself in a group, use **nosotros** or **nosotras** (*we*). **Nosotros** refers to males or to males and females together. **Nosotras** refers only to females.

***nosotros** = we (all males, or both males and females)*
***nosotras** = we (all females)*

—Muchachos, ¿de dónde son ustedes?	—*Where are you guys from?*
—**Nosotros** somos de México.	—*We are from Mexico.*
—Alicia y Graciela, ustedes son de México también, ¿no?	—*Alicia and Graciela, you are also from Mexico, aren't you?*
—No, **nosotras** somos de España.	—*No, we are from Spain.*

Estos estudiantes son de Madrid, España.

Answer with the appropriate pronoun.

***nosotros** = we (all males or mixed)*
***nosotras** = we (all females)*
***ellos** = they (all males or mixed)*
***ellas** = they (all females)*

EJERCICIO 1 Un poco de práctica

La Srta. García practica los pronombres con los estudiantes. Con tu compañero/a, contesta con **nosotros**, **nosotras**, **ellos** o **ellas**, según los dibujos.

MODELO: ¿Quiénes son delgadas? →

TÚ: ¿Quiénes son delgadas?
COMPAÑERO/A: *Ellas.*

1. ¿Quiénes son delgadas?
2. ¿Quiénes son chistosos?
3. ¿Quiénes son altos?
4. ¿Quiénes son elegantes?
5. ¿Quiénes son atléticos?
6. ¿Quiénes son románticos?

EJERCICIO 2 Exageraciones

A Carolina Márquez le gusta exagerar un poco las características de su familia y amigos. Usa palabras de cada columna e inventa oraciones con el pronombre que corresponde y la forma correcta de **ser**. Sigue los modelos.

Make up sentences with words from each column.

MODELOS: ¿Mamá y yo? →
Nosotras somos muy bonitas y simpáticas.

¿Mis padres? →
Ellos son muy pacientes y generosos.

someone else + yo = nosotros/as

1. ¿Mamá y yo?
2. ¿Mis padres?
3. ¿Tomás y yo?
4. ¿Humberto y Eduardo?
5. ¿Mis compañeras de clase?
6. ¿Raquel y yo?

Nosotros / Nosotras	somos	bonitos/as	inteligentes
Ellos / Ellas	son	chistosos/as	interesantes
		elegantes	pacientes
		generosos/as	populares
		independientes	simpáticos/as

TALKING ABOUT ACTIONS
Present Tense of Regular *-ar* Verbs

ORIENTACIÓN

The *infinitive* of a verb is the form listed in the dictionary. In English, the infinitive usually includes *to*: *to walk, to sleep*. In **Unidad 1**, you used several Spanish infinitives with forms of the verb **gustar**: **Me gusta bailar / correr / escribir** (*I like to dance / to run / to write*).

Every Spanish infinitive has a *stem* and an *ending*. There are only three *endings*: **-ar**, **-er**, **-ir**. The *stem* is the part that is left when the ending is dropped. For example, the ending of the verb **bailar** is **-ar**; the stem is **bail-**.

The *conjugation* of a verb is the set of forms that indicate who is performing the action: *I speak, you speak, he speaks*, and so on. To *conjugate* a verb is to produce those forms. In Spanish, *regular verbs* are conjugated by adding a given set of endings to the verb stem.

In **Segundo paso**, you learned to use the singular forms of the **-ar** verb **llevar** (*to wear*): **llevo**, **llevas**, **lleva**.

A Most Spanish infinitives end in **-ar**. To conjugate any regular **-ar** verb, drop the **-ar** and add the following endings to the stem: **-o, -as, -a; -amos, -áis, -an**. To conjugate **comprar** (*to buy*), for example, add the endings to the stem **compr-**. Note the ending that corresponds to each subject pronoun.

Present Tense of **comprar**					
SINGULAR			PLURAL		
yo	compr**o**	*I buy*	nosotros/nosotras	compr**amos**	*we buy*
tú	compr**as**	*you* (informal) *buy*	vosotros/vosotras	compr**áis**	*you* (informal plural) *buy*
usted	compr**a**	*you* (polite) *buy*	ustedes	compr**an**	*you* (plural) *buy*
él/ella	compr**a**	*he/she buys*	ellos/ellas	compr**an**	*they buy*

—¿Qué **compran ustedes** para el almuerzo? —*What do you* (plural) *buy for lunch?*

—A veces **compramos** sándwiches. —*We sometimes buy sandwiches.*

Regular -ar verbs:
yo ...o
tú ...as
usted ...a
él/ella ...a
nosotros/as ...amos
vosotros/as ...áis
ustedes ...an
ellos/as ...an

B Here are the regular **-ar** verbs that you have learned so far.

andar	*to ride* (a bicycle)	limpiar	*to clean*
ayudar	*to help* (*out*)	llevar	*to wear; to carry*
bailar	*to dance*	mirar	*to watch; to look at*
comprar	*to buy*	nadar	*to swim*
cuidar	*to take care of*	patinar	*to skate*
descansar	*to rest*	preparar	*to prepare*
escuchar	*to listen* (*to*)	tomar	*to drink; to take*
esquiar	*to ski*	trabajar	*to work*
estudiar	*to study*	visitar	*to visit*
hablar	*to talk; to speak*		

EJERCICIO 3 ¿Qué preparan los sábados?

Complete the dialogue with the appropriate form of preparar.

Los estudiantes de la Srta. García hablan del almuerzo que preparan los sábados. Completa los diálogos con **preparo, preparas, prepara, preparamos** o **preparan**.

CHELA: Mi hermana _____[1] sándwiches, ¿y tú?
JUANA: Yo _____[2] tacos para toda la familia.
PACO: Roberto y yo siempre _____[3] hamburguesas.
ANA ALICIA: ¿Ah, sí? Pues mi mamá _____[4] hamburguesas también.
ESTEBAN: ¿Y tú, Patricia, qué _____[5]?
PATRICIA: Normalmente, yo _____[6] la ensalada y mis hermanas _____[7] espaguetis.

EJERCICIO 4 Los fines de semana

Pick the verb form that corresponds to the subject.

Los estudiantes de la Srta. García hablan de los fines de semana. Completa los diálogos con la forma correcta de los verbos.

CHELA: Mi hermana y yo ____[1] (trabaja/trabajamos) mucho en casa los sábados. Paco, ¿tú ____[2] (ayudan/ayudas) en casa también?

PACO: ¡Yo ____[3] (descansamos/descanso) los sábados!

JUANA: Pues los sábados mi hermana siempre ____[4] (limpian/limpia) la casa y yo ____[5] (ayudamos/ayudo).

ESTEBAN: Los fines de semana mi mamá ____[6] (preparan/prepara) unas comidas deliciosas y mis hermanos y yo ____[7] (miras/miramos).

PATRICIA: ¡Qué barbaridad! ¡Ustedes los muchachos ____[8] (ayudan/ayuda) muy poco en casa y ____[9] (descansas/descansan) todo el día!

TALKING ABOUT ACTIONS
Present Tense of Regular *-er* Verbs

A Many Spanish infinitives end in **-er**. To conjugate any regular **-er** verb, drop the **-er** from the infinitive and add the following endings to the stem: **-o, -es, -e; -emos, -éis, -en**. To conjugate **comer** (*to eat*), for example, add the endings to the stem **com-**. Note the ending that corresponds to each subject pronoun.

Present Tense of **comer**					
SINGULAR			PLURAL		
yo	com**o**	*I eat*	nosotros/nosotras	com**emos**	*we eat*
tú	com**es**	*you* (informal) *eat*	vosotros/vosotras	com**éis**	*you* (informal plural) *eat*
usted	com**e**	*you* (polite) *eat*	ustedes	com**en**	*you* (plural) *eat*
él/ella	com**e**	*he/she eats*	ellos/ellas	com**en**	*they eat*

—¿Qué **comen ellas** al mediodía? — *What do they eat at noon?*
—**Comen** una ensalada. — *They eat a salad.*

Regular -er verbs:
yo ...o
tú ...es
usted ...e
él/ella ...e
nosotros/as ...emos
vosotros/as ...éis
ustedes ...en
ellos/as ...en

B Other **-er** verbs you have learned are **aprender** (*to learn*), **correr** (*to run*), and **leer** (*to read*).

EJERCICIO 5 Los hábitos de comer

Match the columns.

¿Qué comen estas personas? Completa las oraciones según la situación.

MODELO: Cuando tengo hambre al mediodía... →
Cuando tengo hambre al mediodía, *como pollo con papas.*

1. Cuando tengo hambre al mediodía...
2. A la hora de la merienda, mis compañeros y yo...
3. Los domingos, mi familia...
4. Al mediodía, tú...
5. De postre, ustedes...
6. Cuando mi hermano no tiene mucha hambre...

a. come en un restaurante.
b. como pollo con papas.
c. comes en la cafetería, ¿verdad?
d. come una ensalada de lechuga.
e. comemos galletitas.
f. comen pastel, ¿no?

EJERCICIO 6 ¿Qué comen?

Ask and tell what people eat.

¿Qué comen estas personas? Con tu compañero/a, inventa preguntas y respuestas según el modelo. Usa la forma correcta del verbo **comer** (**como, comes, come, comemos, comen**).

MODELO: los italianos / con los espaguetis →

TÚ: ¿Qué comen *los italianos con los espaguetis*?
COMPAÑERO/A: *Comen pan con mantequilla.*

1. los italianos / con los espaguetis
2. un vegetariano / para el almuerzo
3. tú / cuando estás enfermo/a
4. tu familia / con las hamburguesas
5. tú y tus amigos / con el yogur
6. tus amigas / con el pollo frito

a. verduras
b. papas fritas
c. pan con mantequilla
d. fruta
e. arroz
f. sopa de pollo
g. ¿ ?

VOCABULARIO  PALABRAS NUEVAS

La comida

el agua mineral
el almuerzo
el arroz con pollo
el atún
el batido
la bebida
las donas
la ensalada
los fideos
la fruta
la galletita
el jamón
el jugo
la leche
la lechuga
la mantequilla
la mantequilla de cacahuete
la merienda
la naranja
el pan
las papas fritas
el pastel
el pollo
el postre
el queso
el refresco
la salsa
la sopa
las verduras

Palabras semejantes: **los espaguetis, la hamburguesa, la limonada, el menú, la mermelada, el sandwich, el tomate, el yogur**

Palabras de repaso: el helado, la manzana, la pizza

¡A charlar!

tener (mucha) hambre
tener (mucha) sed

Los sustantivos

el dinero
el recreo

Los verbos

comprar
detestar
preparar
tomar (una bebida)

Palabra de repaso: comer

Los adjetivos

comilón / comilona
delicioso/a
famoso/a
frito/a
italiano/a

Palabras de repaso: horrible, popular, regular

Los pronombres personales

nosotros/nosotras
vosotros/vosotras
ustedes
ellos/ellas

Palabras y expresiones útiles

¿Con quién?
cuando
¿Cuántas veces?
a veces
dos veces
una vez
entre
especialmente
por ejemplo

Palabras del texto

la definición
lo que

LECCIÓN 2

LAS ESCUELAS AQUÍ Y ALLÍ

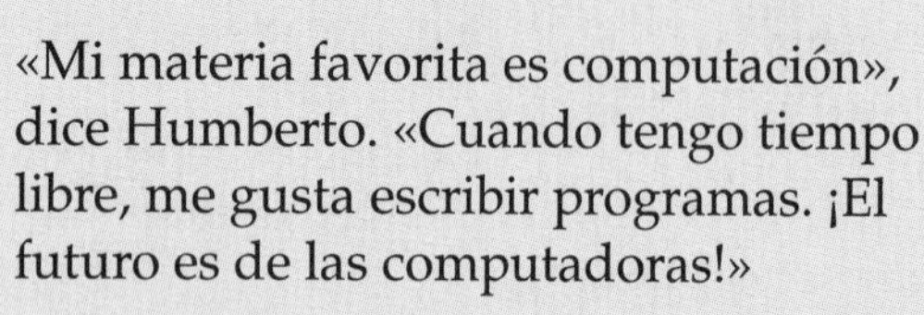

«Mi materia favorita es computación», dice Humberto. «Cuando tengo tiempo libre, me gusta escribir programas. ¡El futuro es de las computadoras!»

San Juan, Puerto Rico.

Madrid, España.

Alicia Vargas Dols y Graciela Ramos son muy buenas atletas. ¿Su deporte favorito? El básquetbol o, como dicen en España, ¡el baloncesto!

MARÍA LUISA: Este año tengo una nueva profesora de historia universal.

FRANCISCO: ¿Y cómo es ella?

MARÍA LUISA: Un poco estricta, pero si estudias todos los días y haces la tarea, no hay problema.

FRANCISCO: ¿Y si no estudias?

MARÍA LUISA: Entonces... ¡hay un problema grande!

Ciudad de México, México.

ACTIVIDADES ESTUDIANTILES

Para el desarrollo integral de nuestros jóvenes existen agrupaciones estudiantiles tales como:

Equipo de Baloncesto Juvenil
Grupo de Acción Social
Sociedad de Honor
Consejo de Estudiantes
Banda Musical
Coro

FACILIDADES DEL COLEGIO

El Colegio cuenta con una Planta Física para 800 estudiantes, desde Pre-escolar hasta el Duodécimo grado.

Por otra parte el Colegio tiene disponible los servicios ambulatorios ofrecidos por la Egida El Paraíso. Estos servicios incluyen:

_ Médico
_ Ambulancias
_ Paramédicos
_ Enfermeras

El Colegio Congregación Mita desea servir a toda la comunidad puertorriqueña.

Así se dice...

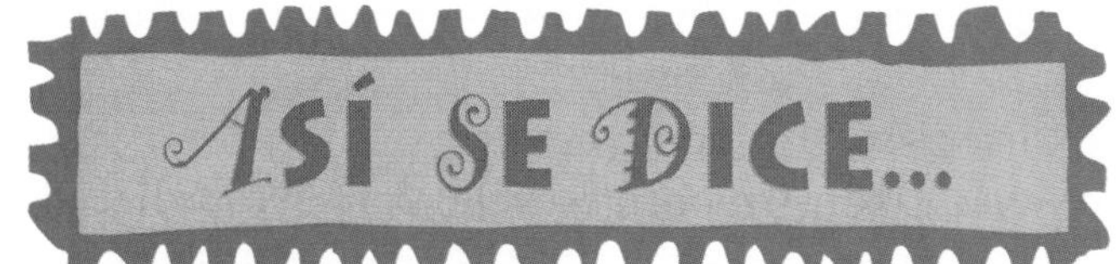

VOCABULARIO

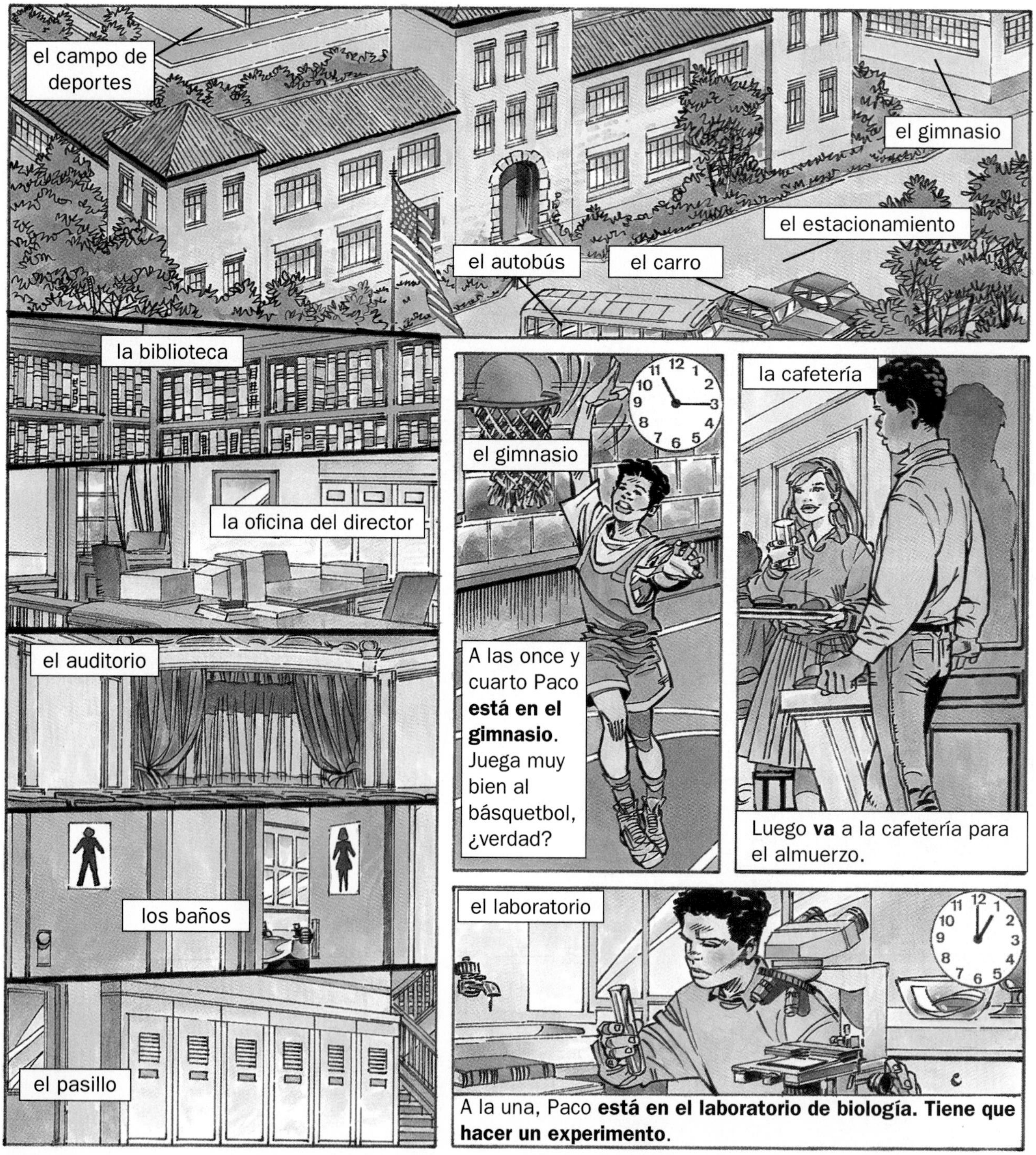

el campo de deportes
el gimnasio
el estacionamiento
el autobús
el carro
la biblioteca
la oficina del director
el auditorio
los baños
el pasillo
el gimnasio
A las once y cuarto Paco **está en el gimnasio**. Juega muy bien al básquetbol, ¿verdad?
la cafetería
Luego **va** a la cafetería para el almuerzo.
el laboratorio
A la una, Paco **está en el laboratorio de biología. Tiene que hacer un experimento**.

Y TÚ, ¿QUÉ DICES?

ACTIVIDADES ORALES Y LECTURAS

Conexión gramatical
Estudia las páginas 192–200 en **¿Por qué lo decimos así?**

1 • INTERACCIÓN ¿Dónde están?

Say where these people are and what they are doing.

¿Dónde están los estudiantes de Puerto Rico? ¿Qué hacen allí? Con tu compañero/a, inventa preguntas y respuestas según las fotos.

MODELO: Eduardo juega al básquetbol. →

TÚ: ¿Dónde está *Eduardo a las cinco menos cuarto?*
COMPAÑERO/A: Está *en el patio.*

TÚ: ¿Y qué hace allí?
COMPAÑERO/A: *Juega al básquetbol.*

Carolina estudia biología.

Humberto lee un libro de referencia.

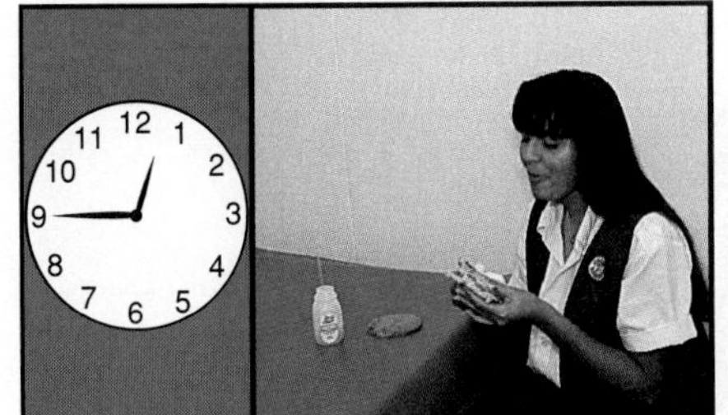

Mariana come un sandwich.

Humberto aprende un programa de computación.

Los lugares en la escuela

el campo de deportes
el estacionamiento
el gimnasio
la biblioteca
el laboratorio de computación
la oficina del director
la cafetería
el laboratorio de ciencias
el patio

¡A charlar!

To ask what someone does or is doing, use the verb **hacer** (*to do*).

—¿Qué **haces** por la tarde?
—*What do you do in the afternoon?*
—Estudio en la biblioteca.
—*I study in the library.*
—Y Eduardo, ¿qué **hace**?
—*And what is Eduardo doing?*
—Juega al básquetbol.
—*He is playing basketball.*

You will learn more about this useful verb in **Lección 3** of this unit.

2 • INTERACCIÓN ¿Qué tienes que hacer allí?

Say when you have to go to these places.

Con tu compañero/a, conversa sobre los lugares y las actividades en la escuela.

MODELO: al gimnasio →

TÚ: ¿Cuándo vas *al gimnasio*?
COMPAÑERO/A: Cuando tengo que *hacer ejercicio.*

1. al estacionamiento
2. a la biblioteca
3. a la enfermería
4. al auditorio
5. al laboratorio de computación
6. a la oficina

aprender un programa
buscar aspirina
buscar palabras en el diccionario
estudiar para un examen
hablar con mi consejero
hacer ejercicio
tomar el autobús
ver una película

VOCABULARIO ÚTIL
tengo que...

Y AHORA, ¡CON TU PROFESOR(A)!

1. ¿A qué hora es su primera clase? ¿Adónde va después?
2. ¿Dónde prepara las lecciones para sus clases?

Buenos Aires, Argentina: Marisa Bolini está en la biblioteca.

3 • DIÁLOGO Mi horario de clases

Talk about your school schedule.

▶ Conversa con tu compañero/a sobre sus horarios.

TÚ: ¿Adónde vas a la / a las ____?
COMPAÑERO/A: Voy al / a la ____.

TÚ: ¿Qué haces allí?
COMPAÑERO/A: ____ y ____.

TÚ: Y, ¿adónde vas después?
COMPAÑERO/A: Voy al / a la ____.

Las actividades

corro
estudio
juego al...
hago ejercicio
leo libros/revistas
hago la tarea
como...
hago experimentos
tomo el autobús
busco mi bicicleta
veo películas
tomo...
practico deportes
¿ ?

4 • PIÉNSALO TÚ ¿Qué actividad no hacemos allí?

Find the activity that doesn't belong and tell where you do it.

▶ Primero, busca la actividad que no pertenece. Luego indica dónde haces esta actividad.

MODELO: **En el gimnasio:** corremos, practicamos deportes, hacemos experimentos. →
No hacemos experimentos en el gimnasio. Hacemos experimentos en el laboratorio de ciencias.

1. **En la biblioteca:** jugamos al fútbol, buscamos libros, leemos revistas.
2. **En el salón de clase:** escuchamos al profesor, hacemos preguntas, tomamos el autobús.
3. **En la cafetería:** compramos comida, tomamos leche, aprendemos programas.
4. **En el auditorio:** vemos películas, escuchamos conciertos, hablamos con el consejero/ la consejera.

Otros lugares en la escuela

el estacionamiento
el laboratorio de ciencias
el laboratorio de computación
la oficina de los consejeros
el campo de deportes

5 • DEL MUNDO HISPANO ¿Qué tal, Santiago?

Complete the sentences.

Mira la tira cómica de la revista española *Monóxido 16* y completa las siguientes oraciones con la información apropiada, según el contexto del dibujo.

1. La persona que lee el letrero se llama...
   a. Jorge Washington.
   b. José Campos.
   c. Cristóbal Colón.
2. El año es probablemente...
   a. 1492.
   b. 1865.
   c. 1994.
3. Las personas del dibujo son de...
   a. España.
   b. México.
   c. los Estados Unidos.
4. Las personas están... porque no están en las Indias.
   a. aburridas
   b. sorprendidas
   c. contentas
5. En realidad, ellos están en...
   a. América.
   b. Europa.
   c. Asia.

Y ahora...

6. ¿Sabes cómo se llaman los tres barcos del dibujo?

SANDRA CISNEROS

- Lugar y fecha de nacimiento:° Chicago, 1954 — *birth*
- Residencia: San Antonio, Texas
- Profesión: escritora y poeta
- Premios:° *National Endowment for the Arts Fellowships; Lannan Literary Award*, 1991 — *Awards*

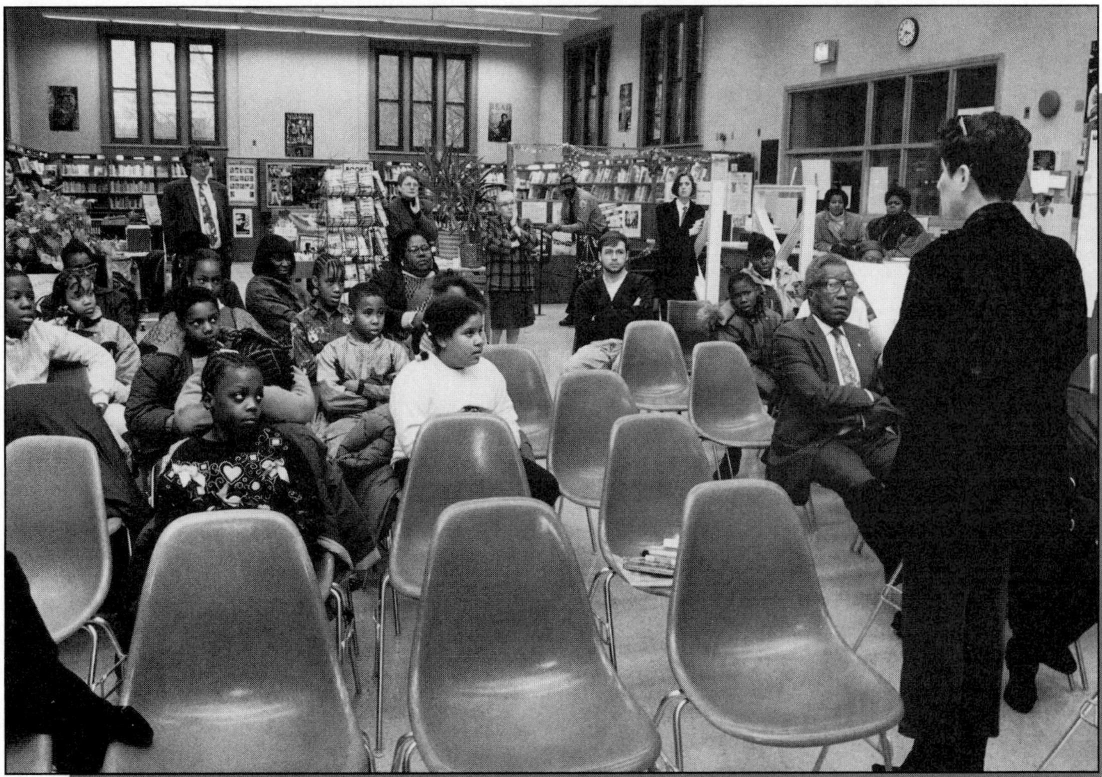

Sandra Cisneros es una escritora chicana° que escribe novelas, cuentos° y poemas. Es autora de *Woman Hollering Creek, The House on Mango Street* y de *My Wicked Wicked Ways,* una colección de poemas. A Sandra Cisneros le gusta visitar escuelas y bibliotecas públicas para leer sus libros y charlar sobre la influencia de la cultura chicana en su obra.°

mexicoamericana
short stories
work

¡TE INVITAMOS A LEER!

UNA CARTA DE PUERTO RICO

Find out about Mariana Peña's school.

PERO ANTES... En esta carta, Mariana Peña le habla a Patricia de su colegio en Puerto Rico. Habla de sus clases y del uniforme del colegio. ¿Es tu escuela similar a la escuela de Mariana? ¿Llevas uniforme?

Querida Patricia:

¿Qué tal, muchacha? ¿Estás bien? Yo estoy chévere,° ¡fantástica! Me encanta° tener una nueva amiga por correspondencia. Ya sabes que yo soy de Puerto Rico. Bueno, ahora te cuento° un poco más. Vivo con mis papás cerca de° San Juan, la capital de la Isla. Ellos se llaman Alberto y Nora. También tengo dos hermanos. Carlos tiene 14 años, Pablo tiene 17 y yo tengo 15.

Estudio en el Colegio Rosa-Bell. Tengo algunas clases interesantes y divertidas como inglés, historia y arte. Pero otras clases son muy aburridas. Por ejemplo, biología es horrible, ¿no? Mi primera clase empieza a las ocho de la mañana y la última° termina a las tres y media de la tarde. Yo almuerzo en el colegio. No me gusta mucho la comida, pero sí me gusta hablar con mis amigos mientras° comemos. Tenemos una hora para el almuerzo.

¿Y tú? Cuéntame° cosas de tu escuela y de tu vida.° ¿Llevan uniforme los muchachos? ¿Y las muchachas? En mi colegio, nosotras llevamos uniforme y los muchachos también. Hablando de° muchachos, Patricia, ¿tienes novio? Bueno, escríbeme pronto, por favor. Adiós y un abrazo° grande.

Tu amiga de Puerto Rico,
Mariana

great
Me... *Me gusta mucho*
te... *I'll tell you*
cerca... *near*
last one
while
Tell me / life
Hablando... *Speaking of*
hug

Complete the statements and answer the questions.

¿QUÉ IDEAS CAPTASTE? Completa las siguientes oraciones según la lectura y contesta según tu experiencia. Sigue el modelo.

MODELO: Mariana es de ____. ¿Y tú? →
Mariana es de *Puerto Rico.* Yo soy de ____.

1. Mariana tiene ____ hermanos. ¿Y tú?
2. Mariana estudia en el colegio ____. ¿Y tú?
3. A Mariana le gusta estudiar ____. ¿Cuál es tu clase favorita?
4. Su clase de biología es ____. ¿Cómo es tu clase de ciencias?
5. Las clases de Mariana terminan a ____. ¿Y tus clases?
6. Las muchachas en la escuela de Mariana llevan ____. ¿Y tú?

MORE PRACTICE WITH *b* AND *v*

The letters **b** and **v** sound just alike in Spanish. The sound is something between the English *b* and *v*, like saying the letter **b** with the lips not quite closed so that it vibrates like a **v** (**nue*v*e, a*b*uela**).

At the beginning of a phrase, or when they follow an **m** or an **n**, both **b** and **v** sound almost like the English *b* in *symbol* (**¡*V*amos!, hom*b*re, in*v*entor**).

PRÁCTICA Here are three useful expressions in Spanish to practice the **b** and **v** sounds.

If you see a Spanish-speaking friend after a long absence and he or she asks how you're doing, you can make an impression by answering **¡Vivito y coleando!** (*Alive and kicking!*).

TU AMIGO/A: ¿Cómo estás?
TÚ: ¡Vivito/a y coleando!

If you are in Spain, you will often hear and use the word **vale** (*OK*).

PROFESOR(A): No hay tarea para el resto de la semana.
CLASE: ¡Vale! ¡Qué bueno!

However, if your teacher decides to give you more homework than you'd like, you can say **¡Ya está bien!** (*That's enough!*).

San Juan, Puerto Rico: Mariana Peña y sus compañeros llevan uniforme.

GRAMÁTICA

TELLING WHERE SOMEONE OR SOMETHING IS
The Verb *estar* (Part 3)

A You have already used the singular forms of the verb **estar** (*to be*) to greet someone or to describe how someone is feeling.

—¿Cómo **estás**, Paco?	—*How are you, Paco?*
—**Estoy** un poco cansado.	—*I'm a bit tired.*
—Y ¿cómo **está** la Srta. García?	—*And how is Miss García?*
—Hoy **está** muy ocupada.	—*Today she's very busy.*

B Here are all the present-tense forms of **estar**. Note that the **yo** form ends in **-oy** and that all the other endings, except those for **nosotros/nosotras**, have an accent mark.

Present Tense of **estar**					
SINGULAR			PLURAL		
yo	**estoy**	*I am*	nosotros/nosotras	**estamos**	*we are*
tú	**estás**	*you* (informal) *are*	vosotros/vosotras	**estáis**	*you* (informal plural) *are*
usted	**está**	*you* (polite) *are*	ustedes	**están**	*you* (plural) *are*
él/ella	**está**	*he/she is*	ellos/ellas	**están**	*they are*

¿dónde? = where?

estar = to be (feeling; location)

C **Estar** can also be used to ask or tell where someone or something is. To ask about location, use the question **¿dónde...?** (*where. . . ?*).

—¿**Dónde está** el Sr. Álvarez?	—*Where is Mr. Álvarez?*
—**Está** en la oficina.	—*He's in the office.*
—¿**Dónde están** los estudiantes?	—*Where are the students?*
—**Están** en la cafetería.	—*They are in the cafeteria.*

EJERCICIO 1 ¿Dónde están?

Con tu compañero/a, usa palabras de las dos listas para inventar diálogos con **está** o **están**. Sigue el modelo.

Make up questions and answers using words from the lists.

MODELO: el equipo de básquetbol →

TÚ: ¿Dónde está *el equipo de básquetbol*?
COMPAÑERO/A: Está *en el gimnasio*.

él/ella está
ellos/ellas están

Personas/Cosas

1. el equipo de básquetbol
2. la consejera/el consejero
3. los carros de los profesores
4. la bibliotecaria
5. los estudiantes que tienen hambre
6. la profesora de química
7. los estudiantes enfermos
8. las computadoras

Lugares

a. el estacionamiento
b. la biblioteca
c. el gimnasio
d. la cafetería
e. el laboratorio de ciencias
f. el laboratorio de computación
g. la enfermería
h. la oficina de los consejeros

EJERCICIO 2 Fotos de las vacaciones

La Srta. García, el Sr. Álvarez y los estudiantes miran las fotos de las vacaciones. Completa los diálogos con **estoy, estás, está, estamos** o **están**.

Complete the dialogues.

Misión San Carlos. Carmel, California.

Calle Olvera. Los Ángeles, California.

ANA ALICIA: ¿Dónde ____[1] tú en esta foto, Chela?
CHELA: ____[2] en California, en la Misión San Carlos.
ANA ALICIA: Y ustedes, Paco y Roberto, ¿dónde ____[3]?
PACO: Aquí, nosotros ____[4] en la calle Olvera, en Los Ángeles.

El Morro. San Juan, Puerto Rico.

Una playa en Cancún, México.

someone else + yo = nosotros/as (we)

ESTEBAN: Srta. García, esta foto es muy interesante. ¿Dónde _____[5] usted?

SRTA. GARCÍA: Mi amiga y yo _____[6] en el El Morro, un castillo en San Juan, Puerto Rico.

ESTEBAN: ¡Qué bonito! Y usted, Sr. Álvarez, ¿dónde _____[7] en esta foto?

SR. ÁLVAREZ: Pues, yo _____[8] en Cancún, México.

La calle Ocho. Miami, Florida.

Santa Fe, Nuevo México.

FELICIA: Mira las fotos de Víctor y sus padres.

BEATRIZ: ¿Dónde _____[9] ellos?

FELICIA: En la calle Ocho, en Miami.

BEATRIZ: Y, ¿dónde _____[10] Ernesto en esta foto?

FELICIA: Creo que él _____[11] en Santa Fe, Nuevo México.

WHERE ARE YOU GOING?
The Verb *ir*

A To ask or tell where someone is going, use the verb **ir** (*to go*). Here are the present-tense forms of **ir**. Note that **ir** does not follow the pattern of regular verbs.

***ir** = to go*

Present Tense of **ir**					
SINGULAR			PLURAL		
yo	**voy**	*I go, am going*	nosotros/nosotras	**vamos**	*we go, are going*
tú	**vas**	*you* (informal) *go, are going*	vosotros/vosotras	**vais**	*you* (informal plural) *go, are going*
usted	**va**	*you* (polite) *go, are going*	ustedes	**van**	*you* (plural) *go, are going*
él/ella	**va**	*he/she goes, is going*	ellos/ellas	**van**	*they go, are going*

B To ask where someone is going, use the question **¿adónde... ?** + a form of **ir**.

¿adónde? = (*to*) *where?*

—**¿Adónde vas?** —(*To*) *Where are you going?*
—**Voy** a casa. —*I'm going home.*

C To tell where you or others are going, use a form of **ir** + **a** + a place.

***ir a** + a place = to be going to (a place)*

—¿**Van al** gimnasio ahora? —*Are you going to the gym now?*
—No, **vamos a** la biblioteca. —*No, we're going to the library.*
—¿Y **adónde van** después? —*And where are you going later?*
—**Vamos al** laboratorio. —*We're going to the lab.*

***a** = to*
***a** + **el** → **al** = to the*
*(**a** does not contract with **la**, **los**, or **las**)*

Lima, Perú: Marta Cisneros habla con sus compañeras en la escuela.

EJERCICIO 3 Esteban, el distraído

Make up questions and answers according to the drawings and cues.

voy = I'm going
vas = you (informal) are going

a + el = al

Esteban es un poco distraído. Con tu compañero/a, pregunta y contesta según los dibujos. Sigue el modelo.

MODELO:

TÚ: ¿Vas *a la biblioteca*?
COMPAÑERO/A: No, voy *al campo de deportes*.

1. campo de deportes

2. laboratorio de ciencias

3. cafetería

4. enfermería

5. biblioteca

6. estacionamiento

7. laboratorio de computación

8. auditorio

EJERCICIO 4 Y ustedes, ¿adónde van?

Con tu compañero/a, haz preguntas y contesta con un lugar apropiado.

Ask questions and give logical answers.

MODELOS: estás enfermo/a →

TÚ: ¿Adónde vas cuando *estás enfermo/a*?
COMPAÑERO/A: Voy *a la enfermería.*

(ustedes) practican deportes →

TÚ: ¿Adónde van ustedes cuando *practican deportes*?
COMPAÑERO/A: Vamos *al campo de deportes.*

¿adónde? = (*to*) where?
¿adónde vas? = where are you going?
¿adónde van ustedes? = where are you (all) going?
voy a + place = I'm going to (place)
vamos a + place = we're going to (place)

1. estás enfermo/a
2. (ustedes) practican deportes
3. tienes hambre
4. (ustedes) hay un concierto
5. tienes un examen
6. (ustedes) es hora de ir a otra clase
7. (ustedes) terminan las clases
8. haces ejercicio

Los lugares

campo de deportes
gimnasio
pasillo
biblioteca
enfermería
cafetería
casa
auditorio
salón de clase

San Juan, Puerto Rico: Estas personas corren en el campo de deportes.

TELLING WHAT YOU HAVE TO DO
Tener que + Infinitive

tener que* + *infinitive* = *to have (to do something)

ORIENTACIÓN

In English, to tell what you or someone else must do, you usually say "I have to (do something)," "She has to (do something)," and so on. Spanish has a similar way of expressing obligations, using the verb **tener** (*to have*).

¿Recuerdas?

In **Unidad 1** you learned to use three singular forms of the verb **tener** to talk about what you and others have. In **Unidad 2** you used those forms to talk about physical characteristics and to ask or tell someone's age.

Mi padre no **tiene** carro.
My father doesn't have a car.

Tengo ojos azules.
I have blue eyes.

¿Cuántos años **tienes**?
How old are you?

A To ask or tell what someone has to do, you can use a form of **tener** + **que** + an infinitive.

—¿**Tienes que trabajar** hoy? —*Do you have to work today?*
—Sí, y después **tengo que estudiar**. —*Yes, and afterward I have to study.*

—¿Qué **tienen que hacer** hoy? —*What do you have to do today?*
—**Tenemos que escribir** una composición. —*We have to write a composition.*

B Here are all the present-tense forms of **tener**. (Note that the stems for all the forms are different than the infinitive except for the **nosotros/nosotras** and **vosotros/vosotras** forms.)

Present Tense of **tener**

SINGULAR			PLURAL		
yo	**tengo**	*I have*	nosotros/nosotras	**tenemos**	*we have*
tú	**tienes**	*you* (informal) *have*	vosotros/vosotras	**tenéis**	*you* (informal plural) *have*
usted	**tiene**	*you* (polite) *have*	ustedes	**tienen**	*you* (plural) *have*
él/ella	**tiene**	*he/she has*	ellos/ellas	**tienen**	*they have*

EJERCICIO 5 **Estamos muy ocupados**

Say what each person has to do and pick a logical response.

Nuestros amigos de México tienen que hacer muchas cosas hoy. Con tu compañero/a, di qué tienen que hacer estas personas y escoge una respuesta lógica. Sigue el modelo.

él/ella tiene que + infinitive = he/she has to (do something)

MODELO: Luis / estudiar →

TÚ: *Luis* tiene que *estudiar.*
COMPAÑERO/A: Ah, ¡claro! *Tiene un examen mañana,* ¿verdad?

1. Luis / estudiar
2. Ángela / escribir una carta a sus padres
3. Juanito / ir al doctor
4. Francisco / ir a una fiesta
5. María Luisa / visitar el museo de arte
6. Mercedes / preparar la comida

es el aniversario de sus abuelos
su familia vive en los Estados Unidos
está un poco enfermo
su mamá no está en casa hoy
le gusta mucho dibujar
tiene un examen mañana

EJERCICIO 6 **Obligaciones**

Tell what you and others have to do today.

▶ Di lo que tú, tu familia y tus amigos tienen que hacer hoy. Usa actividades de la lista.

MODELO: Mi amigo ___ →
Mi amigo *Carlos* tiene que *trabajar en la biblioteca.*

1. Mi amigo ___ ...
2. Yo...
3. Tú, ___, ...
4. Mi mejor amigo/a y yo...
5. Mis padres...
6. ¿ ?

Las actividades

estudiar...
trabajar en...
salir con...
hacer la tarea
preparar la comida
ir a/al...
jugar a/al...
leer...
escribir...
¿ ?

yo tengo que...
tú tienes que...
él/ella tiene que...
nosotros/as tenemos que...
ustedes tienen que...
ellos/ellas tienen que...

TALKING ABOUT ACTIONS
Review of *-ar* and *-er* Verbs

The following chart is a review of the singular and plural present-tense forms of **-ar** and **-er** verbs.

	-ar	**-er**
	habl**ar**	corr**er**
yo	habl**o**	corr**o**
tú usted	habl**as** habl**a**	corr**es** corr**e**
él/ella	habl**a**	corr**e**
nosotros/nosotras	habl**amos**	corr**emos**
vosotros/vosotras ustedes	habl**áis** habl**an**	corr**éis** corr**en**
ellos/ellas	habl**an**	corr**en**

EJERCICIO 7 Las actividades del sábado

Make up questions and answers using verbs from the list.

Paso 1. Con tu compañero/a, inventa preguntas y respuestas con verbos de la lista. Sigue el modelo.

MODELO: estudiar →

TÚ: ¿Estudias los sábados?
COMPAÑERO/A: Sí, a veces estudio. (No, no estudio. Miro la televisión.)

1. estudiar
2. andar en bicicleta
3. aprender español
4. comer en un restaurante
5. comprar ropa
6. correr en el parque
7. escuchar cassettes
8. leer el periódico
9. mirar la televisión
10. patinar
11. preparar la comida
12. trabajar

Ask your partner if she or he does these activities together with other people.

Paso 2. Ahora pregúntale a tu compañero/a si él o ella hace las actividades del **Paso 1** con su familia o amigos. Sigue el modelo.

MODELO: estudiar →

TÚ: ¿Estudian ustedes juntos?
COMPAÑERO/A: Sí, estudiamos juntos. (No, no estudiamos juntos.)

EJERCICIO 8 ¿Qué hacen en la escuela?

Make up sentences with words from each column.

Esteban describe las actividades en la escuela. Inventa oraciones con palabras de cada columna.

MODELO: yo → *Yo corro en el campo de deportes.*

1. yo
2. Víctor y Beatriz
3. el Sr. Álvarez
4. tú, Felicia
5. Chela y Esteban
6. todos nosotros

ayudar a los estudiantes
aprender fórmulas
correr
leer revistas
buscar su carro
practicar deportes
comer
tomar el autobús
estudiar para un examen

en la biblioteca
en el laboratorio
en el campo de deportes
en el gimnasio
en la cafetería
en el salón de clase
en el estacionamiento

VOCABULARIO  PALABRAS NUEVAS

Las actividades en la escuela
aprender un programa
buscar palabras en el diccionario
estudiar para un examen
hacer experimentos
jugar al básquetbol
practicar deportes
ver una película

Palabras de repaso: aprender, comer, correr, hacer ejercicio, jugar, leer

Los lugares en la escuela
los baños
la biblioteca
el campo de deportes
la enfermería
el estacionamiento
el gimnasio
el laboratorio de ciencias
el laboratorio de computación
la oficina
de los consejeros
del director / de la directora
el pasillo

Palabras semejantes: **el auditorio, el patio**

Palabra de repaso: la cafetería

Vocabulario de clase
la composición
el diccionario

Palabra semejante:
el experimento

Palabras de repaso: la computadora, el deporte, el examen, el horario, el periódico, el programa

Los sustantivos
el autobús
el barco
el carro
el letrero
la película
la tira cómica
las vacaciones

Los verbos
buscar
hacer
hace
hacemos
haces
hago
ir
voy / vas
juega al
juego al
practicar
tener que + ***infinitive***
tomar (el autobús)

Adjetivo
distraído/a

Palabras útiles
juntos/as

¿adónde?
¿allí?
¿aquí?

Palabra del texto
pertenece

LECCIÓN 3

LAS ACTIVIDADES EN LA ESCUELA

Caracas, Venezuela.

«Voy a la biblioteca para hacer la tarea o estudiar», dice Raúl Galván. «También me gusta leer, especialmente novelas o revistas de ciencia ficción.»

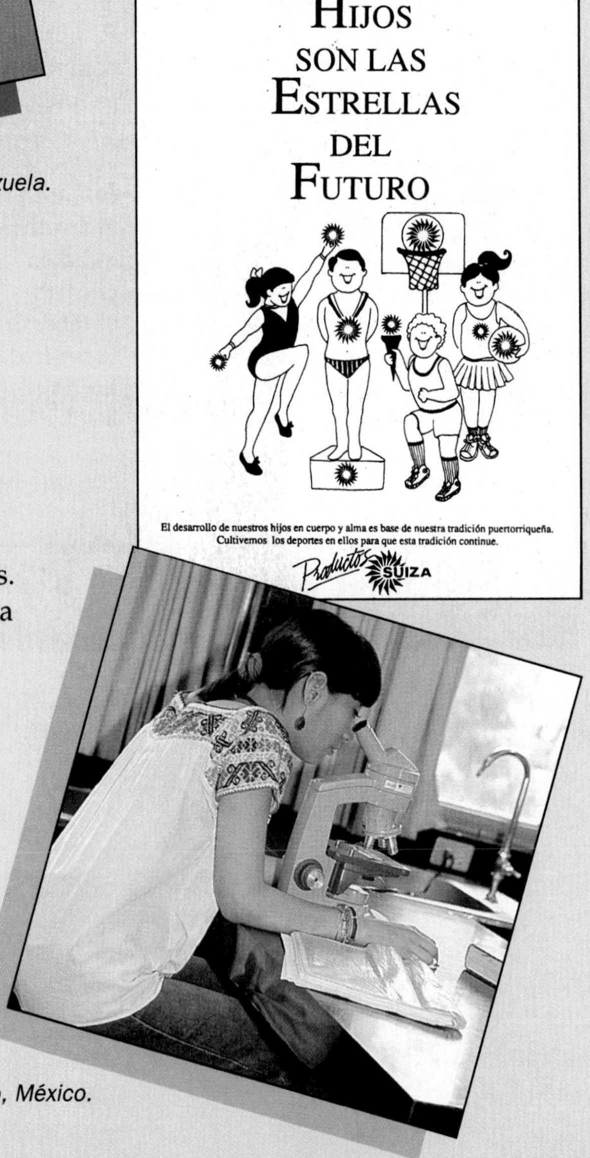

«La clase de biología es interesante, pero bastante difícil», explica María Luisa Torres. «Tenemos que escribir muchos informes. La actividad que más me gusta es hacer experimentos. ¡Uy, los microorganismos son monstruosos en el microscopio!»

Ciudad de México, México.

Ciudad de México, México.

Aquí están María Luisa Torres y Ángela Robles en el gimnasio. ¡Uno, dos, tres, cuatro! ¡Salten! ¡Corran! La clase de educación física es muy divertida.

Colección que permite la introducción práctica en el mundo de la ciencia.
Cada uno de los libros explica los principios básicos de los temas.
Proyectos, actividades y experimentos conllevan a la comprensión y aprehensión de la teoría.
Para niños a partir de los 10 años.

CIENCIA Y EXPERIMENTOS
EL MUNDO DEL MICROSCOPIO

El mundo del microscopio
Chris Oxlade y Corinne Stockley
Tal como su título lo indica, el libro propone la utilización del microscopio y su aprovechamiento integral.
Incluye el estudio de diferentes tipos de microscopios electrónicos y su aplicación en la ciencia y en la industria.
54-003-0002 El mundo del microscopio
20 cm x 25 cm, 48 pp.

CIENCIA Y EXPERIMENTOS
ENERGÍA Y POTENCIA

Energía y potencia
R. Spurgeon y M. Flood
54-003-0003 Energía y potencia
25 cm x 20 cm, 48 pp.

11

en mi casa
y en el colegio...
Colección Jugando con el mundo
me gusta leer
3
lecturas para niños de 7 a 8 años
MAGISTERIO DEL RIO DE LA PLATA

ASÍ SE DICE...

VOCABULARIO

Víctor **espera** el autobús.

Beatriz **camina** a la escuela.

Saca sus libros del lóquer.

Llega a la escuela.

Toma apuntes en la clase de geografía.

Lee un poema en la clase de inglés.

Escribe un informe en la biblioteca.

Busca a sus amigos en la cafetería.

Aprende un programa en el laboratorio de computación.

Toca el violín en la clase de música.

Corre en el campo de deportes.

Regresa a su casa.

ACTIVIDADES ORALES Y LECTURAS

Conexión gramatical
Estudia las páginas 211–215 en **¿Por qué lo decimos así?**

1 • OPCIONES **La vida estudiantil**

Escoge las opciones apropiadas en cada caso. Luego comparte la información con tus compañeros.

Pick the ones for you.

1. Por lo general, llego a la escuela...
   a. temprano. c. tarde.
   b. después de las ocho. d. ¿ ?
2. Lo primero que hago cuando llego a la escuela es...
   a. sacar los libros de mi lóquer. c. ir al salón de clase.
   b. buscar a mis amigos. d. ¿ ?
3. Tomo apuntes...
   a. con frecuencia. c. casi nunca.
   b. de vez en cuando. d. ¿ ?
4. Antes de un examen...
   a. repaso mis apuntes. c. estoy un poco nervioso/a.
   b. estudio con un compañero o una compañera. d. ¿ ?
5. Después de las clases...
   a. trabajo. c. regreso a casa.
   b. toco el piano. d. ¿ ?

Buenos Aires, Argentina: Una muchacha toma apuntes en la clase de matemáticas.

Estudiantes del Instituto Sanlúcar la Mayor en Sevilla, España.

2 • INTERACCIÓN ¿Qué hacemos?

Say what you do in class.

Conversen en grupos de tres o cuatro sobre sus clases. Sigan el modelo.

MODELO: literatura →

TÚ: ¿Qué clase tienes *a las ocho*?
COMPAÑERO/A: *Literatura.*

TÚ: ¿Qué hacen ustedes en *literatura*?
COMPAÑERO/A: *Leemos poemas* y *escribimos muchos informes.*

Clases		Actividades	
literatura	biología	hacemos ejercicio	dibujamos
música	computación	compartimos apuntes	leemos poemas
educación física	arte	tocamos (un instrumento)	cantamos
geografía	¿ ?	corremos	practicamos deportes
historia universal		escribimos informes	¿ ?
		aprendemos programas	

3 • NARRACIÓN El día de María Luisa Torres

Describe María Luisa's activities.

Describe las actividades de María Luisa según los dibujos.

4 • PIÉNSALO TÚ ¿Qué haces?

Pick the most logical solution.

Escoge la solución más lógica (¡o inventa otras!) para estas situaciones. Luego comparte la información con tus compañeros.

1. Estás ausente y al día siguiente fallas en una prueba. (¡Sacas una «F»!)
2. Hoy tienes que entregar un informe. No tienes el informe y tampoco tienes una buena excusa.
3. Tu compañero/a está ausente durante una semana. En esta clase los estudiantes tienen que tomar apuntes todos los días.
4. En una semana tienes un examen muy importante y ¡no comprendes nada!

Soluciones

a. Compartes los apuntes con tu compañero/a.
b. Estudias con un compañero o una compañera que está fuerte en esa materia.
c. Tomas el examen otra vez.
d. Hablas con tu profesor(a) antes de la clase.
e. Escribes muy rápido un informe durante la hora de estudio.
f. Haces una cita con tu consejero/a.
g. ¿ ?

¡A charlar!

Giving excuses for missing a quiz or not having your homework ready is part of every student's life. Here are some useful expressions in Spanish.

—Me olvidé de hacer la tarea.
—I forgot to do my homework.

—Mañana voy a estar ausente.
—I'm going to be absent tomorrow.

—Me gustaría hacer una cita con usted.
—I would like to make an appointment with you.

5 • CONVERSACIÓN Entrevista: Mi vida en la escuela

Interview your classmate.

Hazle las siguientes preguntas a tu compañero/a.

1. ¿En qué clases tienes mucha tarea? ¿poca tarea? ¿En qué materias estás fuerte?
2. ¿Qué tienes que hacer en la clase de español para sacar una buena nota? ¿Y en tus otras clases?

Y AHORA, ¡CON TU PROFESOR(A)!

Interview your teacher.

Hazle las siguientes preguntas a tu profesor(a).

1. ¿A qué hora llega a la escuela?
2. ¿Qué es lo primero que hace cuando llega a la escuela?
3. ¿Qué hace usted cuando un(a) estudiante no entrega la tarea? ¿Y cuando falla en un examen?

VISTAZO CULTURAL

LAS CLASES PARTICULARES°

clases... *private classes*

A los jóvenes de Hispanoamérica y España les gusta hacer muchas cosas después de las clases. Muchos toman clases particulares de idiomas,° música, danza,° arte o computación. Aquí vemos unos ejemplos.

languages / dance

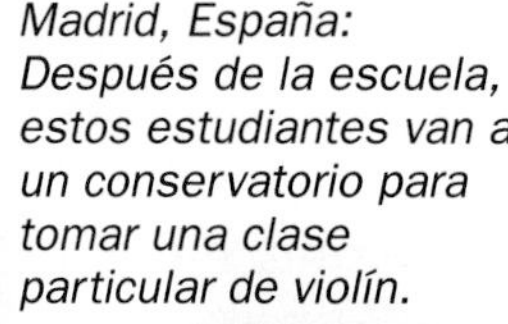

Madrid, España: Después de la escuela, estos estudiantes van a un conservatorio para tomar una clase particular de violín.

En Madrid, España, muchos jóvenes van a institutos para aprender otros idiomas.

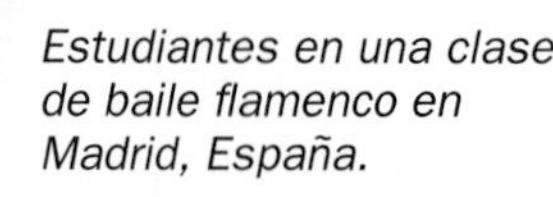

Estudiantes en una clase de baile flamenco en Madrid, España.

¡TE INVITAMOS A LEER!

OTRAS VOCES

PREGUNTAS: «¿Qué materias te gustan? ¿Por qué? ¿Qué materias no te gustan?»

Find out how these students feel about their classes.

Patricia Rodríguez Morcillo
Sevilla, España

«Las ciencias, porque me gusta mucho la investigación.° Me gustan todas las materias.»

research

Karen Madrid
Tegucigalpa, Honduras

«Matemáticas y psicología, pues me gustan mucho los números. No me gustan la historia y la química. Historia, porque realmente no me interesa el pasado,° y química, porque detesto las fórmulas y los laboratorios.»

no... *I'm not interested in the past*

José Alberto Rojas Chacón
Alajuela, Costa Rica

«Me gustan mucho los estudios sociales, la química, la física, la biología, la psicología y la literatura. Odio° las matemáticas.»

Detesto

Patricia Rivera Torres
Taxco, México

«Español, porque es una lengua muy hermosa.° Química, porque hacemos mil° cosas en los experimentos. Inglés, porque es una lengua que hablan en todo el mundo. No me gustan las matemáticas porque es una materia en la que° se usan mil números y fórmulas.»

hermosa: bonita / mil: *a thousand*

en... *in which*

Y AHORA, ¿QUÉ DICES TÚ?

1. ¿Con cuál de estos estudiantes tienes más en común?
2. De las materias que mencionan, ¿cuál es tu materia favorita? ¿Qué materia detestas? ¿Por qué?

PRONUNCIACIÓN

PRACTICE WITH *ñ*

The letter **ñ** sounds like the combination *ny* in the English word *canyon*.

PRÁCTICA Listen to your teacher, and then pronounce this sentence.

La araña pequeña de pelo castaño... está en su baño.

GRAMÁTICA

WHAT ARE YOU DOING?
Idiomatic Expressions and the Verb *hacer*

ORIENTACIÓN
An *idiomatic expression* is meaningful as a whole to speakers of the language, but its meaning usually cannot be figured out from the individual words. English has many idiomatic expressions containing the verbs *to do* or *to make*, such as *to do without, to do over, to make a face, to make believe*, and *to make eyes at*. Spanish, too, has several idiomatic expressions that use the verb **hacer** (*to do; to make*).

A You have used the verb **hacer** to ask what someone is doing. Here in the following list are the present-tense forms of **hacer**. Except for the **yo** form (**hago**), they all follow the conjugation pattern of regular **-er** verbs.

hacer* = *to do; to make

Present Tense of **hacer**					
SINGULAR			PLURAL		
yo	ha**go**	*I do*	nosotros/nosotras	hace**mos**	*we do*
tú	hac**es**	*you* (informal) *do*	vosotros/vosotras	hac**éis**	*you* (informal plural) *do*
usted	hac**e**	*you* (polite) *do*	ustedes	hac**en**	*you* (plural) *do*
él/ella	hac**e**	*he/she does*	ellos/ellas	hac**en**	*they do*

—¿Cuándo **haces** tu tarea? —*When do you do your homework?*

—**Hago** mi tarea por la noche. —*I do my homework at night.*

—¿Qué **hacen** para el almuerzo? —*What do you (all) make for lunch?*

—**Hacemos** sándwiches. —*We make sandwiches.*

B Here are some idiomatic expressions that use the verb **hacer**.

hacer ejercicio	*to exercise*
hacer preguntas	*to ask questions*
hacer cola	*to stand in line*

Patricia **hace ejercicio** todos los días.
A Paco no le gusta **hacer cola** en la cafetería.
Ernesto siempre **hace** muchas **preguntas**.

EJERCICIO 1 ¿Qué hacen cuando... ?

Complete the question; then pick a logical response.

Con tu compañero/a, completa las preguntas con la forma apropiada del verbo **hacer** y luego escoge una respuesta lógica. Sigue el modelo.

MODELO: ¿ ...(tú) cuando tienes hambre? →

TÚ: ¿Qué haces *cuando tienes hambre*?
COMPAÑERO/A: *Como pizza.*

1. ¿ ...(tú) cuando tienes hambre?
2. ¿ ...ustedes cuando esperan el autobús?
3. ¿ ...tus amigos cuando hay una fiesta?
4. ¿ ...la banda cuando está en el auditorio?
5. ¿ ...los estudiantes cuando no comprenden la lección?
6. ¿ ...(tú) cuando estás ausente y regresas a la escuela?

a. bailan y cantan
b. toca música
c. hacen preguntas
d. como pizza
e. hacemos cola
f. hago una cita con mi profesor(a)

Madrid, España: Estas personas hacen cola para tomar el autobús.

TALKING ABOUT ACTIONS
Present Tense of Regular *-ir* Verbs

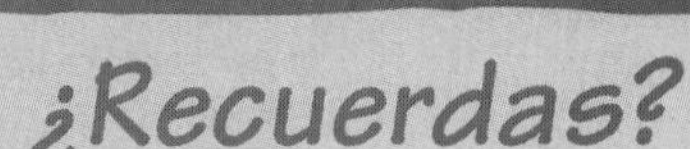

¿Recuerdas?

In **Unidad 2**, you learned to use the singular forms of the **-ir** verb **vivir** (*to live*).

A Many Spanish infinitives end in **-ir**. To conjugate any regular **-ir** verb, drop the **-ir** from the infinitive and add the following endings to the stem: **-o, -es, -e; -imos, -ís, -en**. To conjugate **escribir** (*to write*), for example, add the endings to the stem **escrib-**. Note the ending that corresponds to each subject pronoun.

Present Tense of **escribir**					
SINGULAR			PLURAL		
yo	escrib**o**	*I write*	nosotros/nosotras	escrib**imos**	*we write*
tú	escrib**es**	*you* (informal) *write*	vosotros/vosotras	escrib**ís**	*you* (informal plural) *write*
usted	escrib**e**	*you* (polite) *write*	ustedes	escrib**en**	*you* (plural) *write*
él/ella	escrib**e**	*he/she writes*	ellos/ellas	escrib**en**	*they write*

B Other regular **-ir** verbs you have learned are **abrir** (*to open*), **compartir** (*to share*), **recibir** (*to receive*), and **vivir** (*to live*).

—¿**Reciben** ustedes muchas cartas? —*Do you receive many letters?*
—Sí, y **escribimos** muchas cartas también. —*Yes, and we also write many letters.*

Regular -ir verbs:
yo ...o
tú ...es
usted ...e
él/ella ...e
nosotros/as ...imos
vosotros/as ...ís
ustedes ...en
ellos/as ...en

EJERCICIO 2 ¿Qué pasa en la escuela?

Escoge una frase lógica para completar cada oración. Sigue el modelo.

Pick a logical phrase to complete each sentence.

MODELO: La profesora de matemáticas... →
La profesora de matemáticas *escribe fórmulas en la pizarra.*

1. La profesora de matemáticas...
2. Los estudiantes de inglés...
3. ¿Tú... ?
4. Los estudiantes de historia...
5. Nosotros, los estudiantes de español,...
6. Yo...

a. escriben muchas composiciones.
b. escribe fórmulas en la pizarra.
c. comparto mi almuerzo con mis amigos.
d. recibimos cartas de los amigos por correspondencia.
e. escriben fechas importantes en sus cuadernos.
f. compartes tus apuntes con tu compañero/a.

EJERCICIO 3 Los estudiantes de intercambio

In pairs, make up questions and answers.

Imagínate que hablas con unos estudiantes de intercambio. Inventa preguntas y respuestas, según el modelo.

MODELO: escribir muchas cartas →

TÚ: ¿Escriben ustedes muchas cartas?
COMPAÑERO/A: Sí, escribimos muchas cartas.
(No, pero escribimos muchas tarjetas postales.)

1. escribir muchas cartas
2. recibir muchas cartas de su familia
3. recibir dinero de sus padres
4. compartir comida de su país con otros estudiantes
5. vivir en un apartamento
6. vivir con una familia

TALKING ABOUT ACTIONS
Review of *-ar*, *-er*, and *-ir* Verbs

The following chart shows the conjugations of regular **-ar**, **-er**, and **-ir** verbs. Remember: To conjugate a regular verb, drop the infinitive ending, then add new endings to the stem that is left. The endings correspond to the subject of the verb.

	-ar	**-er**	**-ir**
	habl**ar**	com**er**	viv**ir**
yo	habl**o**	com**o**	viv**o**
tú	habl**as**	com**es**	viv**es**
usted	habl**a**	com**e**	viv**e**
él/ella	habl**a**	com**e**	viv**e**
nosotros/nosotras	habl**amos**	com**emos**	viv**imos**
vosotros/vosotras	habl**áis**	com**éis**	viv**ís**
ustedes	habl**an**	com**en**	viv**en**
ellos/ellas	habl**an**	com**en**	viv**en**

EJERCICIO 4 La composición de Paco

Complete the composition with the correct verb forms.

Completa la composición de Paco con la forma apropiada del verbo.

Generalmente, mi hermano y yo (llegar) ____[1] a la escuela a las siete y media. Cuando estoy en el salón de clase, (sacar) ____[2] los libros y los cuadernos de la mochila. Si es temprano, (yo: leer) ____[3] un libro. Durante la clase, los estudiantes (abrir) ____[4] los cuadernos y (tomar) ____[5] apuntes. Mi clase favorita es la clase de música. La profesora (tocar) ____[6] el piano y (nosotros: cantar) ____.[7]

A la hora del almuerzo, voy a la cafetería con Ernesto. Él siempre tiene hambre y (comer) ____[8] dos sándwiches ¡y a veces, hasta tres o cuatro! Nosotros siempre (compartir) ____[9] el postre.

En la clase de educación física, todos los estudiantes (llevar) ____[10] pantalones cortos y camisetas. ¡Detesto el uniforme! A veces, (nosotros: hacer) ____[11] ejercicios y, otras veces, (correr) ____.[12] Por la tarde, (yo: estudiar) ____[13] en la biblioteca. Cuando terminan las clases, (yo: regresar) ____[14] a casa con Roberto o con un compañero. Casi siempre, (nosotros: tomar) ____[15] el autobús, pero a veces (caminar) ____.[16]

EJERCICIO 5 ¡Di la verdad!

Use the appropriate form of the verb in parentheses. If the sentence is not true, correct it.

Haz oraciones con la forma correcta del verbo entre paréntesis. Si la información no es correcta, corrígela. Sigue el modelo.

MODELO: (Yo: vivir) en un apartamento. →
Vivo en un apartamento.
Es verdad. (No es verdad. Vivo en una casa.)

1. (Yo: vivir) en un apartamento.
2. Mi familia y yo (hablar) español en casa.
3. Mis padres (leer) el periódico todas las mañanas.
4. En mi escuela, los profesores (llevar) jeans.
5. Cuando tengo mucha hambre, (comer) un sandwich de jamón y queso.
6. La banda de mi escuela (tocar) muy bien.
7. En la clase de matemáticas, (nosotros: escribir) muchos informes.
8. Mis amigos y yo siempre (compartir) el almuerzo.

yo ...o
tú ...as, ...es
usted ...a, ...e
él/ella ...a, ...e
nosotros/as ...amos, ...emos, ...imos
ustedes ...an, ...en
ellos/as ...an, ...en

VOCABULARIO  PALABRAS NUEVAS

Las actividades en la escuela

cantar
dibujar
escribir
  composiciones
  informes
estar ausente
estar fuerte en
fallar en una prueba
leer poemas
sacar (buenas / malas) notas
tocar (un instrumento)
  el piano
  el violín
tomar apuntes

Palabras de repaso: aprender (un programa), correr, hacer ejercicio, practicar deportes, ver películas

Vocabulario de clase

los apuntes
la composición
el estudiante de intercambio
el informe
la nota
la prueba

Palabras semejantes: **la excusa, la literatura, el poema**

Palabras de repaso: la biblioteca, la cafetería, el campo de deportes, el lóquer, el salón de clase; la clase de... arte, biología, computación, educación física, geografía, historia universal, inglés, música

¡A charlar!

Me olvidé de hacer la tarea.
Mañana voy a estar ausente.
Me gustaría hacer una cita con usted.

Los verbos

caminar
compartir
comprender
entregar
esperar
hacer
  una cita
  cola
  ejercicio
  preguntas
llegar
regresar
repasar
sacar

Palabras útiles

antes de
casi nunca
con frecuencia
de vez en cuando
después de
durante
lo primero que
por lo general
tampoco
tarde
temprano
tener en común

Palabras del texto

conversen en grupos
entre paréntesis

SITUACIONES

Tú

Today you're talking to a student who attends a very unusual school. In this school, the students are always happy and never complain about their classes, schedules, or teachers. You're very curious and want to find out more about that school.

Hint: Before you interview this student, prepare a list of questions. Suggested topics include class schedules, classes he or she takes, what students have to do to get good grades, favorite school activities.

Compañero/a

You attend an unusual school. In your school, students take only classes they like. Everything students do is interesting, and they are always happy. Answer your partner's questions to describe what your school is like.

Hint: To prepare for this conversation, imagine life in this type of school. Suggested topics: your classes, your activities, what you **don't** have to do, schedules, the food in the cafeteria.

Conversation Tip

When you describe a situation, it often helps to say what things are *not* like. Here's an example.

Química es mi clase favorita. En esta clase, hacemos experimentos y hablamos de cosas interesantes. No tenemos que leer libros difíciles. No tenemos que escribir informes. No hay exámenes. ¡Y todo el mundo saca muy buenas notas!

¿SABÍAS QUE...

- casi 100 universidades ofrecen becas de rodeo°?

  becas... rodeo scholarships

- la nota promedio° de los jóvenes que juegan con videojuegos es «B»?

  average

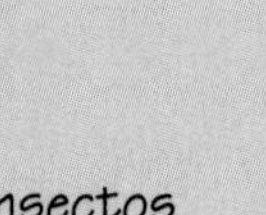

- 1. en Venezuela hay plantas que comen insectos con sus raíces°?

  roots

2.

- a los elefantes les gusta comer tabaco?
- 2. la persona promedio habla treinta y un mil quinientas (31.500) palabras por día?
- 3. el agua caliente pesa más que el agua fría?

3.

¡TE INVITAMOS A ESCRIBIR!

UN POEMA

Sigue estos pasos para escribir un poema sobre el tema **¿Quién soy?**

Write a poem about yourself.

Primero organiza tus ideas...
con un mapa semántico. Pon tu nombre en el círculo central. Escribe todos los adjetivos, sustantivos y verbos que asocias contigo mismo/a. Usa el modelo como guía.

Organize your ideas.

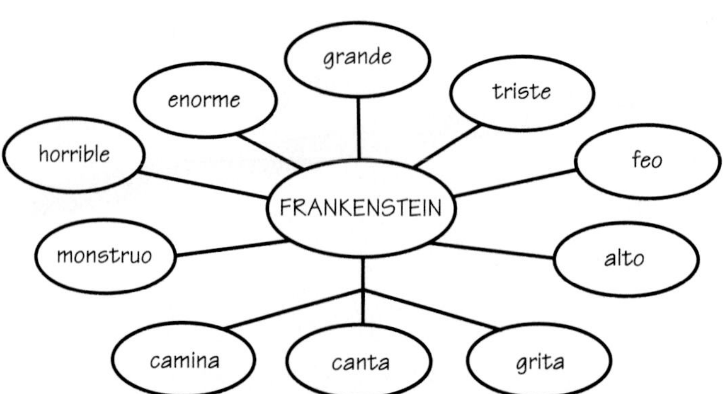

Luego, escoge...
seis adjetivos, tres verbos diferentes y un sustantivo del mapa semántico para incluir en el poema. Usa el siguiente formato:

Choose words to include in your poem.

(tu nombre)
(dos palabras que te describen)
(verbo) (verbo) (verbo)
(cuatro palabras que te describen)
(un sustantivo)

Después, escribe...
tu poema según el formato del paso anterior. Si quieres, puedes usar el modelo como guía.

Write the poem.

MODELO:

Frankenstein.
Feo, enorme.
Grita, camina, canta.
Grande, alto, horrible, triste.
Monstruo.

Por último, comparte...
tu poema con tus compañeros de clase.

Share your poem with the class.

Y AHORA, ¿QUÉ DECIMOS?

Paso 1. Mira otra vez las fotos en las páginas 162–163 y contesta las siguientes preguntas.

- ¿Dónde están los jóvenes en la foto número 1? ¿Qué comen ellos? ¿Qué toman? ¿Tiene tu escuela un menú similar?
- ¿Dónde están los jóvenes en la foto número 2, en el salón de clase o en el patio? ¿Estudian o hablan? Y tú, ¿cuándo hablas con tus compañeros? ¿Dónde? ¿De qué hablan ustedes?
- ¿En qué clase está la estudiante en la foto número 3? Y tú, ¿tienes una clase de ciencias? ¿Tienes que usar un microscopio en esta clase?
- ¿Qué actividades de la escuela te gustan más?

Paso 2. ¿Es aburrido el menú de tu escuela? Pues, usa tu imaginación y dibuja o usa fotos de una revista para diseñar tres menús especiales para tus compañeros. Luego, describe las comidas en español.

- Incluye comidas, bebidas y postres diferentes para cada menú.
- Usa adjetivos para describir cada comida. (Incluye colores.)

Si quieres, puedes incluir comidas locas. Por ejemplo: sopa de chocolate, helado de pollo, batido de papas fritas.

UNIDAD 4

LAS DIVERSIONES Y LOS PASATIEMPOS

¿QUÉ PODEMOS DECIR?

Mira las fotografías. ¿Qué fotos asocias con las siguientes descripciones?

- A muchas personas les gusta ir al cine.
- En la América del Sur, ¡esquían en julio!
- A estos jóvenes les gusta jugar al fútbol.

Ahora, ¿qué más puedes decir de estas fotos? ¿Cuántas personas hay en cada una? ¿Quiénes son? ¿Qué ropa llevan? ¿Te gusta hacer estas actividades?

San José, Costa Rica.

Buenos Aires, Argentina.

Bariloche, Argentina.

LECCIÓN 1

LOS DEPORTES

In this lesson you will:

- ***talk about sports and your favorite leisure-time activities***
- ***say what you and others like and don't like to do***

LECCIÓN 

ACTIVIDADES DEL FIN DE SEMANA

In this lesson you will:

- ***talk about future plans, especially weekend activities***
- ***use adjectives to point out people and things***

LECCIÓN 

EL TIEMPO Y LAS ESTACIONES

In this lesson you will:

- ***talk about the weather***
- ***talk about activities for different seasons***

LECCIÓN 1 LOS DEPORTES

Buenos Aires, Argentina.

«Jugar al tenis no es fácil», dice Marisa Bolini. «Necesitas mucha energía, buena coordinación y dedicación. Yo practico por lo menos tres veces a la semana. ¡Mi ambición es ser la próxima Gabriela Sabatini!»

DIEZ TEMPORADAS SIN CONSEGUIR EL PLENO

REAL MADRID — F.C.BARCELONA

SOLO DOS CASOS DE SIETE SOBRE SIETE

ATLETICO DE MADRID (65-66)

Jornada	Rival	Resultado
24	Sabadell	3 - 0
25	Betis	2 - 1
26	Pontevedra	4 - 0
27	Valencia	2 - 1
28	Córdoba	2 - 0
29	Las Palmas	2 - 0
30	Español	2 - 0

Campeón, con 44 puntos; Real Madrid, 43 y Barcelona, 38

REAL MADRID (80-81)

Jornada	Rival	Resultado
28	Betis	4 - 2
29	Hércules	2 - 1
30	Barcelona	3 - 0
31	Salamanca	3 - 1
32	Zaragoza	2 - 0
33	At. Madrid	2 - 0
34	Valladolid	3 - 1

Segundo, empatado con la Real Sociedad, que fué campeón.

Jugate por la Cultura y el Deporte

TORNEOS JUVENILES BONAERENSES 1993

PARTICIPANTES
Los Torneos Juveniles Bonaerenses están destinados a todos los jóvenes de la Prov. de Bs. As. entre 12 y 17 años de edad.

DISCIPLINAS
Deportes: Football masculino • Handball masculino • Cestoball femenino • Softball masculino • Hockey s/c femenino • Ajedrez mixto • Voleyball mixto • Basquet mixto • Atletismo mixto • Paddle mixto • Tenis mixto.
Cultura: Danza • Música • Literatura • Expresión plástica • Artesanía • Teatro • Fotografía • Video • Magia • Matemática.

INSCRIPCION
• del 20/3 al 20/4 • Etapa Municipal 20/4 al 20/8
• Etapa Regional 1/9 al 30/10
• Final Provincial. Noviembre '93

INFORMACION
Dirigirse a su Municipio

PROVINCIA DE BUENOS AIRES
Ministerio de Gobierno y Justicia
Instituto Provincial del Deporte
GENTE DE TRABAJO

FLEXERCISE

*Maestras Certificadas
*Hombres y Mujeres
*Todas las edades
*Descuentos Estudiantiles
*Parking Gratis
*Guardia de Seguridad 24 horas

Ahora con máquinas de pesas y cardiovasculares

6 meses
$99.00
Aeróbicos y pesas.
visitas ilimitadas.

Válido con la presentación de este anuncio
Plaza Puerto Rico
(Frente a Univ. Interamericana)
Carr. #1, Río Piedras a Caguas
Tel. 758 - 0666
274 - 1175

San Juan, Puerto Rico.

Los fines de semana, Carolina Márquez y sus amigos van a la playa para jugar al voleibol. «Es mi deporte favorito», dice Carolina.

San José, Costa Rica.

En Costa Rica los chicos juegan al fútbol por todas partes. En la escuela, en el parque, en la playa ¡y hasta en la calle!

VOCABULARIO

A los jugadores de fútbol, **béisbol, voleibol** y fútbol americano les gusta **practicar deportes de equipo.**

A Felipe Iglesias le gusta **participar en carreras de ciclismo.**

Otras personas practican **deportes individuales.**

Raúl Galván **sabe montar a caballo.**

Mariana Peña participa en **competiciones de natación.**

En algunos deportes, **los atletas** son **rápidos** y tienen buena **coordinación.**

En otros deportes, es importante ser **ágil** y fuerte.

Luis y su compañero practican **lucha libre.**

A Francisco Estrada le gusta **levantar pesas.**

Y TÚ, ¿QUÉ DICES?

ACTIVIDADES ORALES Y LECTURAS

Conexión gramatical
Estudia las páginas 230–235 en **¿Por qué lo decimos así?**

1 • OPCIONES Los deportes

Pick the ones for you.

Indica las respuestas apropiadas en cada caso. Luego, comparte la información con tus compañeros.

1. Los fines de semana...
   a. nado en la piscina.
   b. juego al básquetbol.
   c. ando en bicicleta con mis amigos.
   d. ¿ ?
2. A mis amigos les gusta...
   a. practicar lucha libre.
   b. jugar al tenis.
   c. esquiar en el agua.
   d. ¿ ?
3. En la clase de educación física...
   a. corremos mucho.
   b. hacemos gimnasia todos los días.
   c. jugamos al voleibol.
   d. ¿ ?
4. En mi familia todos saben...
   a. esquiar.
   b. montar a caballo.
   c. patinar sobre ruedas.
   d. ¿ ?
5. A mí y a mi amigo/a nos gusta...
   a. patinar sobre hielo.
   b. levantar pesas.
   c. participar en competiciones de natación.
   d. ¿ ?

Sevilla, España: A Felipe Iglesias le gusta andar en bicicleta.

2 • INTERACCIÓN El club deportivo

Talk about sports at the club.

Conversa con tu compañero/a sobre los deportes en el Club Deportivo Buenos Aires.

MODELO:

TÚ: ¿A qué deportes juega *Diego*?
COMPAÑERO/A: Juega *al básquetbol y al tenis*.

TÚ: ¿Cuándo corre *Gabriela*?
COMPAÑERO/A: *Los martes y los jueves*.

TÚ: Y, ¿a quiénes les gusta *montar a caballo*?
COMPAÑERO/A: *A Marisa y a Adriana*.

VOCABULARIO ÚTIL

¿A qué deportes juega(n)... ?
¿A quién le gusta... ?
¿A quiénes les gusta... ?

Club Deportivo Buenos Aires
Horario semanal: 10 de enero—14 de enero

Deportes	Lunes	Martes	Miércoles	Jueves	Viernes
Jugar al básquetbol	Diego 8:30		Adriana 9:45	Diego 1:30	
Correr		Gabriela 10:15	Diego 10:15	Gabriela 3:20	
Nadar	Marisa Adriana 4:00	Adriana 11:15		Marisa 5:00	Gabriela 4:45
Jugar al tenis		Marisa Diego 9:50			Marisa Diego 2:00
Jugar al golf	Gabriela 11:00		Gabriela 10:30		
Montar a caballo			Marisa 1:45		Adriana 4:05

3 • DIÁLOGO ¿Qué sabes hacer?

Find out if your classmate can do these sports.

Paso 1. Pregúntale a tu compañero/a si sabe jugar a estos deportes.

MODELO: esquiar →

TÚ: ¿Sabes *esquiar*?
COMPAÑERO/A: Sí, yo sé *esquiar muy bien*. (No, no sé *esquiar*, pero sé *patinar sobre hielo*.)

TÚ: ¿Con quién te gusta *esquiar* (*patinar*)?
COMPAÑERO/A: Con *mi familia*.

Deportes		¿Cómo juegas?	¿Con quién/quiénes?
patinar sobre hielo/ruedas	jugar al básquetbol	muy bien	mi familia
hacer gimnasia	fútbol	bien	mis primos/as
andar en bicicleta	béisbol	más o menos	mi amigo/a
montar a caballo	tenis	mal	nadie
nadar	golf	no sé...	¿ ?
	voleibol		
	¿ ?		

Paso 2. Ahora pregúntale a tu compañero/a qué opina de los siguientes deportes y por qué.

Ask your classmate his/her opinion about these sports.

MODELO: del esquí →

TÚ: ¿Qué opinas *del esquí*?
COMPAÑERO/A: *Me gusta.* Es un deporte *emocionante.* (*No me gusta.* Es un deporte *peligroso.*)

¿Qué opinas...

1. de la lucha libre?
2. del ciclismo?
3. del patinaje sobre hielo?
4. de la natación?
5. del fútbol?
6. ¿ ?

divertido
peligroso
aburrido
emocionante
elegante

¡A charlar!

To ask about the outcome of a game, use these expressions:

—¿Qué equipo ganó el partido?
—Which team won the game?

—¿Qué equipo perdió?
—Which team lost?

—¿Cuál fue el tanteo?
—What was the score?

—Seis a tres.
—Six to three.

4 • CONVERSACIÓN Entrevista: Deportes favoritos

Hazle las siguientes preguntas a tu compañero/a.

Interview your classmate.

1. ¿Cuáles son tus deportes de equipo favoritos? ¿Qué te gusta más, mirar un partido o jugar un partido? Por lo general, ¿eres buen o mal perdedor / buena o mala perdedora?
2. ¿A qué deporte sabes jugar bien? ¿Es un deporte individual o de equipo? ¿Cómo son los atletas que practican este deporte? (¿rápidos/as, fuertes, ágiles, altos/as, etcétera?) ¿Qué opinas de este deporte?
3. ¿Tienes un equipo profesional favorito? ¿Cómo se llama? ¿De qué color son los uniformes?

RETRATO CULTURAL

GABRIELA SABATINI

- Profesión: tenista
- Ciudad y país de nacimiento: Buenos Aires, Argentina
- Fecha de nacimiento: 16-5-70

Fechas importantes:

- 1985: Gana el Japón Open
- 1990: Gana el U.S. Open
- 1992: Gana el New South Wales (Australia) Open

Gabriela Sabatini es una gran tenista argentina. Gaby, como la llaman sus amigos, participa en campeonatos° de tenis internacionales. Es una de las mejores° tenistas del mundo. Pero para sus admiradores es la más guapa y simpática. Además del° tenis, a Gaby le gusta estudiar idiomas, escuchar música, sacar fotos, andar en motocicleta y ¡contestar las cartas de sus muchos admiradores!

tournaments

best

Además... *In addition to*

¡TE INVITAMOS A LEER!

UNA CARTA DE FELIPE IGLESIAS

PERO ANTES... Ésta es una carta del amigo por correspondencia de Ernesto. ¿Cómo se llama este nuevo amigo? ¿De dónde es? ¿Qué deportes practica?

Find out about Ernesto's pen pal.

Estimado° Ernesto:

Mi nombre es Felipe Iglesias. Soy un chico de Andalucía, España, y quiero tener amigos en los Estados Unidos. Tengo 15 años y vivo con mis padres en un cortijo° cerca de Sevilla. Mis padres se llaman Alejandro y Sofía. Mi padre trabaja en el cortijo y mi madre es costurera.°

Me gustan mucho los deportes, especialmente el ciclismo. Me gusta jugar al fútbol y al jai alai.° También juego al baloncesto,° pero... tú sabes que para jugar bien hay que ser° muy alto, y yo soy de estatura mediana.° ¡Qué lástima! Tengo más suerte° con el ciclismo y soy un buen ciclista. El entrenador° de mi club dice que voy a ser un campeón.°

Otra cosa que me gusta mucho es montar a caballo. Tengo un caballo viejo y no muy rápido. Se llama Rocinante, como el caballo de don Quijote.° La verdad es que me gusta más montar en los caballos del cortijo porque son muy rápidos. Y a ti, Ernesto, ¿qué te gusta hacer? ¿Practicas muchos deportes? Bueno chico, te mando° muchos saludos. Hasta la vista.

Felipe Iglesias

Dear

small farm

seamstress

jai... a game like handball / básquetbol (España)

hay... one must be

estatura... medium height / más... better luck

coach

champion

don... main character of the novel Don Quijote *by Miguel de Cervantes*

te... I send you

¿QUÉ IDEAS CAPTASTE? Todas estas oraciones son falsas. Corrígelas según la información de la lectura.

Correct the sentences.

MODELO: El joven se llama Julio Iglesias. →
Según la lectura, *el joven se llama Felipe Iglesias.*

1. Felipe es del Uruguay.
2. Vive con sus padres en un apartamento cerca de Sevilla.
3. Los deportes favoritos de Felipe son el béisbol, el esquí y el tenis.
4. A Felipe no le gusta jugar al básquetbol.
5. Felipe es bastante alto.
6. Su entrenador dice que Felipe va a ser un campeón de fútbol.
7. Otro pasatiempo favorito de Felipe es levantar pesas.
8. Rocinante es el nombre de su perro.

¿POR QUÉ LO DECIMOS ASÍ?

GRAMÁTICA

Using gustar:
me gusta... = I like to
te gusta... = you (singular) like to
le gusta... = he/she likes to
nos gusta... = I + others like to
les gusta... = others (plural) like to do

EXPRESSING LIKES AND DISLIKES
Les gusta / nos gusta + Infinitive

A To tell or ask what more than one other person likes to do, use **les gusta** + an infinitive. **Les gusta** can mean *you like* (plural) or *they like*, so use **a** + personal names, nouns, or pronouns to indicate specific people.

—¿**A Marisa y a Adriana les gusta** esquiar?	—*Do Marisa and Adriana like to ski?*
—Sí, **les gusta** bastante.	—*Yes, they like (it) quite a bit.*
—¿**Les gusta** levantar pesas **a las chicas**?	—*Do girls like to lift weights?*
—**A muchas chicas les gusta**.	—*Many girls like (to do that).*

¿Recuerdas?

In **Unidad 1** you learned to use **me gusta**, **te gusta**, and **le gusta** + an infinitive to talk about activities you and others like or dislike. You learned that **le gusta** can mean *he* or *she likes* or *you* (polite) *like* as well as how to use **a** + a name, a noun, or a pronoun to indicate a specific person.

—¿**Te gusta** jugar al tenis?
—*Do you like to play tennis?*

—Sí, **me gusta** mucho.
—*Yes, I like it a lot.*

—¿**A Ernesto le gusta** jugar?
—*Does Ernesto like to play?*

—No, **a él no le gusta** mucho.
—*No, he doesn't like it much.*

B To say *we like* to do something, use **nos gusta**.

—Chicos, ¿qué **les gusta** hacer después de la escuela?	—*Guys, what do you like to do after school?*
—**Nos gusta** jugar al béisbol.	—*We like to play baseball.*

C To find out who likes to do something, ask **¿A quién le gusta... ?** for one person and **¿A quiénes les gusta... ?** for more than one person. Remember to use **a** + a name, noun, or pronoun to answer.

—¿**A quién le gusta** esquiar?	—*Who likes to ski?*
—**A Chela**.	—*Chela (does).*
—¿**A quiénes les gusta** patinar?	—*Who likes to skate?*
—**A todos**.	—*Everyone (does).*

¡OJO! If you are asked a question like this, answer **¡A mí!**, not **¡Yo!**

—¿A quién le gusta bailar?	—*Who likes to dance?*
—**¡A mí!**	—*I do!*

EJERCICIO 1 ¿Qué les gusta más?

En grupos de tres o cuatro, decidan qué actividad les gusta hacer más a sus compañeros.

Ask your classmates which activity they like better.

MODELO: nadar / montar a caballo →

TÚ: ¿Qué les gusta más, *nadar* o *montar a caballo*?
COMPAÑEROS/AS: Nos gusta más *nadar*.

les gusta = you like
nos gusta = we like

1. nadar / montar a caballo
2. hacer gimnasia / jugar al voleibol
3. esquiar en las montañas / esquiar en el agua
4. correr / caminar
5. levantar pesas / bailar
6. jugar al golf / andar en bicicleta
7. practicar lucha libre / hacer ejercicio
8. patinar sobre hielo / patinar sobre ruedas

EJERCICIO 2 Los deportes favoritos

Los estudiantes y los profesores de la Escuela Central son muy activos. ¿A quiénes les gusta practicar estos deportes? Inventa preguntas y contesta según los dibujos.

In pairs, ask questions and respond according to the drawings.

MODELOS: jugar al fútbol americano →

TÚ: ¿A quién le gusta *jugar al fútbol americano*?
COMPAÑERO/A: *A Esteban*.

hacer gimnasia →

TÚ: ¿A quiénes les gusta *hacer gimnasia*?
COMPAÑERO/A: A *Juana y a Felicia*.

¿A quién le gusta... ? = Who (singular) likes . . . ?
¿A quiénes les gusta... ? = Who (plural) likes . . . ?

1. jugar al fútbol americano
2. hacer gimnasia
3. esquiar
4. jugar al fútbol
5. jugar al golf
6. practicar lucha libre
7. patinar
8. nadar

DO YOU KNOW HOW TO . . . ?
The Verb *saber* + Infinitive

***saber* = to know (facts)**

A The Spanish verb **saber** means *to know* facts or information. Here are the present-tense forms of **saber**. Only the **yo** form does not follow the pattern of regular **-er** verbs.

Present Tense of **saber**			
SINGULAR		PLURAL	
yo	**sé**	nosotros/nosotras	**sabemos**
tú	**sabes**	vosotros/vosotras	**sabéis**
usted	**sabe**	ustedes	**saben**
él/ella	**sabe**	ellos/ellas	**saben**

—¿**Sabes** mi nombre? —*Do you know my name?*
—Sí, pero no **sé** tu dirección. —*Yes, but I don't know your address.*

***saber* + infinitive = to know how (to do something)**

***¿Sabes* + infinitive can also mean "Can you (do something)?"**

B To say that someone *knows how to do something* in Spanish, use a form of **saber** + an infinitive. (**¡OJO!** Do not translate *how* into Spanish.)

—¿**Sabes nadar**? —*Do you know how to swim?*
—No, no **sé nadar**. —*No, I don't know how to swim.*

—¿**Saben** ustedes **patinar** sobre hielo? —*Can you ice-skate?*
—No, pero **sabemos patinar** sobre ruedas. —*No, but we know how to roller-skate.*

San Juan, Puerto Rico: Mariana Peña sabe patinar.

EJERCICIO 3 ¿Qué saben hacer estas personas?

Make up questions and answers.

Con tu compañero/a, inventa preguntas y respuestas. Sigue el modelo.

MODELO: una bailarina →

TÚ: ¿Qué sabe hacer *una bailarina*?
COMPAÑERO/A: Sabe *bailar*.

TÚ: Y tú, ¿sabes *bailar* también?
COMPAÑERO/A: Sí, sé *bailar* muy bien.
(No, no sé *bailar*, pero sé *cantar*.)

***sé** = I know (how)*

1. una bailarina
2. un motociclista
3. una nadadora
4. una tenista
5. un gimnasta
6. un futbolista
7. una cantante
8. un guitarrista
9. ¿ ?

a. andar en motocicleta
b. bailar
c. jugar al fútbol
d. cantar
e. nadar
f. tocar la guitarra
g. hacer gimnasia
h. andar en bicicleta
i. jugar al tenis
j. tocar el piano
k. ¿ ?

EJERCICIO 4 Una comida especial

Complete the conversation.

Nuestros amigos de Puerto Rico hacen planes para preparar una comida italiana. Completa la conversación con **sé, sabes, sabe, sabemos** o **saben**.

MARIANA: Carolina, ¿tú ____ [1] preparar comida italiana?
CAROLINA: ¡Claro que sí! Mi hermana y yo ____ [2] preparar bien los espaguetis. Y mi mamá ____ [3] hacer una lasaña deliciosa. Pero... ¿por qué preguntas?
MARIANA: Tenemos una comida italiana en la clase de historia y yo no ____ [4] preparar ni espaguetis ni pizza.
CAROLINA: Pues, Humberto y Eduardo ____ [5] hacer una pizza deliciosa.
MARIANA: ¡Chévere! Ellos están en mi clase. Entonces yo no tengo que hacer nada.

*yo **sé***
*tú **sabes***
*él/ella **sabe***
*nosotros/as **sabemos***
*ellos/as **saben***

¡OJO!** Remember: someone else + yo = **nosotros/as

WHAT SPORTS DO YOU PLAY?
The Verb *jugar* (*ue*)

> **ORIENTACIÓN**
> In a *stem-changing verb*, the vowel of the stem changes in all the present-tense forms except **nosotros** and **vosotros**. In vocabulary lists, the vowel change appears in parentheses after a stem-changing verb: **jugar** (**ue**).

Stem-changing verbs are sometimes called "shoe verbs" because a line drawn around the group of forms that change resembles the outline of a shoe.

A The Spanish verb **jugar** means *to play* a game or sport. **Jugar** is a stem-changing verb. The **u** in the stem **jug-** changes to **ue** in all except the **nosotros** and **vosotros** forms. The endings are regular **-ar** verb endings. Here are the present-tense forms of **jugar**.

In a vocabulary list, this stem change appears in parentheses: jugar (ue).

Present Tense of **jugar (u → ue)**

yo	**jue**go	nosotros/nosotras	jugamos
tú	**jue**gas	vosotros/vosotras	jugáis
usted	**jue**ga	ustedes	**jue**gan
él/ella	**jue**ga	ellos/ellas	**jue**gan

¡OJO! If the name of the sport is masculine, remember that a + el = al.

B To ask *What do you play?* or *What are you playing?*, use **a** at the beginning of the question. You also use **a** + the definite article before the name of a sport.

—¿**A** qué juegan ustedes en la escuela? —*What do you play at school?*
—Jugamos **al** voleibol. —*We play volleyball.*

EJERCICIO 5 ¿A qué deporte juegan?

Decide what sport these people play.

▶ Con tu compañero/a, mira los dibujos y decide a qué deporte juegan estas personas. Sigue el modelo.

yo juego
él/ella juega
ellos/as juegan

MODELO: Julio →

TÚ: ¿A qué deporte *juega Julio*?
COMPAÑERO/A: *Juega al fútbol*.

EJERCICIO 6 Los Leones

Complete the interview.

Luis habla con un reportero sobre los Leones, su equipo de fútbol. Completa la entrevista con las formas correctas de **jugar**.

REPORTERO: Luis, ¿en qué posición ____ [1] tú en los Leones?
LUIS: Yo ____ [2] en la defensa.
REPORTERO: Y, ¿en qué posición ____ [3] tu compañero, Alejandro?
LUIS: Él ____ [4] de portero. Sabe jugar muy bien.
REPORTERO: Claro que ustedes ____ [5] muy bien. Y, ¿cómo ____ [6] sus rivales, los Gigantes?
LUIS: Son formidables. Pero nosotros ____ [7] mejor.

VOCABULARIO

PALABRAS NUEVAS

Los deportes
la carrera
el ciclismo
la competición
el deporte
de equipo
individual
el equipo
el esquí
esquiar (en el agua)
el ganador / la ganadora
hacer gimnasia
el jugador / la jugadora
levantar pesas
montar a caballo
el nadador / la nadadora
la natación
el partido
el patinaje
patinar
sobre hielo
sobre ruedas
el perdedor / la perdedora
practicar deportes
practicar lucha libre

Palabras semejantes: **el/la atleta, el básquetbol, el béisbol, el golf, el voleibol**

Palabras de repaso: el fútbol, el fútbol americano, el tenis

¡A charlar!
¿Qué equipo ganó?
¿Qué equipo perdió?
¿Cuál fue el tanteo?

El sustantivo
la coordinación

Los verbos
gustar
les gusta + ***infinitive***
nos gusta+ ***infinitive***
jugar (ue)
juego / juegas
opinar
participar
saber + ***infinitive***
sé / sabes

Los adjetivos
ágil
deportivo/a
emocionante
peligroso/a
rápido/a

Palabras semejantes: **elegante, profesional**

Palabras de repaso: aburrido/a, favorito/a

Palabras útiles
¡A mí!
¿A qué (deporte) juega(n)?
¿A quiénes les gusta... ?
¿Qué opinas de... ?

LECCIÓN 2 ACTIVIDADES DEL FIN DE SEMANA

Ciudad de México, México.

FRANCISCO: ¿Qué vas a hacer este fin de semana, María Luisa?
MARÍA LUISA: Pues, el sábado por la noche voy a ir a una fiesta.
FRANCISCO: ¿Y el domingo?
MARÍA LUISA: El domingo voy a visitar a mis abuelos.
FRANCISCO: ¿Todo el día?
MARÍA LUISA: ¡Sí! Mis abuelos son muy divertidos.

Buenos Aires, Argentina.

Marisa y Gabriela son muy buenas amigas; hacen muchas cosas juntas. A ellas les gusta ir al cine. «Hoy es sábado y esta noche vamos a ver una nueva película de Tom Cruise», dice Marisa. Las dos amigas son «fans» del actor norteamericano.

EDUARDO: Esta noche hay un concierto de este grupo. ¿Vas a ir?

HUMBERTO: No, esta noche voy a estudiar un poco.

EDUARDO: ¿Estudiar? ¡Hoy es sábado, Humberto!

HUMBERTO: Es verdad, pero tengo mucha tarea.

EDUARDO: ¡Qué pena! Este grupo es muy chévere.

San Juan, Puerto Rico.

Así se dice...

VOCABULARIO

Víctor

El sábado **voy a ir** al cine.

Juana

Voy a bailar toda la noche.

Chela

El sábado voy a **jugar al boliche**.

Felicia

El domingo voy a limpiar mi cuarto.

Esteban

Voy a **andar en patineta**.

ACTIVIDADES ORALES Y LECTURAS

Conexión gramatical
Estudia las páginas 247–250 en **¿Por qué lo decimos así?**

1 • OPCIONES **¿Qué vas a hacer este fin de semana?**

Pick the one for you.

Indica la actividad apropiada en cada caso. Luego, comparte la información con tus compañeros.

1. El sábado por la noche voy a...
   a. bailar en una fiesta.
   b. jugar al boliche.
   c. alquilar una película.
   d. ¿ ?

2. El domingo por la mañana voy a...
   a. dormir hasta tarde.
   b. leer las tiras cómicas.
   c. preparar el desayuno.
   d. ¿ ?

3. Este fin de semana mis amigos y yo vamos a...
   a. tomar helado en una heladería.
   b. ir a un centro comercial.
   c. andar en patineta.
   d. ¿ ?

4. El viernes por la noche mis padres van a...
   a. mirar la televisión.
   b. jugar a las cartas.
   c. ir al cine.
   d. ¿ ?

5. El próximo domingo mi familia va a...
   a. ir a misa.
   b. pasar la tarde en el parque.
   c. cenar en un restaurante.
   d. ¿ ?

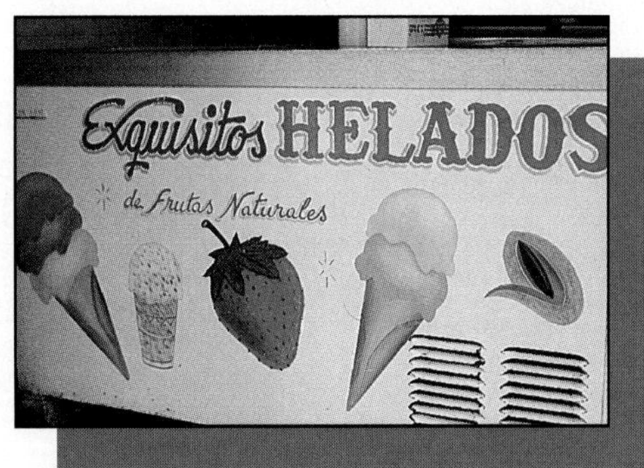

Helados de fruta en un mercado de la Ciudad de México, México.

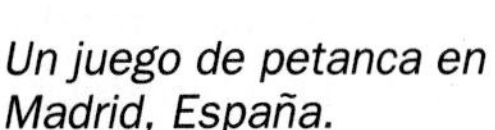
Un juego de petanca en Madrid, España.

2 • INTERACCIÓN Los planes

Talk about your plans for the week.

Conversa con tu compañero/a sobre los planes para esta semana.

MODELO: este sábado →

TÚ: ¿Qué vas a hacer *este sábado*?
COMPAÑERO/A: Primero, voy a *limpiar mi cuarto*. Luego, voy a *ir al centro comercial*.

1. esta noche
2. mañana
3. este fin de semana
4. la próxima semana
5. ¿ ?

hablar por teléfono con mis amigos
estudiar para un examen
andar en patineta
asistir a un concierto
jugar al boliche
cenar fuera
dormir hasta tarde
limpiar mi cuarto
sacar fotos
visitar a mis parientes
ir al centro comercial
comprar un disco compacto
¿ ?

¡A charlar!

Here are some useful expressions of time to use when talking about your plans.

esta mañana / tarde / noche
this morning / afternoon / evening

esta semana
this week

este mes / año
this month / year

mañana por la tarde / mañana / noche
tomorrow afternoon / morning / night

la próxima semana
next week

el próximo mes / año
next month / year

3 • DIÁLOGO ¡Eso no es justo!

Es sábado. Luis Fernández García y su hermano Juanito están en su cuarto. Su madre entra.

LUIS: ¡Juanito! ¡Este cuarto es un desastre! Tus juguetes están por todos lados.
JUANITO: Tu ropa está por todos lados también. ¡Por eso es un desastre!
SRA. FERNÁNDEZ: Cálmense, muchachos. Hay una solución muy simple. Ustedes no van a salir hoy porque *los dos* van a limpiar este cuarto.
LUIS Y JUANITO: ¡Mamá! ¡Eso no es justo!

Y AHORA, ¿QUÉ DICES TÚ?

1. ¿Tienes que compartir tu cuarto con tu hermano/a?
2. ¿Eres una persona ordenada o desordenada?
3. Normalmente, ¿quién limpia tu cuarto?

4 • NARRACIÓN

¿Qué va a hacer Marisa el próximo sábado?

▶ Describe los planes de Marisa según los dibujos.

Describe Marisa's plans for Saturday.

5 • DEL MUNDO HISPANO El fútbol americano por televisión

Read the ad and answer the questions.

Éste es un anuncio del periódico *El Sol de México*. Busca la información necesaria para contestar las siguientes preguntas.

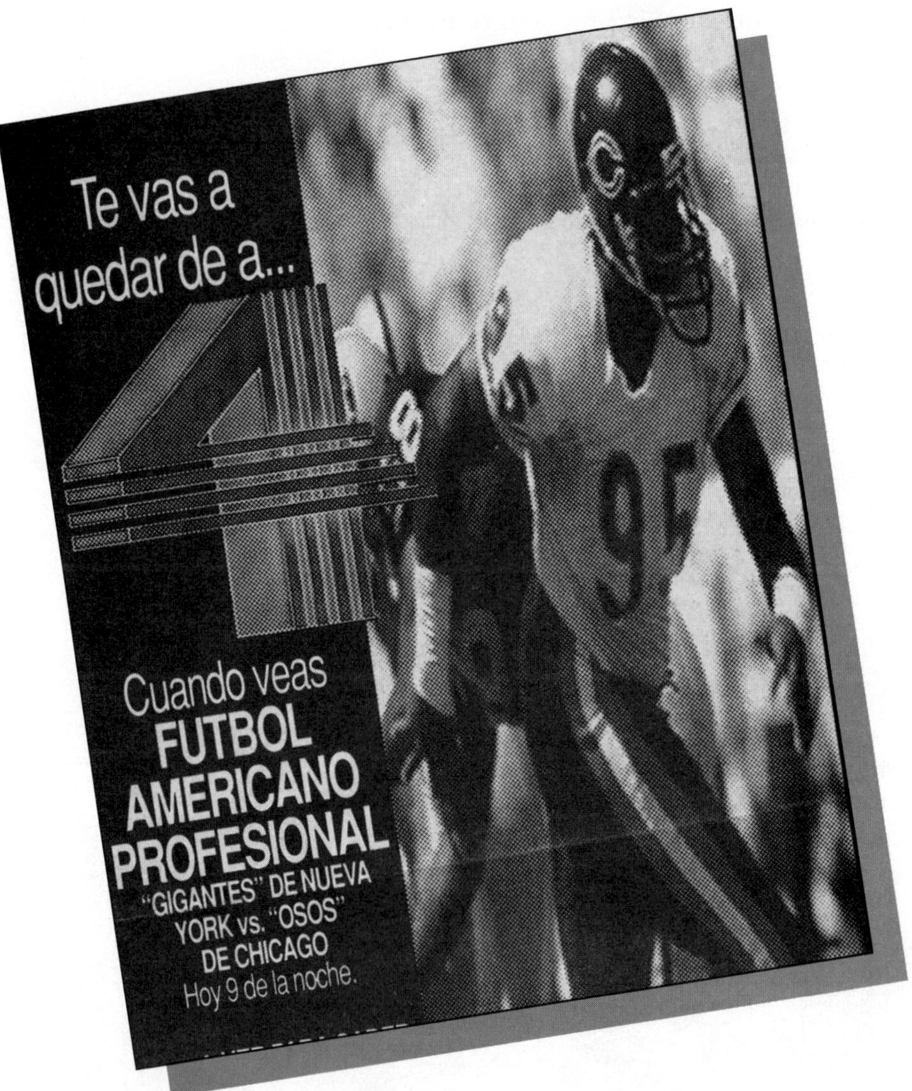

1. ¿Cómo se llaman los equipos que van a jugar?
2. ¿A qué hora va a empezar el partido?
3. ¿En qué canal van a presentar el programa?

Y AHORA, ¿QUÉ DICES TÚ?

1. ¿Qué equipo crees que va a ganar?
2. ¿Te gusta mirar partidos de fútbol americano en la televisión? ¿y de otros deportes? ¿Cuáles?
3. ¿Tienes un equipo de fútbol americano favorito? ¿Cómo se llama?

Sorpresa cultural

¿POR QUÉ SILBAS?°

¿Por... ? *Why are you whistling?*

During a class discussion, Chela described an experience that reflected cultural differences among sports fans. It happened to her Venezuelan cousin, Victoria, who had come to the States for a visit. One evening she accompanied Chela to a basketball game at Central High. During the game, when the home team was winning, Victoria was very surprised by the fans' behavior. See if you can figure out Victoria's **sorpresa cultural**.

Why was Victoria confused by the fans' whistling?

a. Victoria didn't think the basketball players were very attractive.

b. Unlike U.S. sports fans, Latin American sports fans whistle to show disapproval of a player or a play.

You're correct if you picked (b). Since Victoria was used to whistling when her team was playing badly, she didn't understand why the Central High fans were whistling when their team was winning.

In Latin America, fans show disapproval by whistling. When they want to show approval, they may shout **¡Bravo!** or yell **¡Viva... !** and the team's name.

Thinking About Culture

What other aspects of sports might be unique to your culture? For example, find out if cheerleaders are a common feature of sports in other countries.

READING TIP 5

USE WHAT YOU KNOW TO HELP WITH WHAT YOU DON'T

When you read in English, you use the *context* of an unfamiliar word to guess its meaning. You can do the same in Spanish. A word's context includes what is written before and after that word. (Pictures often contribute to the context too.) Even if they don't give you the exact meaning, words you do know can point you in the right direction. For example, in these sentences from the reading that follows, what is the most likely meaning of the underlined words?

1. Sus admiradoras lo llaman Chema, <u>el sobrenombre</u> de José María.
2. Su música es una combinación de rock y tecno-pop con <u>ritmos</u> latinos y españoles.

¡TE INVITAMOS A LEER!

EL CONCIERTO DE MECANO

Find out about a Spanish rock group.

PERO ANTES... ¿Te gusta la música rock? ¿Cuál es tu grupo favorito? ¿Vas a conciertos de música rock? En esta carta María Luisa escribe de un grupo de músicos muy famoso en su país. ¿Cómo se llama? ¿Conoces a este grupo?

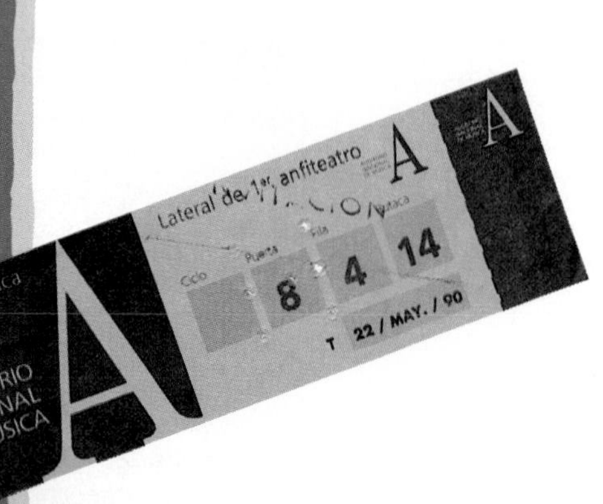

Querida Chela:

¿Cómo estás? Yo estoy muy bien, ¡súper bien! Este fin de semana voy a ir con unos amigos al concierto del grupo Mecano. Es en el Centro de Espectáculos Premier, aquí en el D.F.° Es el primer concierto de ellos que voy a ver. ¡Qué fantástico!

Distrito Federal (Ciudad de México)

Ellos me gustan mucho porque son muy buenos músicos. Además, sus canciones° son muy interesantes. Mi canción favorita es «Bailando salsa». Ah, también cantan una fantástica que se llama «No es serio este cementerio.» ¡Qué título chistoso!, ¿verdad?

songs

En el grupo hay una muchacha, Ana, y dos muchachos, José María y Nacho. Los dos son muy guapos, pero a mí me encanta José María. Sus admiradoras lo llaman Chema, el sobrenombre de José María. Chema es mi amor platónico.° Tengo muchas fotos de él en mi cuarto. Me gustaría escribirle una carta, pero soy un poco tímida...

amor... *ideal love*

Los tres son de España y son muy populares allá. También son famosos en América Latina. Su música es muy original y divertida. Es una combinación de rock y tecno-pop con ritmos latinos y españoles. Todas las personas bailan en sus conciertos. Bueno, no sólo bailan; también cantan, palmean,° gritan° y se divierten como locos.

clap
scream

Por favor, cuéntame° de los conciertos en tu país, ¿sí? Hasta pronto. Saludos de tu amiga,

tell me

María Luisa Torres

P.D. ¿Qué hago, Chela? ¿Le escribo una carta a Chema o no?

¿QUÉ IDEAS CAPTASTE? Contesta las siguientes preguntas sobre la lectura.

Answer the questions.

MODELO: María Luisa va a ir a un concierto.
- a. ¿Cuándo va a ir al concierto? → *Este fin de semana.*
- b. ¿Con quiénes va a ir al concierto? → *Con unos amigos.*
- c. ¿Dónde es el concierto? → *En el Centro de Espectáculos Premier.*

1. A María Luisa le gusta mucho el grupo Mecano.
   - a. ¿Por qué le gusta?
   - b. ¿Cuál es su canción favorita?
2. Hay una muchacha y dos muchachos en el grupo.
   - a. ¿Cómo son los muchachos?
   - b. ¿Cuál de los muchachos es el favorito de María Luisa?
3. Los tres son populares en España y América Latina.
   - a. ¿De dónde son ellos?
   - b. ¿Qué tipo de música tocan?

Y AHORA, ¡CON TU PROFESOR(A)!

1. ¿Qué música le gusta escuchar más?
2. ¿Va a conciertos?
3. ¿Tiene un grupo favorito? ¿Cómo se llama?

MORE PRACTICE WITH *r-* AND *rr*

In Spanish, both the letter **r** at the beginning of a word and the letter **rr** are pronounced with a trill. English speakers usually have to practice a bit to master this sound.

PRÁCTICA Listen to your teacher, then pronounce these sentences.

Rosa **R**amos **r**eza mucho porque...
¡**R**aúl **R**amos **r**ealmente **r**onca!

And here is a popular Spanish tongue twister (**trabalenguas**) that uses the trilled **r** sound. Listen to your teacher and then try to pronounce the rhyme.

E**rr**e con e**rr**e, guita**rr**a,
E**rr**e con e**rr**e, ba**rr**il;
¡qué **r**ápido co**rr**en los ca**rr**os del
fe**rr**oca**rr**il!

¿POR QUÉ LO DECIMOS ASÍ?

GRAMÁTICA

WHAT ARE YOU GOING TO DO?
The Informal Future: *ir a* + Infinitive

ORIENTACIÓN
To talk about plans or future events in English, you can say "I am going to (do something)," "He is going to (do something)," and so on. Spanish has a similar way of expressing the future using the verb **ir** (*to go*).

To talk about what you are going to do, use a form of the verb **ir** + **a** + infinitive.

ir a* + *infinitive* = *to be going to (do something)

—¿Qué **vas a hacer** a las cuatro?	—*What are you going to do at 4:00?*
—**Voy a salir** con Paco.	—*I'm going to go out with Paco.*
—¿Qué **van a hacer**?	—*What are you going to do?*
—**Vamos a jugar** al fútbol.	—*We're going to play soccer.*

¿Recuerdas?

In **Unidad 3** you learned to use the verb **ir** to tell where you are going. Here is a review of its present-tense forms.

Present tense of ***ir***	
yo	**voy**
tú	**vas**
usted	**va**
él/ella	**va**
nosotros/as	**vamos**
vosotros/as	**vais**
ustedes	**van**
ellos/ellas	**van**

EJERCICIO 1 **El sábado por la mañana**

Match the columns.

¿Qué van a hacer estas personas el sábado por la mañana?

MODELO: Los fotógrafos →
Los fotógrafos *van a sacar fotos en el parque.*

1. Los fotógrafos...
2. Nosotras, las ciclistas, ...
3. Yo...
4. El equipo de básquetbol...
5. Tú...
6. Las niñas...

a. va a jugar en el gimnasio.
b. van a ver dibujos animados.
c. vas a preparar el desayuno.
d. vamos a andar en bicicleta.
e. voy a limpiar mi cuarto.
f. van a sacar fotos en el parque.

EJERCICIO 2 En el colegio Rosa-Bell

Where are the students going?

Paso 1. Pregúntale a tu compañero/a adónde van los estudiantes del Colegio Rosa-Bell, según los dibujos.

MODELO: Carolina →

TÚ: ¿Adónde va *Carolina*?
COMPAÑERO/A: Va *a la biblioteca*.

***va a** + a place = he/she is going to (a place); **van a** + a place = they are going to (a place); **va a** + infinitive = he/she is going to (do something); **van a** + infinitive = they are going to (do something)*

1. Carolina

2. el equipo de béisbol

3. los estudiantes de biología

4. Humberto y Eduardo

5. la clase de música

6. Mariana y sus compañeras

Study Hint

Learning a language is a cumulative process, like learning music. When you are studying something new, for example, **ir a** + infinitive, you will need the skills you mastered earlier (for instance, how to conjugate the verb **ir**). New materials always build on previous materials.

A few minutes a day reviewing grammar explanations and vocabulary lists from earlier lessons will increase your understanding and success in communicating in Spanish.

Paso 2. Ahora, pregúntale a tu compañero/a qué van a hacer los estudiantes en cada lugar. Pueden usar expresiones de la lista.

What will they do in each place?

MODELO: Carolina →

TÚ: ¿Qué va a hacer *Carolina* en *la biblioteca*?
COMPAÑERO/A: Va a *escribir un informe.*

hacer un experimento	leer un artículo
jugar al béisbol	jugar al voleibol
escuchar un concierto	cantar
comer pizza	comprar refrescos
escribir un informe	¿ ?

POINTING OUT
Demonstrative Adjectives: *este, esta, estos, estas*

ORIENTACIÓN

Demonstrative adjectives point out specific people or objects in relation to the speaker. For example, "She wants *this* hat," "I know *these* boys."

A The Spanish demonstrative adjectives that correspond to English *this/these* refer to people or things near the speaker in space or time.

este/esta* = *this
estos/estas* = *these

—¿Adónde vas **este** sábado? —*Where are you going this Saturday?*
—Al cine. —*To the movies.*

—¿**Estas** revistas son de Chela? —*Are these magazines Chela's?*
—Creo que sí. —*I think so.*

Demonstrative adjectives come before the noun.

B Note that demonstrative adjectives come before the noun. Like other adjectives, they agree in gender and number with the noun they modify.

	SINGULAR		PLURAL	
MASCULINE	**este** libro	*this book*	**estos** libros	*these books*
FEMININE	**esta** chica	*this girl*	**estas** chicas	*these girls*

EJERCICIO 3 ¿De quién son estas cosas?

Complete the dialogue.

Juana y Chela están en la oficina de objetos perdidos de la escuela. Completa el diálogo con **este**, **esta**, **estos** o **estas**.

Demonstrative adjectives agree in number and gender with the nouns they modify.

JUANA: ¿De quién es _____ [1] sombrero?
CHELA: Es de Ana Alicia.
JUANA: ¿Y _____ [2] camisetas?
CHELA: Probablemente son de Ana Alicia también.
JUANA: ¿Y de quién son _____ [3] calcetines y _____ [4] chaqueta?
CHELA: Mmm... creo que son de Ana Alicia.
JUANA: ¿Y _____ [5] bolsa y _____ [6] tenis?
CHELA: De Ana Alicia, también.
JUANA: Entonces, ¿qué lleva _____ [7] chica? ¡Toda su ropa está aquí!

EJERCICIO 4 ¿Para quién son estos regalos?

Pick two presents for each person.

Imagínate que ésta es una lista de regalos para tu familia y amigos. Escoge por lo menos dos regalos diferentes para cada uno. **¡OJO!** ¡Debes usar todos los regalos! Usa **este**, **esta**, **estos** o **estas**.

MODELO: Para mi mejor amiga... →
Para mi mejor amiga, *esta blusa* y *estos calcetines*.

1. Para mi mejor amiga...
2. Para mi mamá...
3. Para mi abuelo/a...
4. Para mi hermano/a menor...
5. Para mi mejor amigo...
6. Para mi papá...

Regalos

la camiseta
las tiras cómicas
la corbata
los tenis
el diccionario
los jeans
el reloj
la revista de deportes
el suéter
los calcetines
la chaqueta
los juguetes
la blusa
los lentes de sol
¿ ?

VOCABULARIO  PALABRAS NUEVAS

Actividades del fin de semana
alquilar una película
andar en patineta
asistir a un concierto
cenar fuera
dormir hasta tarde
ir
  a un centro comercial
  a misa
jugar (ue)
  al boliche
  a las cartas
leer las tiras cómicas
sacar fotos
tomar helado
tomar una clase de...

Palabras de repaso: bailar, estudiar, hablar por teléfono, ir a un concierto (al cine), limpiar mi cuarto, mirar la televisión, ver una película, visitar a mis parientes

Los lugares
el centro comercial
la heladería
la iglesia

Palabras de repaso: el cine, el cuarto, el parque, el restaurante

¡A charlar!
esta mañana (tarde, noche)
esta semana
este mes / año
mañana por la tarde (mañana, noche)
la próxima semana
el próximo mes / año

Los sustantivos
el canal (de televisión)
el cumpleaños
el desayuno
el disco compacto
la fiesta
el juguete
la película

Palabras semejantes: **el desastre, los planes, el programa (de televisión), la solución**

Los verbos
asistir
cenar
entrar
pasar
presentar

Palabra de repaso: compartir

Los adjetivos
desordenado/a
este/esta
estos/estas
justo/a
ordenado/a
próximo/a

Palabra de repaso: favorito/a

Palabras útiles
afuera
¡Cálmense!
eso
por todos lados
toda la noche

LECCIÓN 3

EL TIEMPO Y LAS ESTACIONES

¿Esquiar en julio? Pues para estos jóvenes en Bariloche, Argentina, es muy normal. Todos los años, muchos estudiantes van de vacaciones a las montañas para esquiar.

Bariloche, Argentina.

San Juan, Puerto Rico.

CAROLINA: Mariana nada muy bien, ¿verdad?
EDUARDO: Sí, en agosto va a participar en varias competiciones de natación. Y tú, ¿sabes nadar bien?
CAROLINA: Sí, pero me gusta más jugar al voleibol.
EDUARDO: Entonces, ¿jugamos un partido?
CAROLINA: ¡Chévere!

Ciudad de México, México.

LUIS: ¿Sabes qué día es hoy?

SRA. FERNÁNDEZ: Es domingo, ¿no?

LUIS: Ay mamá, qué chistosa eres. Claro que sí, pero también es un día muy especial.

SRA. FERNÁNDEZ: ¿Es un secreto?

LUIS: Sí, pero si lees esta tarjeta, vas a resolver el misterio.

SRA. FERNÁNDEZ: A ver... Dice: «A mi querida mamá, ¡Un muy feliz Día de la Madre! Tu hijo Luis». Ay Luisito, qué sorpresa tan bonita. ¡Muchas gracias, hijo!

ASÍ SE DICE...

VOCABULARIO

¿QUÉ TIEMPO HACE?

El invierno en Santiago, Chile.
Hace frío y **nieva** en **las montañas**.

La primavera en San Juan, Puerto Rico.
Hace viento y **llueve** mucho.

El verano en Acapulco, México.
Hace sol y mucho **calor**.

El otoño en Madrid, España.
Hace fresco y **está nublado**.

ACTIVIDADES ORALES Y LECTURAS

Conexión gramatical
Estudia las páginas 261–263 en **¿Por qué lo decimos así?**

1 • OPCIONES **El tiempo y las estaciones**

Find the logical choices.

Escoge las opciones más lógicas. Luego comparte tus respuestas con tus compañeros.

1. En el invierno, cuando hace mucho frío y nieva, ...
   a. llevamos abrigos y botas.
   b. jugamos al golf.
   c. esquiamos en las montañas.
   d. nos gusta jugar al boliche.
   e. ¿ ?

2. Cuando llueve...
   a. me gusta jugar con videojuegos.
   b. juego al tenis en el parque.
   c. llevo impermeable y paraguas.
   d. paso el día en la playa.
   e. ¿ ?

3. En el verano...
   a. hace mucho calor.
   b. celebramos el Día de la Independencia.
   c. llevamos bufandas y guantes.
   d. vamos a la piscina.
   e. ¿ ?

4. En el otoño...
   a. celebramos el Día de la Madre.
   b. jugamos al fútbol americano.
   c. hace fresco.
   d. llevamos trajes de baño y lentes de sol.
   e. ¿ ?

5. En la primavera...
   a. hace buen tiempo.
   b. nieva todos los días.
   c. patinamos en el lago.
   d. sacamos fotos de las flores.
   e. ¿ ?

2 • PIÉNSALO TÚ **Asociaciones: Los días feriados**

Guess the holidays according to the drawings.

Adivina los días feriados según los dibujos y las pistas siguientes.

a. El Día de la Independencia

b. El Día de los Enamorados

c. La Navidad

d. El Día de la Raza

e. El Día de la Madre

1. el invierno... el 25 de diciembre... un árbol...
2. la primavera... una persona especial... la familia...
3. el verano... rojo, blanco y azul... el 4 de julio...
4. el otoño... el 12 de octubre... la Niña, la Pinta y la Santa María...
5. los novios... chocolates y flores... el 14 de febrero...

Y AHORA, ¡CON TU PROFESOR(A)!

1. ¿Cuál es su día feriado favorito? ¿Por qué?
2. ¿Con quién celebra este día?
3. ¿Cuál es la fecha de su cumpleaños?

¡A charlar!

To ask for today's date in Spanish, use one of these two questions.

¿Qué fecha es hoy? / ¿Cuál es la fecha de hoy?
What is today's date?

To give the date in Spanish, use **el** + a number + **de** + the month. For the first day of the month, use **el primero de**.

Hoy es el 14 de enero.
Today is January 14.

Mi cumpleaños es el primero de agosto.
My birthday is August 1.

3 • DEL MUNDO HISPANO El tiempo en España

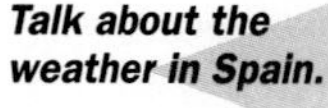

Conversa con tu compañero/a sobre el tiempo en España.

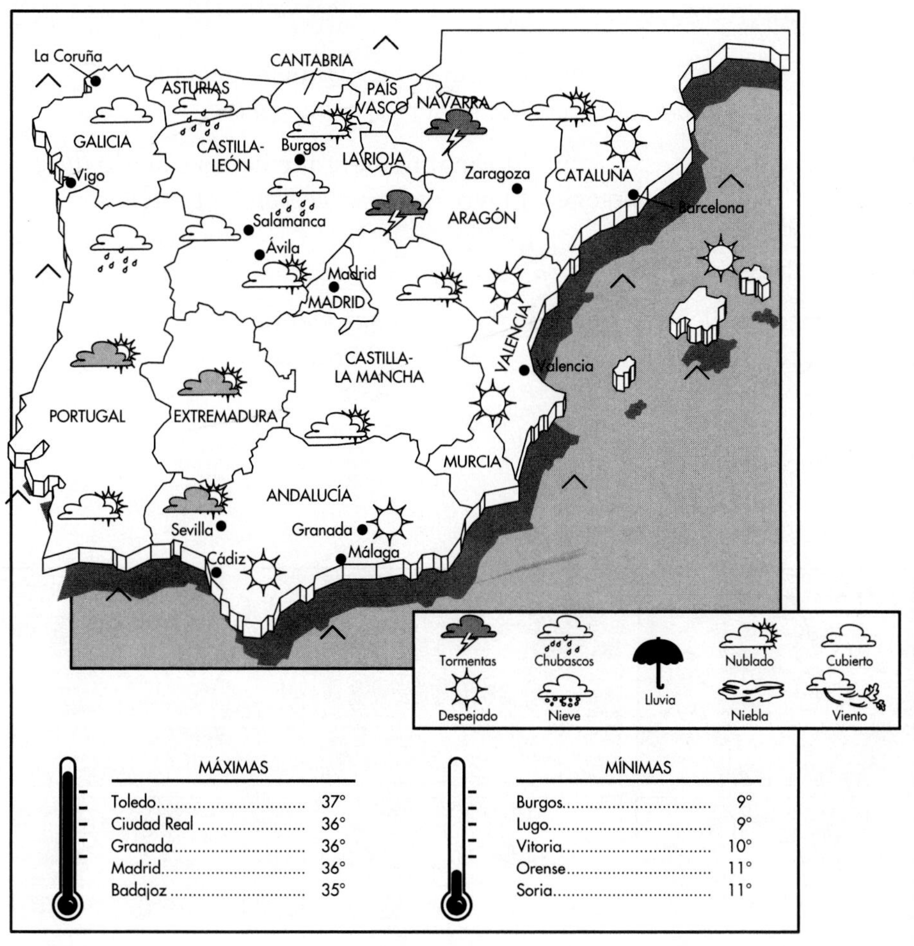

MODELO:

TÚ: ¿Qué tiempo hace en *Madrid*?
COMPAÑERO/A: Hace *calor*. (*Está nublado*.)

TÚ: ¿Cuál es la temperatura *máxima* en *Toledo*?
COMPAÑERO/A: *Treinta y siete* grados.

TÚ: ¿Cuál es la temperatura *mínima* en *Burgos*?
COMPAÑERO/A: *Nueve* grados.

TÚ: ¿Dónde *llueve*?
COMPAÑERO/A: En *Asturias*.

¡A charlar!

Here are some useful expressions to use when talking about temperature.

¿Cuál es la temperatura en Madrid?
What's the temperature in Madrid?

Treinta y cinco grados.
Thirty-five degrees.

Hace mucho calor.
It's very hot.

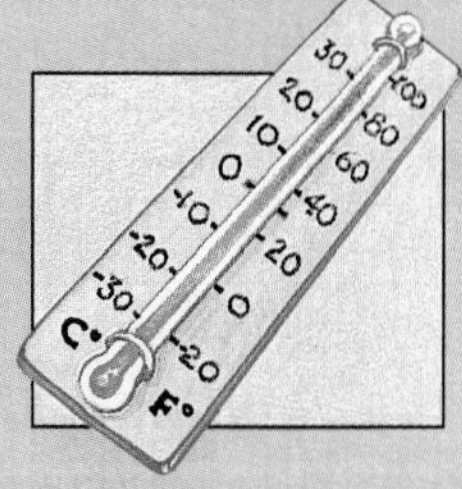

If these temperatures seem a bit low, it's because in most Spanish-speaking countries the temperature is given in degrees Celsius (**grados centígrados**). The thermometer shows equivalent temperatures in the Celsius (°C) and Fahrenheit (°F) scales. Can you figure out the temperature in °F for Madrid?

Y AHORA, ¿QUÉ DICES TÚ?

1. ¿Qué tiempo hace hoy?
2. ¿Cuál es la temperatura?

4 • INTERACCIÓN Las actividades y el tiempo

Talk about your activities and the weather.

▶ Conversa con tu compañero/a sobre las actividades y el tiempo.

MODELO: llueve →

TÚ: Cuando *llueve*, ¿qué te gusta hacer?
COMPAÑERO/A: Me gusta *leer* o *ir al cine*.

TÚ: Normalmente, ¿qué llevas cuando *llueve*?
COMPAÑERO/A: Llevo *impermeable, botas y paraguas*.

El tiempo

hace buen / mal tiempo
hace calor
hace fresco
hace frío
hace sol
hace viento
está nublado
llueve
nieva

Las actividades

5 • CONVERSACIÓN Entrevista: El tiempo y las estaciones

Interview your classmate.

▶ Hazle estas preguntas a tu compañero/a.

1. ¿Qué actividades te gusta hacer cuando hace buen tiempo? ¿y cuando hace mal tiempo?
2. ¿Cuál es tu estación favorita? ¿Por qué? ¿Qué deportes practicas o en qué actividades participas durante esa estación? ¿Qué días de fiesta hay en esa estación?
3. ¿Cuál es la estación que menos te gusta? ¿Por qué?
4. ¿Cuál es la fecha de tu cumpleaños? ¿y de tu día feriado favorito? ¿Qué haces para celebrar este día?

VISTAZO CULTURAL

CELEBRACIONES DE JULIO

En Hispanoamérica y España se celebran muchas fiestas durante el mes de julio. Éste es un mes de vacaciones de invierno o de verano, según el país.

Fiesta de San Fermín en Pamplona, España.

Fiesta de Uruapán en Michoacán, México.

Feria artesanal de Barranquitas en Puerto Rico.

Fiesta de la nieve, cerro Catedral, en Bariloche, Argentina.

¡TE INVITAMOS A LEER!

OTRAS VOCES

PREGUNTAS: «¿Cuál es tu pasatiempo favorito? ¿Cuál es tu estación favorita? ¿Qué te gusta hacer en esa estación?»

Find out which seasons and activities these students prefer.

Antonio Sanz Sánchez
Madrid, España

«Tengo muchos pasatiempos favoritos. Jugar al tenis; creo que es el que° más me gusta. También me encanta dibujar, hacer acampadas,° escuchar música de los Beatles... Mi estación favorita es el otoño. Cuando hace buen tiempo, me gusta pasear por el parque y sacar fotos de la gente.»

el... *the one that*
hacer... *to go camping*

Cecilia Beatriz Borri
Córdoba, Argentina

«Mi pasatiempo favorito es hacer gimnasia y andar° a caballo. Durante la semana voy por dos horas al gimnasio. Allí me encuentro con° amigos, hago aeróbicos, un poco de máquinas y lo más importante, me olvido del° estudio. Mi estación favorita es la primavera. Durante los fines de semana, una vez por mes, vamos con amigos o con mi familia a una casa de campo° en las montañas y salimos a andar a caballo.»

montar
me... *I meet*
me... *I forget about*
casa... *country house*

Y AHORA, ¿QUÉ DICES TÚ?

1. ¿Qué tienes en común con estos jóvenes?
2. De los pasatiempos que mencionan ellos, ¿cuáles son tus pasatiempos favoritos? ¿Cuáles son las actividades que no te gusta hacer?

GRAMÁTICA

WHAT'S THE WEATHER LIKE?
Weather Expressions

ORIENTACIÓN
In English, the word *it* precedes weather expressions, such as *it's hot*, *it's cold*, or *it's raining*. Spanish does not have a subject pronoun for *it*.

A You can use the verb form **hace** to describe most weather conditions in Spanish.

¿Qué tiempo hace?	What's the weather like?
Hace calor.	*It's hot.*
Hace frío.	*It's cold.*
Hace fresco.	*It's cool.*
Hace sol.	*It's sunny.*
Hace viento.	*It's windy.*
Hace buen tiempo.	*It's good weather.*
Hace mal tiempo.	*It's bad weather.*

B To say *it rains* (*it's raining*) or *it snows* (*it's snowing*), use the verb forms **llueve** and **nieva**. To say *it's cloudy*, use the expression **está nublado**.

llueve* = *it rains; it's raining
nieva* = *it snows; it's snowing
está nublado* = *it's cloudy

En Guadalajara **llueve** mucho en el verano. — *In Guadalajara, it rains a lot in the summer.*

En Bariloche, Argentina, **nieva** mucho en julio. — *In Bariloche, Argentina, it snows a lot in July.*

Hoy **está nublado** en Barcelona. — *Today it's cloudy in Barcelona.*

EJERCICIO 1 El tiempo y las actividades

Ask questions and respond according to the model.

En grupos de tres o cuatro, pregunten y contesten según el modelo.

MODELO: hace mucho frío / ir a la playa o patinar en el lago →

TÚ: ¿Qué hacen cuando *hace mucho frío*?
COMPAÑEROS/AS: *Patinamos en el lago.*

1. hace mucho frío / ir a la playa o patinar en el lago
2. hace sol / jugar al tenis o mirar la televisión
3. hace mucho calor / nadar o limpiar la casa
4. llueve / jugar al béisbol o jugar al boliche
5. nieva / esquiar o andar en bicicleta
6. hace buen tiempo / ir al cine o sacar fotos en el parque
7. hace mal tiempo / montar a caballo o jugar con videojuegos

EJERCICIO 2 El tiempo en Hispanoamérica

Use two expressions to talk about the weather shown on the map.

Mira el mapa y usa dos expresiones para describir el tiempo en estas ciudades.

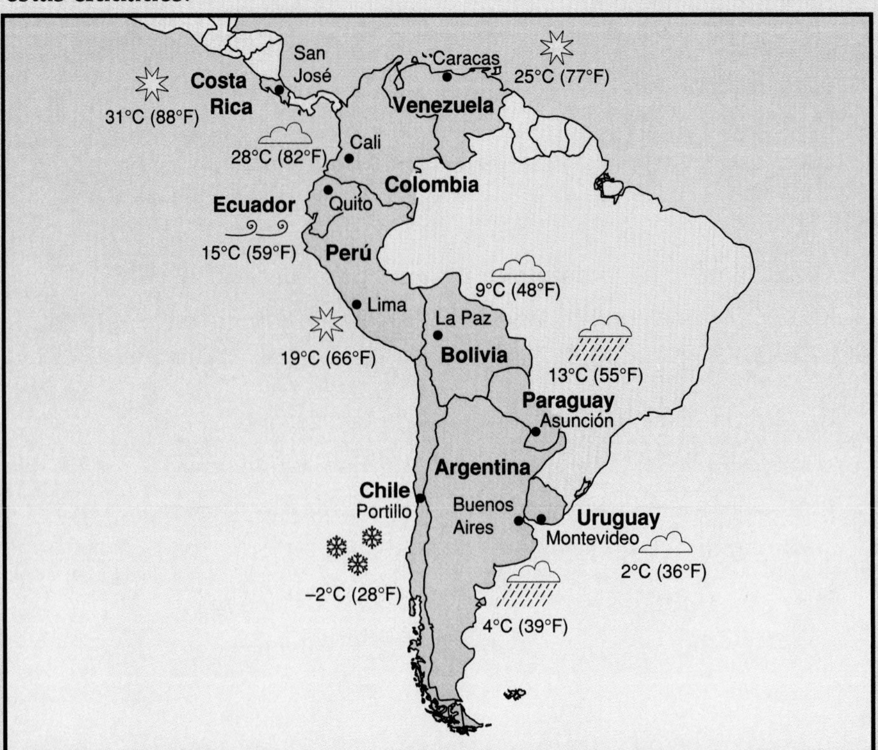

MODELO: Cali, Colombia →

TÚ: ¿Qué tiempo hace en *Cali, Colombia*?
COMPAÑERO/A: *Hace calor y está nublado.*

TÚ: ¿Y cuál es la temperatura?
COMPAÑERO/A: *Veintiocho grados (centígrados).*

1. Cali, Colombia
2. Lima, Perú
3. Portillo, Chile
4. Asunción, Paraguay
5. Quito, Ecuador
6. Caracas, Venezuela
7. San José, Costa Rica
8. La Paz, Bolivia
9. Montevideo, Uruguay

VOCABULARIO 3 PALABRAS NUEVAS

Las estaciones
el invierno
el otoño
la primavera
el verano

El tiempo
¿Qué tiempo hace?
Está nublado.
Hace buen / mal tiempo.
Hace calor.
Hace fresco.
Hace frío.
Hace sol.
Hace viento.
Llueve.
Nieva.

¿Cuál es la temperatura máxima / mínima?
los grados (centígrados)

Los días feriados y las celebraciones
el Día de los Enamorados
el Día de la Independencia
el Día de la Madre
el Día de la Raza
la Navidad

La ropa
el abrigo
las botas
la bufanda
los guantes
el impermeable
el paraguas
el traje de baño

Palabra de repaso: los lentes de sol

Los lugares
el lago
las montañas
la playa

Palabras de repaso: el parque, la piscina

¡A charlar!
¿Cuál es la fecha de hoy?
¿Qué fecha es hoy?
Es el + *number* + de + *month*.
Es el primero de + *month*.

El verbo
celebrar

Conversation Tip

Asking questions is one of the most useful strategies for talking with people who are shy and reluctant to speak. When you ask others about their interests and activities, you remind them of what they have to say and you show that you are interested. You can use two kinds of questions to keep a conversation going.

1. Information questions: These include **¿quién?**, **¿qué?**, **¿dónde?**, and **¿cuándo?** These questions will help you get useful information, but you will sometimes get very short answers that don't keep a conversation going. They are often most useful when you start a conversation.
2. Expansion questions: These cannot be answered with just **sí** or **no** or any other single word. They keep a conversation going. The question **¿por qué?** is an example; it often helps a shy talker say more.

Try it yourself. Think about discussing sports with your friends, and answer all the information questions with only one word. Now, try to give a one-word answer to this question: **¿Por qué te gusta andar en bicicleta?** See what we mean?

SITUACIONES

Tú
You're going to write a personal profile for your school newspaper. Interview a school athlete to find out as much as you can about that person so that you can give a good description of her or his personal tastes, favorite activities, and future plans.

Hint: Before your interview, prepare a list of questions. You might want to include the person's sport and why he or she likes it, what the person has to do to play that sport (grades, types of physical training, daily routine), and some favorite activities besides sports. Don't forget a few questions to help you find out what the person is planning to do in the future.

Compañero/a
You're a well-known athlete in your school. Today, a reporter from the school paper is going to interview you for a profile that he or she is planning to write about you. Give the reporter as much information about yourself as you can to make the profile more interesting.

Hint: Before you talk with the reporter, jot down what you have to do in order to play your sport (grades, what you have to do during training), why you like your sport, and what your future plans are. Be able to talk about some favorite activities you like to do in your spare time.

¿Sabías que...

- el veintiuno por ciento (21%) de los beisbolistas profesionales son zurdos°? *left-handed*

- hay un cangrejo° cubano que corre más rápido que un caballo? *crab*

- es imposible ver la parte interior del Sol, pero es posible saber el color? Es negro.
- no vas a encontrar a dos tigres idénticos en el mundo? ¡Tampoco vas a ver a dos cebras idénticas!

¡TE INVITAMOS A ESCRIBIR!

UNA CARTA A LA ARGENTINA

Find out which seasons and activities these students prefer.

Un(a) estudiante de la Argentina va a pasar un año con tu familia y va a asistir a tu escuela. Esta persona te escribe una carta y te pregunta sobre las estaciones, el tiempo y la ropa que va a necesitar. Antes de contestar la carta, es una buena idea seguir estos pasos.

Think up a list of everything you want to say.

Primero, piensa...
en el tiempo que hace donde vives, en las actividades que haces durante el año y en la ropa que llevas según la estación.

Organize your information.

Luego, organiza tus ideas...
con un mapa semántico. Puedes usar el siguiente mapa como guía y completarlo.

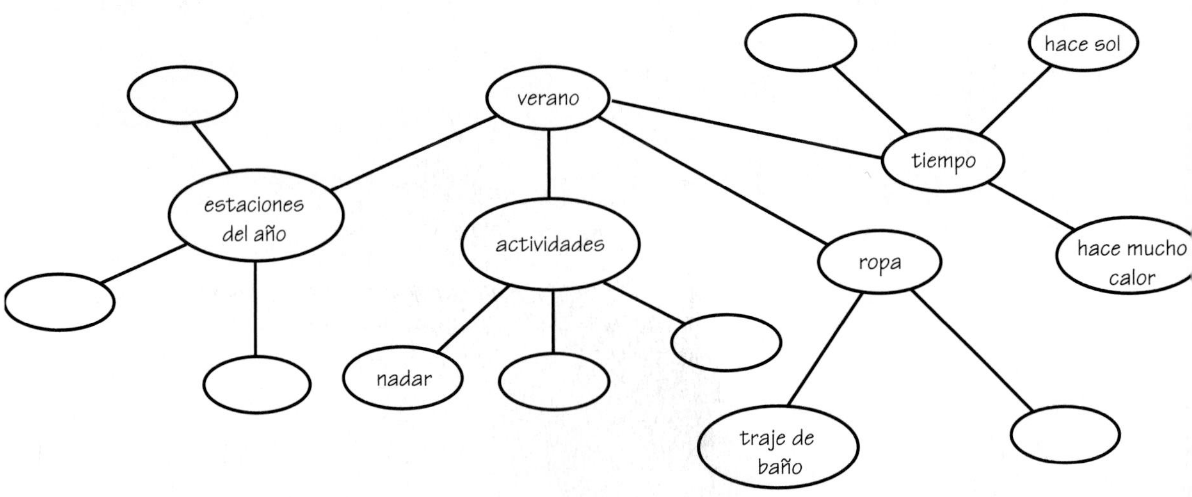

Un día de enero en la calle Florida, Buenos Aires, Argentina.

Después, escoge la información que vas a usar...
y conecta las ideas principales del mapa semántico. Por ejemplo: verano → hace calor → nadar → traje de baño.

Decide what information you will use.

Por último, escribe la carta...
con las ideas principales de tu mapa semántico. Si quieres, puedes seguir el siguiente modelo.

Write the letter.

MODELO:

> Querido/a...
> ¡Qué bueno! Pronto vas a estar en mi casa. Bueno, voy a contestar tus preguntas. Aquí en... el clima es... Durante el verano hace... En el invierno hace... Si te gusta... vas a necesitar... porque... Buena suerte, y ¡hasta pronto!
>
> Saludos de tu amigo/a...

Y AHORA, ¿QUÉ DECIMOS?

Paso 1. **Mira otra vez las fotografías en las páginas 220–221 y contesta las siguientes preguntas.**

- ¿Qué deportes practican los chicos en las fotos números 1 y 3?
- ¿Sabes hacer estos deportes? ¿Qué otros deportes practicas?
- ¿Qué tiempo hace en cada foto?
- ¿Qué van a hacer las chicas en la foto número 2? Y tú, ¿qué vas a hacer este fin de semana?

Paso 2. **Diseña una tarjeta postal de tu lugar favorito para ir de vacaciones. Ilustra tu tarjeta con una escena típica de ese lugar. Si quieres, también puedes diseñar la estampilla. En el reverso de la tarjeta, escribe una descripción de ese lugar.**

- Incluye dónde estás y el tiempo que hace.
- Describe las actividades que te gusta hacer allí.

NOVEDADES 2

MÉXICO: UN NUEVO PASATIEMPO

S.O.S. LOS LOROS DE AMÉRICA LATINA

Portada: Papalotes en México

EL PÍCARO PACO

Cielo, viento y papalotes[1]

Son como pájaros[2] de formas, colores y tamaños diferentes. En cada país reciben un nombre distinto: papalote, barrilete, cometa, tarara...

En México remontar[3] papalotes es la nueva pasión de los jóvenes. Durante la primavera y el verano, muchachos y muchachas van a las playas y a los parques a remontar papalotes de diferentes tamaños y colores. ¿Qué es lo más importante de un buen papalote? El tiempo que está en el aire.

[1]Cielo... *Sky, wind, and kites*
[2]*birds*
[3]*flying*

COMPETENCIAS

En distintas partes del mundo se organizan competencias de papalotes. Hay competencias de altura,[4] diseño y de duración de vuelo.[5] Una competencia muy especial es la «guerra»[6] de papalotes. En ésta[7] los participantes pegan pedacitos de vidrio a sus papalotes para cortar los hilos[8] de los adversarios. ¿Quién gana? El papalote que dura[9] más tiempo en el aire. ¡Por supuesto!

[4]*height*
[5]duración... *flight duration*
[6]*war*
[7]*this one*
[8]pegan... *glue pieces of glass to their kites to cut the strings*
[9]*lasts*

¡S.O.S. Pájaros en peligro de extinción!

Los loros silvestres[1] de América Latina están en peligro de extinción.[2] Una de las causas es la popularidad de estos pájaros como mascotas[3] en los Estados Unidos, Japón y varios países de Europa. ¿Cómo puedes ayudar?[4] Si piensas comprar una mascota, ¡no compres[5] loros silvestres!

[1]loros... *wild parrots*
[2]en... *in danger of extinction*
[3]*pets*
[4]puedes... *can you help*
[5]no... *don't buy*

Mira este cuadro. ¿Qué ves? ¿Una cara? Mira otra vez. ¿Es una sala? Salvador Dalí pintó[2] una sala sobre la foto de Mae West, una actriz de cine de los años 30. ¿Qué hizo Dalí[3] con la nariz, los ojos, la boca y el pelo de la actriz?

Ahora mira otro cuadro de Dalí. ¿Qué ves? Un grupo de personas delante de una casa, ¿verdad? Mira el cuadro de lado.[4] ¿Qué es ahora? ¡Una cara! En los cuadros de Dalí siempre hay trucos.

[1]*Tricks*
[2]*painted*
[3]¿Qué... *What did Dalí do*
[4]de... *sideways*

Tito Comprende

Querido Tito:

Tengo 12 años y mi mejor amiga tiene 13 años y siempre salimos juntas. El problema es que a mi amiga Clarita le gusta salir con Mario todos los fines de semana. Mario es simpático pero en mi opinión es bastante aburrido. Clarita quiere que yo salga[1] con un amigo de Mario pero a mí no me interesa[2] salir con chicos por el momento. ¿Es normal?

Martita, triste en Panamá

Querida Martita:

Lo que sientes es muy normal para chicas de tu edad. No hay una edad específica para salir con chicos. Habla con tu amiga y explícale que prefieres salir con ella sola y que no te interesa salir con chicos. Estoy seguro que entenderá.[3] ¡Buena suerte!

Tu amigo Tito

[1]quiere... *wants me to go out*
[2]a... *I'm not interested in*
[3]Estoy... *I'm sure she'll understand.*

Licuado[1] de banana

¿Sabes cuál es el refresco de verano más popular en la Argentina? Se llama licuado de fruta. Es delicioso y muy fácil de preparar. Invita a tus amigos y sírveles[2] un licuado de banana.

Ingredientes

2 bananas

4 tazas[3] de leche

2 cucharaditas de azúcar[4]

hielo[5]

Preparación

1. Corta las bananas.
2. Pon los ingredientes en la licuadora.
3. Licúa[6] todo por medio minuto.
4. Sírvelo. ¡Qué rico!

[1]*Shake*
[2]*serve them*
[3]*cups*
[4]cucharaditas... *teaspoons of sugar*
[5]*ice*
[6]*Blend*

VERBS

A. Regular Verbs: Simple Tenses

Infinitive	Present Indicative
hablar	hablo hablas habla hablamos habláis hablan
comer	como comes come comemos coméis comen
vivir	vivo vives vive vivimos vivís viven

B. Irregular Verbs

Infinitive	Present Indicative
estar	estoy estás está estamos estáis están
hacer	hago haces hace hacemos hacéis hacen
ir	voy vas va vamos vais van
querer	quiero quieres quiere queremos queréis quieren
saber	sé sabes sabe sabemos sabéis saben
ser	soy eres es somos sois son
tener	tengo tienes tiene tenemos tenéis tienen

C. Stem-Changing and Spelling Change Verbs

Infinitive	Present Indicative
pensar (ie)	pienso piensas piensa pensamos pensáis piensan

VOCABULARIO ESPAÑOL-INGLÉS

This Spanish-English vocabulary contains all the words that appear in the text, except most identical cognates. All the words in the chapter vocabulary lists are included. Only meanings used in this text are given. Abbreviations and numbers in parentheses following some entries refer to the unit and the lesson in which the word or phrase is listed in the chapter **Vocabulario. U4 (3)**, for example, refers to **Unidad 4, Lección 3**. The abbreviations **PP** and **SP** refer to **Primer paso** and **Segundo paso**, respectively.

Gender of nouns is indicated as *m.* (masculine) or *f.* (feminine). When a noun refers to a person, both masculine and feminine forms are given. Entries for adjectives list both the masculine and the feminine endings. When only one form of an adjective is shown, such as **inteligente**, the adjective is identical for both masculine and feminine forms. Verbs are listed in the infinitive form. Verb forms listed as lexical items in the chapter **Vocabulario** are also included. Stem-changing verbs are indicated with the change in parentheses after the infinitive: **dormir (ue, u)**. Spelling changes are also indicated in parentheses: **leer (y)**. When only the **yo** form is irregular, it is in parentheses after the infinitive: **conocer (conozco)**. Verbs with other irregularities are followed by the abbreviation *irreg.*

Words beginning with **ch** or **ll** are under separate headings following the letters **c** and **l**, respectively. The letters **ch**, **ll**, **ñ**, and **rr** within words follow **c**, **l**, **n**, and **r**, respectively. For example, **coche** follows **cocinero**, **calle** follows **calvo/a**, **piña** follows **pintura**, and **perro** follows **pero**. The following abbreviations are used.

abbrev.	abbreviation	*m.*	masculine
adj.	adjective	*Mex.*	Mexico
adv.	adverb	*n.*	noun
Arg.	Argentina	*obj. of prep.*	object of a preposition
coll.	colloquial	*pl.*	plural
contr.	contraction	*pol.*	polite
d.o.	direct object	*poss.*	possessive
f.	feminine	*prep.*	preposition
gram.	grammatical	*pron.*	pronoun
inf.	informal	*refl. pron.*	reflexive pronoun
infin.	infinitive	*sing.*	singular
inv.	invariable	*Sp.*	Spain
i.o.	indirect object	*sub. pron.*	subject pronoun
irreg.	irregular	*U.S.*	United States

A

a to **PP (3)**; for
¡a charlar! let's talk! **PP (4)**
a la(s)... at . . . o'clock **U1 (2)**
al (*contr. of* **a + el**) to the, for the
abierto/a open; opened
abra(n) open **PP (3)**
abrazo *m.* hug
abrigo *m.* coat **U4 (3)**
abril *m.* April **U1 (3)**
abrir to open
abuelo *m.*, **abuela** *f.* grandfather, grandmother **U2 (3)**
abuelos *m.* grandparents **U2 (3)**
aburridísimo/a very boring
aburrido/a boring **SP (4), U1 (2)**
academia *f.* academy, school
acampadas *f. pl.*: **hacer acampadas** to go camping
accesorio *m.* accessory
acción *f.* action
aceite *m.* oil; olive oil
actividad *f.* activity **U1 (3)**
activo/a active
actriz *f.* actress
actual present, present-day
además *adv.* moreover, besides
además de *prep.* besides, in addition to
adiós *interj.* good-bye **PP (4)**
adivinanza *f.* riddle, puzzle **U2 (1)**
juego (*m.*) **de adivinanza** guessing game
adivinar to guess
adivina guess **SP (4)**
adjetivo *m.* adjective **SP (1)**
adjetivo posesivo possessive adjective **U2 (3)**
admirado/a admired
admirador *m.*, **admiradora** *f.* admirer
¿adónde? (to) where? **U3 (2)**
adversario *m.*, **adversaria** *f.* adversary, opponent
aeróbicos *m. pl.*: **hacer aeróbicos** to do aerobics
afiche *m.* poster
afuera *adv.* out, outside **U4 (2)**
agarrar to grab; to get, obtain
agente *m., f.* agent
agente de viajes travel agent
ágil agile **U4 (1)**
agosto *m.* August **U1 (3)**
agotarse to wear out; to use up
agrupación *f.* grouping; group
agua *f.* (*but,* **el agua**) water
agua mineral mineral water **U3 (1)**
esquiar en el agua to water-ski **U4 (1)**
ahora *adv.* now
y ahora, ¡con tu profesor(a)! and now, with your teacher **SP (1)**
y ahora, ¿qué dices tú? and now, what do you say? **SP (2)**
aire *m.* air; look
al (*contr. of* **a + el**) to the, for the
alegre happy
alemán *m.* German (language)
Alemania *f.* Germany
alfabeto *m.* alphabet **PP (1)**
álgebra *f.* (*but,* **el álgebra**) algebra **U1 (2)**
algo *indef. pron.* something
algo más something else
algún, alguno/a, algunos/as *indef. adj.* some, any
almorzar (ue) (c) to have lunch, eat lunch
almuerzo *m.* lunch **U1 (2), U3 (1)**
alquilar to rent
alquilar una película to rent a movie **U4 (2)**
alto/a tall **U2 (1)**; high
en voz alta out loud, aloud
altura *f.* height, altitude
allá *adv.* there
allí *adv.* there **U3 (2)**
ama *f.* (*but,* **el ama**) **de casa** housewife, homemaker
amar to love
amarillo/a yellow **PP (2)**
ambición *f.* ambition
ambulancia *f.* ambulance
ambulatorio/a ambulatory
América *f.* America
América del Sur South America
América Latina Latin America
americano *m.*, **americana** *f.* (*n. & adj.*) American
fútbol (*m.*) **americano** football **U1 (3)**
amigo *m.*, **amiga** *f.* friend **SP (1)**
amigo/a por correspondencia pen pal **U2 (1)**
ésta es mi amiga (*f.*)... this is my friend . . . **SP (1)**
éste es mi amigo (*m.*)... this is my friend . . . **SP (1)**
mejor amigo/a best friend **U2 (1)**
amor *m.* love
anaranjado/a *adj.* orange (*color*) **SP (3)**
andar *irreg.* to walk
andar a caballo to go horseback riding
andar en bicicleta to ride a bicycle **U1 (3)**
andar en motocicleta to ride a motorcycle

andar en patineta to skateboard **U4 (2)**
ángel *m.* angel
animado/a: dibujos (*m. pl.*) **animados** cartoons **U1 (3)**
aniversario *m.* anniversary
anterior previous
antes *adv.* before
antes de *prep.* before **U3 (3)**
pero antes... but first . . . **U1 (1)**
anuario *m.* yearbook
anuncio *m.* ad, advertisement **PP (1),** announcement
año *m.* year **U1 (2)**
¿cuántos años tiene(s)? how old are you? **U2 (2)**
el próximo año next year
este año this year **U4 (2)**
tener... años to be . . . years old **U2 (2)**
tengo... años I am . . . years old **U2 (2)**
añoranza *f.* loneliness, grief
apartado (*m.*) **postal** post office box
apartamento *m.* apartment **U2 (2)**
apellido *m.* last name **U2 (2)**
aplicación *f.* application
aprender to learn **U2 (2)**
aprender un programa to learn a program **U3 (2)**
apropiado/a appropriate **PP (1)**
apuntes *m. pl.* notes **U3 (3)**
tomar apuntes to take notes **U3 (3)**
aquel, aquella *adj.* that (*over there*)
aquél *m.*, **aquélla** *f. pron.* that (one) (*over there*)
aquellos, aquellas *adj.* those (*over there*)
aquéllos *m.*, **aquéllas** *f., pl. pron.* those (ones) (*over there*)
aquí *adv.* here **U3 (2)**
aquí mismo right here
araña *f.* spider
árbol *m.* tree
arquitecto *m.*, **arquitecta** *f.* architect
arriba *adv.* up, upward
arroz *m.* (*pl.* **arroces**) rice
arroz con pollo chicken with rice **U3 (1)**
arte *f.* (*but*, **el arte**) art **U1 (2)**
artesanal *adj.* craft
artículo *m.* article, object
artista *m., f.* artist
así *adv.* so, thus; like this, like that
así se dice... that's how you say . . . **PP (1)**
¿por qué lo decimos así? why do we say it that way?
asistir to attend **U4 (2)**
asistir a un concierto to attend a concert **U4 (2)**
asociación *f.* association
asociar to associate
aspirina *f.* aspirin
atención *f.*: **presta atención** pay attention **U1 (2)**
atleta *m., f.* athlete **U4 (1)**
atlético/a athletic **U2 (1)**
atravesar (ie) to cross, cross over
atún *m.* tuna **U3 (1)**
auditorio *m.* auditorium **U3 (2)**
ausente absent
estar ausente to be absent **U3 (3)**
mañana voy a estar ausente tomorrow I'm going to be absent **U3 (3)**
autobús *m.* bus **U3 (2)**
tomar el autobús to take the bus **U3 (2)**
automovilismo *m.* motoring, driving
autor *m.*, **autora** *f.* author
avenida *f.* avenue **U2 (2)**
¡ay! *interj.* oh; alas, woe
ayuda *f.* help
ayudar to help, help out
azúcar *m.* sugar
azul blue **PP (2), U2 (1)**
azulito/a blue

B

baguettina *f.* baguette, long loaf of bread
bailar to dance **U1 (3)**
bailarín *m.*, **bailarina** *f.* dancer
baile *m.* dance
bajo/a short (*in height*) **U2 (1);** low
baloncesto *m.* basketball
balonmano *m.* handball
banco *m.* bank
banda *f.* band **PP (3)**
bandera *f.* flag **PP (2)**
baño *m.* bathroom **U3 (2)**
traje (*m.*) **de baño** bathing suit **U4 (3)**
barbaridad *f.*: **¡qué barbaridad!** how awful! **SP (1)**
barco *m.* boat **U3 (2)**
barril *m.* barrel
barrilete *m.* (hexagonal) kite
barrio *m.* neighborhood
básquetbol *m.* basketball **U1 (3), U4 (1)**
jugar al básquetbol to play basketball **U3 (2)**
bastante *adv.* fairly, pretty; quite **SP (1)**; quite a bit; rather, somewhat **U1 (2)**
bastante bien pretty well **SP (1)**
batido *m.* milk shake **U3 (1)**
bebé *m., f.* baby
bebida *f.* drink **U3 (1)**
tomar una bebida to have a drink **U3 (1)**
beca *f.* scholarship
béisbol *m.* baseball **U4 (1)**

jugar al béisbol to play baseball **U4 (4)**
beisbolista *m., f.* baseball player
beso *m.* kiss
biblioteca *f.* library **U3 (2)**
bicicleta *f.* bicycle **U1 (3)**
andar en bicicleta to ride a bicycle **U1 (3)**
bien *adv.* well
bastante bien pretty well **SP (1)**
(muy) bien, gracias (very) well, thanks **PP (4)**
está bien that's fine
(yo) estoy muy bien I'm fine **PP (4)**
¡muy bien! great **PP (4)**
sabe bien it tastes good
bienvenido/a welcome
bigote *m.* mustache
tiene bigote he has a mustache **U2 (1)**
biología *f.* biology **U1 (2)**
bisturí *m.*, scalpel
blanco/a white **PP (2)**
blusa *f.* blouse **PP (2)**
boca *f.* mouth **U2 (1)**
bocadillo *m.* sandwich (*Sp.*)
boliche *m.* bowling
jugar al boliche to go bowling **U4 (2)**
bolígrafo *m.* (ballpoint) pen **U1 (1)**
bolsa *f.* bag; purse, handbag **SP (3)**
bonaerense *adj.* pertaining to Buenos Aires
bonito/a pretty **U2 (1)**
borrador *m.* (blackboard) eraser **U1 (1)**
bota *f.* boot **U4 (3)**
Brasil *m.* Brazil
brazo *m.* arm **U2 (1)**
bromista *m., f.* joker, comic **U1 (2)**
buen, bueno/a good **SP (1)**
buenas noches good evening **SP (1)**; good night
buenas tardes good afternoon **PP (4)**
bueno... well . . .
buenos días good morning **PP (4)**
hace buen tiempo it's good weather **U4 (3)**
¡qué bueno! (how) great! **SP (1)**
sacar buenas notas to get good grades **U3 (3)**
bufanda *f.* scarf **U4 (3)**
burro *m.* donkey, burro
buscar (qu) to look for **U3 (2)**
busca look for, search for **PP (1)**
buscar palabras en el diccionario to look up words in the dictionary **U3 (2)**

C

caballo *m.* horse
andar a caballo to go horseback riding
montar a caballo to ride horseback **U4 (1)**
cabeza *f.* head **U2 (1)**
cacahuete *m.*: **mantequilla** (*f.*) **de cacahuete** peanut butter **U3 (1)**
cada *inv.* each, every **PP (1)**
café *m.* coffee; coffee-colored; café
(de) color (*m.*) **café** brown **PP (2), U2 (1)**
cafetería *f.* cafeteria **SP (1)**
cajón *m.* box, crate
calcetín *m.* sock **SP (3)**
calcomanía *f.* decal
calendario *m.* calendar **SP (2)**
caliente warm, hot
calmarse to calm down
¡cálmense! calm down! **U4 (2)**
calor *m.*: **hace calor** it's hot (*weather*) **U4 (3)**
calvo/a bald **U2 (1)**
calle *f.* street **U2 (2)**
cambiar to change
camello *m.* camel
caminar to walk **U3 (3)**
camine(n) walk **PP (3)**
camisa *f.* shirt **PP (2)**
camiseta *f.* T-shirt **SP (3)**
campeón *m.*, **campeona** *f.* champion
campeonato *m.* championship
campo *m.* field; country, countryside **U2 (2)**
campo de deportes playing field **U3 (2)**
canal *m.* channel **U1 (2)**
canal (de televisión) (TV) channel **U4 (2)**
canción *f.* song
cangrejo *m.* crab
cansado/a tired **SP (1)**
estoy cansado/a I'm tired **SP (1)**
cantante *m., f.* singer
cantar to sing **U3 (3)**
capital *f.* capital (city)
capítulo *m.* chapter
captar to capture, grasp
¿qué ideas captaste? what ideas did you get? **U1 (1)**
cara *f.* face
caracol *m.* snail
característica *f.* characteristic
cariño *m.* affection
cariñoso/a affectionate **U2 (3)**
carranza *f.* (iron) spike
carrera *f.* race; career; track **U4 (1)**
carro *m.* car; train car **U3 (2)**
carta *f.* letter **U1 (3)**; card
jugar a las cartas to play cards **U4 (2)**
cartel *m.* poster **U1 (1)**
casa *f.* house **U1 (1), U2 (2)**
en casa at home **U1 (3)**
casi *adv.* almost
casi nunca almost never **U3 (3)**

caso *m.* case
castaño/a brown (*hair, eyes*) **U2 (1)**
castillo *m.* castle
catedral *f.* cathedral
catorce fourteen **SP (2)**
causa *f.* cause; origin
cebra *f.* zebra
ceja *f.* eyebrow
celebración *f.* celebration **U4 (3)**
celebrar to celebrate **U4 (3)**
cementerio *m.* cemetery
cenar to have dinner, supper **U4 (2)**
cenar fuera to eat out **U4 (2)**
centígrado/a: grados (*m. pl.*) **centrígados** degrees Centigrade **U4 (3)**
centro *m.* center; downtown
(ir a un) centro comercial (to go to a) shopping center, mall **U4 (2)**
centro de espectáculos arena
cerca *adv.* near, nearby
cerca de *prep.* near, close to
cero zero **SP (2)**
cerrar (ie) to close
cerro *m.* hill
certificado *m.* certificate, diploma
ciclismo *m.* cycling **U4 (1)**
ciclista *m., f.* cyclist
cielo *m.* sky; heaven
cien, ciento/a one hundred **U1 (1)**
por ciento percent
ciencia(s) *f. pl.* science(s) **U1 (2)**
laboratorio (*m.*) **de ciencias** science lab **U3 (2)**
científico/a scientific
cierre(n) close **PP (3)**
cierto/a true; certain **U2 (1)**
cinco five **SP (2)**
cincuenta fifty **U1 (1)**
cine *m.* movie theater
ir al cine to go to the movies **U1 (3)**
círculo *m.* circle
cita *f.* date, appointment
hacer una cita to make an appointment **U3 (3)**
me gustaría hacer una cita con usted I would like to make an appointment with you **U3 (3)**
ciudad *f.* city **U1 (2), U2 (2)**
¡claro! *interj.* of course! **SP (1)**
¡claro que no! of course not!
¡claro que sí! of course!
clase *f.* class **PP (1), SP (1), U1 (2);** people in the class **PP (1)**
clase de español Spanish class **PP (2)**
compañero/a (*m., f.*) **de clase** classmate **PP (1)**
horario (*m.*) **de clases** class schedule **U1 (2)**
salón (*m.*) **de clase** classroom **U1 (1)**
tomar una clase de... to take a . . . class **U4 (2)**
clásico/a classical **U1 (3)**
clave *adj.* key, important
clima *m.* climate, weather
club *m.* club, organization
cocinero *m.*, **cocinera** *f.* cook, chef
coco *m.* coconut
código (*m.*) **postal** zip code
coincidencia *f.*: **¡qué coincidencia!** what a coincidence! **SP (3)**
cola *f.*: **hacer cola** to wait in line **U3 (3)**
colaboración *f.* collaboration
colear to wag the tail
coleando: vivito/a y coleando alive and kicking
colección *f.* collection
coleccionar to collect
colectivo *m.* bus (*Arg., Peru*)
colegio *m.* private elementary or secondary school
colombiano *m.*, **colombiana** *f.* (*n. & adj.*) Colombian
Colón: Cristóbal Colón Christopher Columbus
color *m.* color **PP (2), SP (3)**
(de) color café brown **PP (2), U2 (1)**
¿de qué color es... ? what color is . . . ? **PP (2)**
columna *f.* column
combinación *f.* combination
comentario *m.* comment
comer to eat **U1 (3)**
¡a comer! let's eat!
comercial: centro (*m.*) **comercial** shopping center, mall **U4 (2)**
ir a un centro comercial to go to a shopping center, mall **U4 (2)**
comercio *m.* business **U1 (2)**
cometa *m.* comet; *f.* kite
cómico/a comical
leer las tiras cómicas to read the comics, funnies **U4 (2)**
tira (*f.*) **cómica** comic strip **U3 (2)**
comida *f.* food **U3 (1)**; meal; dinner, supper
comilón *m.*, **comilona** *f.* hearty eater **U3 (1)**
como *adv.* like, as
¿cómo? how? what?
¿cómo eres? what are you like?
¿cómo es... ? what is . . . like? **U1 (2), U2 (1)**
¿cómo está él/ella? how is he/she? **PP (4)**
¿cómo está usted? how are you (*pol. sing.*)? **SP (1)**
¿cómo estás? how are you (*inf. sing.*)? **PP (4)**

¿cómo se dice esto en español? how do you say this in Spanish? **SP (4)**
¿cómo se escribe... ? how do you spell . . . ? **SP (4)**
¿cómo se llama él/ella? what is his/her name? **PP (1)**
¿cómo son? what are they like? **U2 (1)**
¿cómo te llamas? what is your name? **PP (1)**
compacto/a: disco (*m.*) **compacto** compact disc **U4 (2)**
compañero *m.*, **compañera** *f.* companion
compañero/a de clase classmate **PP (1)**
comparar to compare
compartir to share **U3 (3)**
compartan share **U3 (1)**
comparte share **U1 (3)**
competencia *f.* competition; rivalry
competición *f.* competition **U4 (1)**
completar to complete
completa complete **PP (1)**
composición *f.* composition **U3 (2, 3)**
escribir composiciones to write compositions **U3 (3)**
compra *f.* purchase
ir de compras to go shopping **U1 (3)**
comprar to buy **U3 (1)**
comprender to understand **U3 (3)**
no comprendo I don't understand **SP (4)**
comprensivo/a *adj.* understanding **U2 (3)**
computación *f.* computer science **U1 (2)**
laboratorio (*m.*) **de computación** computer lab **U3 (2)**
computadora *f.* computer **U1 (2)**
común common
tener en común to have in common **U3 (3)**
comunidad *f.* community
con with **PP (1)**
con frecuencia frequently **U3 (3)**
con permiso pardon me, may I (get by, leave)? **SP (4)**
¿con quién? with whom? **U3 (1)**
concierto *m.* concert **U1 (3)**
asistir a un concierto to attend a concert **U4 (2)**
concurso *m.* contest, competition
condado *m.* county
conde *m.* earl, count
conductor *m.*, **conductora** *f.* driver; conductor; leader
conectar to connect
conexión *f.* connection
confundido/a confused
estar confundido/a to be confused
congregación *f.* congregation
congreso *m.* congress
conocer (conozco) to know, be acquainted with; to meet (*for the first time*)
consejero *m.*, **consejera** *f.* counselor
oficina (*f.*) **de los consejeros** advisers' office **U3 (2)**
consejo *m.* (piece of) advice
conservatorio *m.* conservatory
constituyente *adj.* constituent, component
consultar to consult
contar (ue) to tell (*a story*); to count
contar chistes to tell jokes **U2 (3)**
cuenta count **SP (2)**
contenido *m.* contents
contento/a happy **SP (1)**
estoy contento/a I'm happy **SP (1)**
contestar to answer
contesta answer **PP (2)**
contexto *m.* context **U1 (2)**
contigo with you (*inf. sing.*)
conversación *f.* conversation **SP (1)**
conversar to converse, talk
conversa he/she/it converses, talks **U1 (2)**
conversen en grupos talk in groups **U3 (3)**
coordinación *f.* coordination **U4 (1)**
corbata *f.* tie (*clothing*) **SP (3)**
coro *m.* choir, chorus
correcto/a correct, right **PP (1), SP (3)**
correr to run **U1 (3)**
corra(n) run **PP (3)**
correspondencia *f.* correspondence
amigo/a (*m., f.*) **por correspondencia** pen pal **U2 (1)**
corresponder to correspond
corrige correct **U1 (1)**
corrupción *f.* vice, corruption
cortar to cut; to chop
cortesía *f.* courtesy
expresiones (*f. pl.*) **de cortesía** expressions of courtesy, pleasantries **SP (4)**
cortijo *m.* farm; country home (*Sp.*)
corto/a short (*in length*) **U2 (1)**
cosa *f.* thing **PP (2)**
costa *f.* coast
costurera *f.* seamstress, dressmaker

cotorrismo *m.* chatter, gossip
creativo/a creative **U2 (1)**
creer (y) (que) to believe, think (that)
creo que... I think that . . . **U1 (3)**
crujiente crunchy, crusty
cuaderno *m.* notebook **U1 (1)**
cuadro *m.* painting
¿cuál? *pron.* which (one)?; *adj.* which? **SP (1)**
¿cuál es la fecha de hoy? what's today's date? **U4 (3)**
¿cuál es la temperatura máxima/mínima? what is the high/low temperature? **U4 (3)**
¿cuál es tu nombre? what is your name? **PP (1)**
¿cuál fue el tanteo? what was the score? **U4 (1)**
cualquier *adj.* any
cuando when **U3 (1)**
de vez en cuando from time to time **U3 (3)**
¿cuándo? when? **U1 (3)**
¿cuánto/a? how much?
¿cuántos/as? how many? **SP (2)**
¿cuántas veces? how many times? **U3 (1)**
¿cuántos años tienes? how old are you? **U2 (2)**
cuarenta forty **U1 (1)**
cuarto *m.* room; bedroom **U1 (1)**
cuarto/a fourth; quarter
menos cuarto quarter to (the hour)
y cuarto quarter past **U1 (2)**
cuatro four **SP (2)**
cubano *m.*, **cubana** *f.* Cuban
cubierto/a cloudy; covered
cucharadita *f.* teaspoon, teaspoonful
cuente(n) count **SP (2)**
cuento *m.* short story
cuero *m.* leather
cuerpo *m.* body **U2 (1)**
cuervo *m.* crow; raven
cuidar to take care
cuidar niños to take care of children, babysit **U1 (3)**
culinario/a culinary
cultura *f.* culture
cultural cultural **U1 (1)**
cumpleaños *m. sing. & pl.* birthday **U4 (2)**
curioso/a curious; strange **U1 (2), U2 (3)**
curso *m.* course

CH

chaleco *m.* vest; waistcoat
chamarra *f.* coarse cloth jacket (*Mex.*)
chaqueta *f.* jacket **SP (3)**
charlar to chat, talk
¡a charlar! let's talk! **PP (4), U1 (2)**
charro *m.* cowboy (*Mex.*)
chau *interj.* good-bye, ciao **PP (4)**
chévere *coll.* terrific, great (*Cuba, Puerto Rico*)
chicano *m.*, **chicana** *f.* (*n. & adj.*) chicano, Mexican-American
chico *m.*, **chica** *f.* guy, young man; girl, young woman **U1 (1)**
chiste *m.* joke
contar chistes to tell jokes **U2 (3)**
chistoso/a funny, amusing **U2 (1)**
chocolate *m.* chocolate **U1 (3)**
chubasco *m.* storm, shower

D

danza *f.* dance
dar *irreg.* to give
dar una vuelta to turn around
me da igual it's all the same to me **U1 (3)**
datos *m. pl.* information, facts **U2 (2)**
de *prep.* of; from **PP (1)**; about **U1 (1)**
de nada you're welcome **SP (4)**
¿de qué color es... ? what color is . . . ? **PP (2)**
del (*contr. of* **de** + **el**) of the; from the
dé give
dé, den una vuelta turn around **PP (3)**
déme, denme give me **PP (3)**
debajo de *prep.* under, underneath
deber should, must, ought to; to owe
decidir to decide
decide decide **PP (3)**
decimos: ¿por qué lo decimos así? why do we say it that way? **PP (1)**
¿y ahora qué decimos? and now, what shall we say?
decir *irreg.* to say, tell
¿qué podemos decir? what can we say?
dedicación *f.* dedication
defensa *f.* defense
definición *f.* definition **U3 (1)**
del (*contr. of* **de** + **el**) of the; from the
del mundo hispano from the Hispanic world **PP (1)**
delante de in front of
delgado/a thin, slender **U2 (1)**
delicioso/a delicious **U3 (1)**
demasiado too, too much
déme give me **PP (3)**
democracia *f. democracy*

demostración *f.* demonstration
den give
den una vuelta turn around **PP (3)**
denme give me **PP (3)**
dentista *m., f.* dentist **U2 (3)**
ir al dentista to go to the dentist **U1 (3)**
dentro: por dentro *adv.* inside
departamento *m.* department
depender (de) to depend (on)
depende it depends
deporte *m.* sport **U1 (2), U2 (1), U4 (1)**
¿a qué (deporte) juega(n)? what (sport) does he/she, do you (*pol. sing.*)/they play? **U4 (1)**
campo (*m.*) **de deportes** playing field **U3 (2)**
deporte de equipo/individual team/individual sport **U4 (1)**
practicar deportes to play sports **U3 (2), U4 (1)**
deportivo/a *adj.* sports, sports-minded **U4 (1)**
derecha *f.* right (side)
a la derecha de to the right of
mire(n) a la derecha look to the right **PP (3)**
desarrollo *m.* development
desastre *m.* disaster **U4 (2)**
desayuno *m.* breakfast **U4 (2)**
descansar to rest **U1 (3)**
describir to describe
describe describe **U2 (1)**
descripción *f.* description **SP (1), U2 (1)**
desde *prep.* from
desear to wish
desordenado/a disorderly **U4 (2)**
despedida *f.* leave-taking **PP (4)**
despejado/a *adj.* clear, cloudless
después *adv.* after, afterward
después de *prep.* after **U3 (3)**
detestar to detest, hate **U3 (1)**
di say, tell **SP (4)**
dime algo más tell me more
día *m.* day **SP (2)**
buenos días good morning **PP (4)**
Día de la Independencia Independence Day **U4 (3)**
Día de la Madre Mother's Day **U4 (3)**
Día de la Raza Columbus Day (*U.S.*) **U4 (3)**
Día de los Enamorados Valentine's Day **U4 (3)**
día feriado holiday **U4 (3)**
días de la semana days of the week **SP (2)**
todo el día all day, all day long **U1 (3)**
todos los días every day **U1 (2)**
diálogo *m.* dialogue **PP (1)**
diario *m.* diary; journal
dibujar to draw **U3 (3)**
dibujo *m.* drawing **PP (1)**
dibujos (*pl.*) **animados** cartoons **U1 (3)**
diccionario *m.* dictionary **U3 (2)**
buscar palabras en el diccionario to look up words in the dictionary **U3 (2)**
dice he/she says, you (*pol. sing.*) say **U1 (1)**
así se dice... that's how you say . . . **PP (1)**
¿cómo se dice esto en español? how do you say this in Spanish? **SP (4)**
se dice... you say . . . **SP (4)**
dices: y ahora, ¿qué dices tú? and now, what do you say? **SP (2)**
y tú, ¿qué dices? and you, what do you have to say? **PP (1)**
diciembre *m.* December **U1 (3)**
diecinueve nineteen **SP (2)**
dieciocho eighteen **SP (2)**
dieciséis sixteen **SP (2)**
diecisiete seventeen **SP (2)**
diez ten **SP (2)**
diferencia *f.* difference **SP (3)**
diferente different
difícil hard, difficult **U1 (2)**
dinero *m.* money **U3 (1)**
dirección *f.* address **U2 (2)**
directo/a direct
en directo live (programming)
director *m.*, **directora** *f.* principal, director **PP (3)**
oficina (*f.*) **del director/de la directora** principal's office **U3 (2)**
diría: ¿quién diría... ? who would say . . . ? **U1 (2)**
disco *m.* record
disco compacto compact disc **U4 (2)**
diseñar to design
diseño *m.* design
disfrutar de to enjoy
disponible available
dispuesto/a well-disposed
distinto/a different, distinct
distraído/a absent-minded, distracted **U3 (2)**
distrito *m.* district

diversión *f.* diversion; entertainment
divertido/a amusing, fun **U1 (2)**
¡qué divertido! what fun! **U1 (3)**
divertir (ie, i) to amuse
divertirse to have a good time
doble *adj.* double
doce twelve **SP (2)**
docena *f.* dozen
doctor *m.*, **doctora** *f.* doctor
documental *m.* documentary (*film*)
dólar *m.* dollar
domingo *m.* Sunday **SP (2)**
el domingo on Sunday **U1 (3)**
los domingos on Sundays **U1 (3)**
dominguero/a *adj. coll.* Sunday
don title of respect preceding a man's first name
dona *f.* doughnut **U3 (1)**
donde *adv.* where
¿dónde? where?
¿de dónde eres? where are you (*inf. sing.*) from? **U2 (2)**
¿de dónde es? where is he/she from? **U2 (2)**
¿dónde vives? where do you (*inf. sing.*) live? **U2 (2)**
doña title of respect preceding a woman's first name
dormir (ue, u) to sleep
dormir hasta tarde to sleep late **U4 (2)**
dormirse to fall asleep
dos two **SP (2)**
dos veces twice **U3 (1)**
doy I give
dueño *m.*, **dueña** *f.* owner
duodécimo/a twelfth
duque *m.*, **duquesa** *f.* duke, duchess
duración *f.* duration, length
durante during **U3 (3)**
durar to last; to remain

E

e and (used instead of **y** before words beginning with **i** or **hi**)
economía *f.* economy
edad *f.* age **U2 (2)**
edición *f.* edition, issue
edificio *m.* building
edificio de apartamentos apartment building
educación (*f.*) **física** physical education, P.E. **U1 (2)**
EE.UU. *m. pl.* (*abbrev. for* **Estados Unidos**) United States
égida *f.* aegis, sponsorship
ejemplar *m.* copy; sample
ejemplo *m.* example **U2 (2)**
por ejemplo for example **U3 (1)**
ejercicio *m.* exercise **PP (1)**
hacer ejercicio to exercise **U1 (3), U2 (3)**
el *m. sing. definite article* the
él *m. sub. pron.* he; *obj. of prep.* him
electrizante *adj.* electrified
elefante *m.*, **elefanta** *f.* elephant
elegante elegant **U2 (3), U4 (1)**
eliminar to eliminate
ella *f. sub. pron.* she; *obj. of prep.* her
ello that, that thing, that fact
ellos *m.*, **ellas** *f. pl. sub. pron.* they **U3 (1)**; *obj. of prep.* them
emisor(a) emitting, broadcasting
emocionante exciting **U4 (1)**
empezar (ie) (c) to begin
¿a qué hora empieza la clase? when does class begin?
empieza begin **U1 (2)**
en in **PP (1)**; at; on
en casa at home **U1 (3)**
en total in all, in total **U1 (1)**
enamorado *m.*, **enamorada** *f.* lover
Día (*m.*) **de los Enamorados** Valentine's Day **U4 (3)**
enamorado/a (de) in love (with)
encantar to charm, delight
encantarse to enjoy very much
encontrar (ue) to find
encontrarse (con) to meet (with)
energía *f.* energy
enero *m.* January **U1 (3)**
enfermería *f.* infirmary, nurse's office **U3 (2)**
enfermero *m.*, **enfermera** *f.* (*hospital*) nurse
enfermo/a sick, ill **SP (1)**
estoy enfermo/a I'm sick **SP (1)**
enfrente de *prep.* in front of
enorme enormous **U2 (1)**
ensalada *f.* salad **U3 (1)**
enseñar to teach
entender (ie) to understand
entonces *adv.* then, well
entrar to enter **U4 (2)**
entre *prep.* between, among **SP (3), U3 (1)**
entre paréntesis in parentheses **U3 (3)**
entregar (gu) to turn in, hand in **U3 (3)**
entrenador *m.*, **entrenadora** *f.* trainer
entrenamientos *m. pl.* coaching, training
entretejer to interweave; to mix, mingle
entrevista *f.* interview

equipo *m.* team **U4 (1)**
deporte (*m.*) **de equipo** team sport **U4 (1)**
¿qué equipo ganó/perdió? which team won/lost? **U4 (1)**
equis (*the letter*) x
eres you (*inf. sing.*) are **U2 (1)**
¿cómo eres? what are you like?
¿de dónde eres? where are you from? **U2 (2)**
erre (*the letter*) r
error *m.* error **U2 (3)**
es he/she is **PP (1)**; you (*pol. sing.*) are **U2 (1)**
¿cómo es? what is it like? **U2 (1)**
¿de dónde es? where is he/she from?; where are you (*pol. sing.*) from? **U2 (2)**
¿de quién es? whose is it? **U2 (3)**
es de... he/she is from . . . ; you (*pol. sing.*) are from . . . **U2 (2)**
es el... de... it is the . . .th of . . . (*date*) **U4 (3)**
es el primero de... it is the first of . . . (*date*) **U4 (3)**
es la una it's one o'clock **SP (4)**
¿qué hora es? what time is it? **SP (4)**
¿quién es... ? who is . . . ? **U2 (1)**
escoger (j) to choose
escoge pick, choose **PP (1)**
escolar *adj.* (*pertaining to*) school
escribir to write **U1 (3), U3 (3)**
¿cómo se escribe... ? how do you spell . . . ? **SP (4)**
escriba(n) write **PP (3)**
escritor *m.*, **escritora** *f.* writer
escritorio *m.* desk **U1 (1)**
escuchar to listen (to) **U1 (3)**
escuche(n) listen **PP (3)**
escuela *f.* school **PP (2), U3 (2)**
escuela primaria elementary school
escuela secundaria high school
escultor *m.*, **escultora** *f.* sculptor, sculptress
ese, esa *adj.* that
ése *m.*, **ésa** *f. pron.* that (one)
esmeralda *f.* emerald
eso *pron.* that, that thing, that fact **U4 (2)**
esos, esas *adj. pl.* those
ésos *m.*, **ésas** *f. pl. pron.* those (ones)
espacio *m.* space
espaguetis *m. pl.* spaghetti **U3 (1)**
España *f.* Spain
español *m.* Spanish (*language*) **SP (1)**
clase (*f.*) **de español** Spanish class **PP (2)**
¿cómo se dice esto en español? how do you say this in Spanish? **SP (4)**
español *m.*, **española** *f.* (*n. & adj.*) Spaniard; Spanish
especial special
especialmente especially **U3 (1)**
especificar (qu) to specify; to define
espectáculo *m.* show, performance
centro (*m.*) **de espectáculos** arena
esperar to wait (for); to hope; to expect **U3 (3)**
espíritu *m.* spirit
esposo *m.*, **esposa** *f.* spouse; husband, wife **U2 (3)**
esquí *m.* ski; skiing **U4 (1)**
esquiar (esquío) to ski **U1 (3), U4 (1)**
esquiar en el agua to water-ski **U4 (1)**
estación *f.* station; season (*of the year*) **U4 (3)**
estacionamiento *n. m.* parking, parking lot **U3 (2)**
estadio *m.* stadium
Estados (*m. pl.*) **Unidos** United States **PP (2)**
estar *irreg.* to be **SP (1)**
¿cómo está él/ella? how is he/she? **PP (4)**
¿cómo está usted? how are you (*pol. sing.*)? **SP (1)**
¿cómo estás? how are you (*inf. sing.*)? **PP (4)**
está he/she is; you (*pol. sing.*) are **SP (1)**
está nublado it's cloudy **U4 (3)**
estaba he/she/it was
estar ausente to be absent **U3 (3)**
estar fuerte en to be strong, proficient in (*a subject*) **U3 (3)**
estar más o menos to be (feeling) OK, fine
estás you (*inf. sing.*) are **SP (1)**
mañana voy a estar ausente tomorrow I'm going to be absent **U3 (3)**
estatura *f.*: **de estatura mediana** of medium height
este, esta *adj.* this **U4 (2)**
esta mañana/tarde/noche this morning/afternoon/evening **U4 (2)**
esta semana this week **U4 (2)**
este mes/año this month/year **U4 (2)**
éste *m.*, **ésta** *f. pron.* this (one)
ésta es mi amiga... this is my friend . . . **SP (1)**

éste es mi amigo... this is my friend . . . **SP (1)**
estéreo *m.* stereo
estilo *m.* style
estimado/a dear (*salutation in a letter*)
esto *m.* this, this thing, this fact
¿cómo se dice esto en español? how do you say this in Spanish? **SP (4)**
estos, estas *adj.* these **SP (1), U4 (2)**
hazle estas preguntas a... ask . . . these questions **U1 (2)**
éstos *m.*, **éstas** *f. pl. pron.* these (*ones*)
estoy I am **SP (1)**
estoy (cansado/a, contento/a, enfermo/a, nervioso/a, ocupado/a) I'm (tired, happy, sick, nervous, busy) **SP (1)**
(yo) estoy muy bien I'm fine **PP (4)**
estrella *f.* star
estricto/a strict **U2 (3)**
estudiante *m., f.* student **PP (1)**
estudiante de intercambio exchange student **U3 (3)**
estudiantil *adj.* student
estudiar to study **U1 (3)**
estudia study **PP (1)**
estudiar para un examen to study for a test **U3 (2)**
estudie(n) study **PP (3)**
estudio *m.* study
estudios (*pl.*) **sociales** social studies
hora (*f.*) **de estudio** study hall (*period*) **U1 (2)**
sala (*f.*) **de estudio** study (*room*)
estudioso/a studious **U2 (1)**
etapa *f.* stage (*of a process, journey*)
ética *f. sing.* ethics
Europa *f.* Europe
exageración *f.* exaggeration
exagerado/a exaggerated
exagerar to exaggerate
examen *m.* exam, test **PP (3)**
estudiar para un examen to study for a test **U3 (2)**
examinar to examine, inspect
excelente excellent **U1 (2)**
excepto *prep.* except
excusa *f.* excuse **U3 (3)**
exigente demanding **U2 (1)**
existir to exist
éxito *m.* success
experiencia *f.* experience
experimento *m.* experiment **U3 (2)**
hacer experimentos to do experiments **U3 (2)**
explicar (qu) to explain
explica explain **U2 (1)**
explosión *f.* explosion
expresar to express
expresión *f.* expression
expresiones (*pl.*) **de cortesía** expressions of courtesy, pleasantries **SP (4)**
extinción *f.* extinction

F

fácil easy **U1 (2)**
facilidad *f.* facility
falda *f.* skirt **PP (2)**
falso/a false **U2 (1)**
fallar to fail
fallar en una prueba to fail a quiz **U3 (3)**
fama *f.* fame
familia *f.* family **U2 (3)**
famoso/a famous **U3 (1)**
fantástico/a fantastic **U1 (2)**
farmacia *f.* pharmacy **U2 (2)**
favor *m.*: **por favor** please **SP (4)**
favorito/a favorite **U1 (2)**
febrero *m.* February **U1 (3)**
fecha *f.* date
¿cuál es la fecha de hoy? what's today's date? **U4 (3)**
fecha de nacimiento birthdate
¿qué fecha es hoy? what's today's date? **U4 (3)**
¡felicidades! *f.* congratulations
feliz (*pl.* **felices**) happy
feo/a ugly **U2 (1)**
feria *f.* fair, amusement park
feriado/a: día (*m.*) **feriado** holiday **U4 (3)**
ferrocarril *m.* railway, railroad
festivo/a: día (*m.*) **festivo** holiday
ficción: ciencia ficción *f.* science fiction
fideos *m. pl.* noodles **U3 (1)**
fiebre *f.* fever
fiesta *f.* party **U1 (3), U4 (2)**
día (*m.*) **de fiesta** holiday
figura *f.* figure; face
fila *f.* line, row
fin *m.* end
fin de semana weekend **U1 (3)**
finalmente finally
física *f. sing.* physics
físico/a *adj.* physical **U2 (1)**
educación (*f.*) **física** physical education, P.E. **U1 (2)**
flaco/a skinny
flamenco/a *adj.* Flamenco, Andalusian gypsy (*dance, song*)
flor *f.* flower **SP (3)**
forma *f.* form
formato *m.* format
formidable great

fórmula *f.* formula
foto *f.* photo **SP (3)**
sacar fotos to take pictures **U4 (2)**
fotografía *f.* photograph; photography
fotógrafo *m.*, **fotógrafa** *f.* photographer
francés *m.* French (*language*) **U2 (2)**
Francia *f.* France
frase *f.* phrase **SP (2)**
frecuencia *f.* frequency
con frecuencia frequently **U3 (3)**
frecuencia modulada F.M. (*radio*)
fresco/a fresh
hace fresco it's cool (*weather*) **U4 (3)**
frío/a cold
hace frío it's cold (*weather*) **U4 (3)**
frito/a fried **U3 (1)**
papas (*f. pl.*) **fritas** french fries **U3 (1)**
pollo (*m.*) **frito** fried chicken
fritura (*f.*) **de pescado** fried fish
fruta *f.* fruit **U3 (1)**
fue (*past tense of* **ser**) he/she was, you (*pol. sing.*) were; (*past tense of* **ir**) he/she/you (*pol. sing.*) went
¿cuál fue el tanteo? what was the score? **U4 (1)**
fuera: cenar fuera to eat out **U4 (2)**
fuerte strong **U2 (1)**
estar fuerte en to be strong, proficient in (*a subject*) **U3 (3)**
fumar to smoke
fútbol *m.* soccer **U1 (3)**
fútbol americano football **U1 (3)**
jugar al fútbol to play soccer
futbolista *m.* football player; soccer player
futuro *m.* future

G

galleta *f.* cookie, cracker
galletita *f.* cookie, cracker **U3 (1)**
ganador *m.*, **ganadora** *f.* winner **U4 (1)**
ganar to win; to earn
¿qué equipo ganó? which team won? **U4 (1)**
gato *m.*, **gata** *f.* cat **U1 (2)**
genealógico/a genealogical
general: en general in general
por lo general in general **U3 (3)**
generalmente generally
generoso/a generous **U2 (1)**
genio *m.* genius
gente *f. sing.* people
geografía *f.* geography **U1 (2)**
geográfico/a geographic, geographical
geometría *f.* geometry **U1 (2)**
gigante *m.* giant **U2 (1)**; *adj.* gigantic, huge **U2 (1)**
gimnasia *f. sing.* gymnastics
hacer gimnasia to do gymnastics **U4 (1)**
gimnasio *m.* gym, gymnasium **U1 (2), U3 (2)**
gimnasta *m., f.* gymnast
globo *m.* globe; balloon
gobierno *m.* government
golf *m.* golf **U4 (1)**
jugar al golf to play golf **U4 (1)**
gordito/a chubby, a little overweight **U2 (1)**
gordo/a fat **U2 (1)**
gorra *f.* cap, baseball cap
gracias thank you; thanks **PP (4)**
(muy) bien, gracias (very) well, thanks **PP (4)**
muchas gracias thank you very much
grado *m.* degree **U4 (3);** grade
grados centígrados degrees Centigrade **U4 (3)**
gramática *f.* grammar
gramatical grammatical
gran, grande great; big, large **U1 (1)**
griego *m.*, **griega** *f.* (*n. & adj.*) Greek
i griega (*the letter*) y
gris gray **PP (2), U2 (1)**
gritar to shout
grupo *m.* group
conversen en grupos talk in groups **U3 (3)**
guante *m.* glove **U4 (3)**
guapo/a handsome **U2 (1)**
guardapolvo *m.* duster; smock
guerra *f.* war
guía *f.* guide; *m., f.* guide (*person*) **U1 (2)**
guía (*f.*) **de programas de televisión** TV guide
guitarra *f.* guitar
tocar la guitarra to play the guitar
guitarrista *m., f.* guitarist
gustar to like, be pleasing to **U1 (3), U4 (1)**
¿a quién le gusta... ? who likes . . . ? **U1 (3)**
¿a quiénes les gusta... ? who (*pl.*) likes to . . . ? **U4 (1)**
gusta/gustan is/are pleasing
gustaría: me gustaría I would like
les gusta + *infin.* they/you (*pl.*) like to (*do something*) **U4 (1)**
me gusta más... I like . . . best **U1 (3)**

me gusta muchísimo I like it a lot **U1 (3)**
me gustaría hacer una cita con usted I would like to make an appointment with you **U3 (3)**
me/te/le gusta I/you (*inf. sing.*)/you (*pol. sing.*), he, she like(s) **U1 (3)**
no me gusta nada I don't like it at all **U1 (3)**
nos gusta + *infin.* we like to (*do something*) **U4 (1)**
gusto *m.* taste **U1 (3)**
gustos *pl.* likes, preferences
mucho gusto pleased to meet you **SP (1)**

H

ha he/she/it has (*auxiliary*)
haber *irreg.* to have (*auxiliary*)
hábito *m.* habit
hablar to speak, talk **U1 (3)**
habla he/she speaks, is speaking **PP (3)**
hablan they speak, are speaking **SP (1)**
hablar por teléfono to talk on the telephone **U1 (3)**
hablas you (*inf. sing.*) speak, are speaking **SP (1)**
hacer *irreg.* to do; to make **U3 (2)**
hace he/she does/makes, you (*pol. sing.*) do/make **U3 (2)**
hace buen/mal tiempo it's good/bad weather **U4 (3)**
hace calor/fresco/frío/sol/viento it's hot/cool/cold/sunny/windy **U4 (3)**
hacemos we do/make **U3 (2)**
hacer aeróbicos to do aerobics
hacer cola to wait in line **U3 (3)**
hacer ejercicio to exercise **U1 (3), U2 (3)**
hacer experimentos to do experiments **U3 (2)**
hacer gimnasia to do gymnastics **U4 (1)**
hacer la tarea to do the homework
hacer preguntas to ask questions **U3 (3)**
hacer una cita to make an appointment **U3 (3)**
haces you (*inf. sing.*) do/make **U3 (2)**
me gustaría hacer una cita con usted I would like to make an appointment with you **U3 (3)**
me olvidé de hacer la tarea I forgot to do the homework **U3 (3)**
¿qué tiempo hace? what's the weather like? **U4 (3)**
hago I do/make **U3 (2)**
hallar to find
hambre *f.* (*but*, **el hambre**) hunger
tener (mucha) hambre to be (very) hungry **U3 (1)**
hamburguesa *f.* hamburger **U3 (1)**
han they have (*auxiliary*)
hasta *prep.* up to, until; *adv.* even **U1 (1)**
dormir hasta tarde to sleep late **U4 (2)**
hasta la vista see you later
hasta luego see you later; until later **PP (4)**
hasta mañana see you tomorrow; until tomorrow **PP (4)**
hasta pronto see you soon
hay there is, there are **SP (1)**
hay que + *infin.* one must (*do something*)
heladería *f.* ice cream parlor **U4 (2)**
helado *m.* ice cream **U1 (3)**
tomar helado to eat ice cream **U1 (3), U4 (2)**
hermanastro *m.*, **hermanastra** *f.* stepbrother, stepsister **U2 (3)**
hermano *m.*, **hermana** *f.* brother, sister **U2 (3)**
hermano/a mayor older brother/sister **U2 (3)**
hermano/a menor younger brother/sister **U2 (3)**
hermanos *m. pl.* brothers and sisters, siblings **U2 (3)**
hermoso/a beautiful
hielo *m.* ice
patinar sobre hielo to ice-skate **U4 (1)**
hierba *f.* grass
hijo *m.*, **hija** *f.* son, daughter **U2 (3)**
hijos *pl.* sons and daughters **U2 (3)**
hilo *m.* thread, string
hispánico *m.*, **hispánica** *f.* (*n. & adj.*) Hispanic
hispano *m.*, **hispana** *f.* (*n. & adj.*) Hispanic **SP (2)**
del mundo hispano from the Hispanic world **PP (1)**
Hispanoamérica *f.* Spanish America
historia *f.* history **SP (4)**
historia universal world history **U1 (2)**
hizo he/she/it did, made
¡hola! hello, hi **PP (1), PP (4)**
hombre *m.* man **U2 (1)**
honesto/a honest
honor *m.* honor
hora *f.* hour **SP (4)**; time
a la hora del almuerzo, de la merienda at lunchtime, snack time
¿a qué hora (es)... ? at what time is . . . ? **U1 (2)**

hora de estudio study hall (period) **U1 (2)**
¿qué hora es? what time is it? **SP (4)**
horario *m.* schedule
horario de clases class schedule **U1 (2)**
hormiguero *m.* anthill; swarm
horno *m.* oven
horrible horrible **U3 (1)**
horror *m.*: **¡qué horror!** how awful! **U1 (3)**
hoy today **PP (2)**
¿cuál es la fecha de hoy? what's today's date? **U4 (3)**
¿qué fecha es hoy? what's today's date? **U4 (3)**
humano/a *adj.* human
humor *m.* humor; mood
tener sentido del humor to have a sense of humor

I

idea *f.*: **¡qué buena idea!** what a good idea!
¿qué ideas captaste? what ideas did you get? **U1 (1)**
idéntico/a identical
identificación *f.* identification
idioma *m.* language **SP (4)**
ídolo *m.* idol, admired or loved person
iglesia *f.* church **U4 (2)**
igual equal
me da igual it's all the same to me **U1 (3)**
igualmente likewise **SP (1)**
ilusión *f.* illusion; dream
imagen *f.* image
imaginación *f.* imagination
imaginar(se) to imagine
imaginario/a imaginary
imagínate imagine **SP (1)**
impermeable *m.* raincoat **U4 (3)**
importante important
imposible impossible
impulsivo/a impulsive **U2 (1)**
incluir (y) to include
increíble unbelievable
independencia *f.*: **Día** (*m.*) **de la Independencia** Independence Day **U4 (3)**
independiente independent
Indias *f. pl.* the Indies
indicar (qu) to indicate, tell
indica indicate, tell **PP (2)**
individual: deporte (*m.*) **individual** individual sport **U4 (1)**
infancia *f.* childhood
infantil *adj.* child; children's; juvenile
influencia *f.* influence
información *f.* information
informe *m.* report **U3 (3)**
escribir informes to write reports **U3 (3)**
Inglaterra *f.* England
inglés *m.* English (*language*) **U1 (2)**
ingrediente *m.* ingredient
inolvidable unforgettable
insecto *m.* insect
instituto *m.* institute; school
instrucciones *f. pl.* instructions **PP (3)**
instrumento *m.* instrument
tocar un instrumento to play an instrument **U3 (3)**
integral whole; integral
inteligente intelligent **U2 (1)**
intensivo/a intensive
interacción *f.* interaction, exchange **SP (1)**
intercambiar to exchange
intercambio *m.*: **estudiante** (*m., f.*) **de intercambio** exchange student **U3 (3)**
interesante interesting
interesar to interest
internacional international
intérprete *m., f.* interpreter
inventar to invent, to make up
inventa invent, create **SP (1)**
inventor *m.*, **inventora** *f.* inventor
investigación *f.* research
invierno *m.* winter **U4 (3)**
invitado *m.*, **invitada** *f.* guest
invitar to invite
¡te invitamos a escribir! we invite you to write!
¡te invitamos a leer! we invite you to read! **U1 (1)**
ir *irreg.* to go **U1 (3), U3 (2), U4 (2)**
ir a misa to go to Mass
Irlanda *f.* Ireland
irlandés *m.*, **irlandesa** *f.* Irishman, Irishwoman
isla *f.* island
Italia *f.* Italy
italiano *m.*, **italiana** *f.* (*n. & adj.*) Italian **U3 (1)**
izquierda left **U2 (2)**
a la izquierda (de) to the left (of)
mire(n) a la izquierda look to the left **PP (3)**
tercero izquierda the third (on the) left **U2 (2)**

J

jamón *m.* ham **U3 (1)**
medialuna (*f.*) **de jamón** ham croissant
Japón *m.* Japan
jeans *m. pl.* jeans **SP (3)**
jinete *m.* (horseback) rider
jirafa *f.* giraffe
joven *m., f.* young person; *pl.* young people **U2 (2)**; *adj.* young **U2 (1)**

jubilado/a retired
juego *m.* game
jueves *m. sing. & pl.* Thursday **SP (2)**
juez *m.*, **jueza** *f.* (*m. pl.* **jueces**) judge
jugador *m.*, **jugadora** *f.* player **U4 (1)**
jugar (ue) to play (*a sport*) **U1 (3), U4 (1, 2)**
  ¿a qué (deporte) juega(n)? what (sport) does he/she, do you (*pol. sing., pl.*) play? **U4 (1)**
  ¿a qué (deporte) juegas? what (sport) do you (*inf. sing.*) play?
  juega al... he/she plays, you (*pol. sing.*) play (*sport*) **U3 (2)**
  juegas al you (*inf. sing.*) play (*sport*) **U4 (1)**
  juego al (*sport*) I play **U3 (2)**
  jugar al básquetbol to play basketball **U3 (2)**
  jugar al béisbol/golf to play baseball/golf **U4 (1)**
jugo *m.* juice **U3 (1)**
  jugo de manzana/naranja apple/orange juice
juguete *m.* toy **U4 (2)**
julio *m.* July **U1 (3)**
junio *m.* June **U1 (3)**
junto a next to
juntos/as *adj.* together **U3 (2)**
justicia *f.* justice
justo/a fair **U4 (2)**
juvenil *adj.* junior; juvenile

L

la *f. sing. definite article* the
  la *d.o.* you (*pol. f. sing.*); her, it (*f.*)
laboratorio *m.* laboratory
  laboratorio de ciencias science lab **U3 (2)**
  laboratorio de computación computer lab **U3 (2)**
lacio/a straight (*hair*) **U2 (1)**
lado *m.* side
  de lado sideways
  por todos lados on all sides **U1 (3), U4 (2)**
lago *m.* lake **U1 (3), U4 (3)**
lápiz *m.* (*pl.* **lápices**) pencil **PP (3)**
largo/a long **U2 (1)**
  película (*f.*) **de largo metraje** feature film
las *f. pl. definite article* the
  las *d.o.* you (*pol. f. pl.*); them (*f.*)
lasaña *f.* lasagna
lástima *f.*: **¡qué lástima!** what a shame! **SP (1)**
latino/a *adj.* Latin, Latino
le *i.o.* to/for him, her, it, you (*pol. sing.*)
lea(n) read **PP (3)**
lección *f.* lesson **PP (1)**
lectura *n. f.* reading **U1 (2)**
leche *f.* milk **U3 (1)**
lechuga *f.* lettuce **U3 (1)**
leer (y) to read **U1 (3)**
  leer las tiras cómicas to read the comics, funnies **U4 (2)**
  leer poemas to read poetry **U3 (3)**
  ¡te invitamos a leer! we invite you to read! **U1 (1)**
lengua *f.* language **U2 (2)**
lentes *m. pl.* (eye)glasses
  lentes de sol sunglasses **SP (3)**
león *m.* lion
les *i.o.* to/for them, you (*pol. pl.*)
letrero *m.* sign **U3 (2)**
levantar to lift
  levantar pesas to lift weights **U4 (1)**
  levantarse to get up
  levante(n) (la mano) raise (your hand) **PP (3)**
libertad *f.* liberty
libre free
  lucha (*n. f.*) **libre** wrestling
librería *f.* bookstore
libro *m.* book **PP (3)**
licuado/a blended, liquified
licuadora *f.* blender
licuar (licúo) to blend, liquify
limonada *f.* lemonade **U3 (1)**
limpiar to clean
línea *f.* line
lista *f.* list **SP (1)**
literario/a literary
literatura *f.* literature **U1 (2), U3 (3)**
lo *d.o.* him, it (*m.*), you (*pol. m. sing.*)
  lo primero que the first thing that **U3 (3)**
  lo que what, that which **U3 (1)**
  lo siento I'm sorry **U2 (3)**
  por lo general in general **U3 (3)**
loco *m.*, **loca** *f.* crazy person; *adj.* crazy **PP (2)**
  a tontas y a locas haphazardly, helter-skelter
lógicamente logically
lógico/a logical
lóquer *m.* locker **U1 (2)**
loro *m.* parrot
los *m. pl. definite article* the
  los *d.o.* you (*pol. m. pl.*); them (*m.*)
lotería *f.* lottery
lucha (*n., f.*) **libre** wrestling
  practicar lucha libre to wrestle **U4 (1)**
luego then
  hasta luego see you later; until later **PP (4)**
lugar *m.* place **PP (2), U1 (1)**

lugar de nacimiento birthplace
luna *f.* moon
lunes *m. sing. & pl.* Monday **SP (2)**

LL

llamar to call
llamarse to be named
¿cómo se llama él/ella? what is his/her name? **PP (1)**
¿cómo te llamas? what is your (*inf. sing.*) name? **PP (1)**
(yo) me llamo... my name is . . . **PP (1)**
(él/ella) se llama... his/her name is . . . **PP (1)**
te llamas... your name is . . . **PP (1)**
llegar (gu) to arrive **U3 (3)**
llevar to wear **SP (3)**; to bring; to carry
lleva he/she wears, is wearing **PP (2), SP (3)**; you (*pol. sing.*) wear, are wearing **SP (3)**
llevan they wear, are wearing **PP (2)**; you (*pl.*) wear, are wearing
llevas you (*inf. sing.*) wear, are wearing **SP (3)**
llevo I wear, am wearing **SP (3)**
llorar to cry
llorón *m.*, **llorona** *f.* crier, weeper; *f.* hired mourner
llover (ue) to rain
llueve it's raining **U4 (3)**
lluvia *f.* rain

M

madrastra *f.* stepmother **U2 (3)**
madre *f.* mother **U2 (3)**
Día (*m.*) **de la Madre** Mother's Day **U4 (3)**
magisterio *m.* teachers; teaching profession
mago *m.* magician
mal *adv.* badly
mal, malo/a *adj.* bad
hace mal tiempo it's bad weather **U4 (3)**
hierba (*f.*) **mala** weed
sacar malas notas to get bad grades **U3 (3)**
mamá *f. coll.* mom **U2 (3)**
mami *f. coll.* mom
mandar to send; to order
mandato *m.* command **PP (3)**
manera *f.* way, manner
de manera in a way
mano *f.* hand **U2 (1)**
levante(n) la mano raise your hand **PP (3)**
mantequilla *f.* butter **U3 (1)**
mantequilla de cacahuete peanut butter **U3 (1)**
pan (*m.*) **con mantequilla** bread and butter
manzana *f.* apple **PP (2)**
jugo (*m.*) **de manzana** apple juice
mañana *f.* morning; tomorrow
de la mañana in the morning, A.M. **SP (4)**
esta mañana this morning **U4 (2)**
hasta mañana see you tomorrow; until tomorrow **PP (4)**
mañana por la mañana/por la tarde/por la noche tomorrow morning/afternoon/evening, night **U4 (2)**
mañana voy a estar ausente tomorrow I'm going to be absent **U3 (3)**
por la mañana in the morning **SP (1)**
todas las mañanas every morning
mapa *m.* map **U1 (1)**
máquina *f.* machine; exercise machine
mar *m.* sea **U1 (3)**
marinero *m.* sailor
martes *m. sing. & pl.* Tuesday **SP (2)**
marzo *m.* March **U1 (3)**
más more **PP (4), U2 (1)**; most
más o menos *coll.* OK, hanging in there **PP (4)**
más tarde later
me gusta más... I like . . . more **U1 (3)**
mascota *f.* pet; mascot
matemáticas *f. pl.* mathematics **SP (1)**
materia *f.* subject (*academic*) **U1 (2)**
máximo/a *adj.* maximum
¿cuál es la temperatura máxima? what is the high temperature? **U4 (3)**
mayo *m.* May **U1 (3)**
mayor older; oldest
hermano/a mayor older brother, sister **U2 (3)**
me *d.o.* me; *i.o.* to/for me; *refl. pron.* myself
mecánica *f. sing.* mechanics
medialuna (*f.*) **de jamón** ham croissant
mediano/a: de estatura mediana of average height
médico *m.*, **médica** *f.* doctor
medio/a *adj.* average; half
...y media . . . thirty, half past . . . **U1 (2)**
mediodía *m.* noon
mejor better; best
mejor amigo/a best friend **U2 (1)**
melómano *m.*, **melómana** *f.* music buff, melomaniac
mencionar to mention

menor younger; youngest
hermano/a menor younger brother, sister **U2 (3)**
menos less, fewer; least; (*minutes*) till **U1 (2)**
más o menos *coll.* more or less; OK, hanging in there **PP (4)**
menos cuarto quarter to
menú *m.* menu **U3 (1)**
mercado *m.* market
merienda *f.* snack **U3 (1)**
mermelada *f.* marmalade **U3 (1)**
mes *m.* month **U1 (3)**
el próximo mes next month **U4 (2)**
este mes this month **U4 (2)**
mesa *f.* table **U1 (1)**
metro *m.* metro, subway; meter
metros sur de... meters south of . . . **U2 (2)**
mexicano *m.*, **mexicana** *f.* (*n. & adj.*) Mexican **SP (1)**
México *m.* Mexico
mezclado/a mixed; miscellaneous
mi(s) *poss. adj.* my **SP (1), U2 (3)**
mí *obj. of prep.* me
a mí to me **U4 (1)**
microorganismo *m.* microorganism
microscopio *m.* microscope
miembro *m.* member
mientras while
miércoles *m. sing. & pl.* Wednesday **SP (2)**
mil *m.* one thousand, a thousand
mineral mineral
agua (*f., but* **el agua**) **mineral** mineral water **U3 (1)**
mínimo *m.* minimum
mínimo/a *adj.* minimum
¿cuál es la temperatura mínima? what is the low temperature? **U4 (3)**
minuto *m.* minute
mirador *m.* watchtower; balcony
mirar to look at
mira look; look at **PP (3)**
mirar la televisión to watch television **U1 (3)**
mire(n) look at/to **PP (3)**
mire(n) a la derecha / a la izquierda look to the right/left **PP (3)**
misa *f.* Mass (*Catholic*)
ir a misa to go to Mass
misión *f.* mission
mismo/a same
misterio *m.* mystery
mochila *f.* backpack **SP (3)**
moda *f.* style; fashion
modelo *m.* model **PP (1)**
moderno/a modern
modesto/a modest **U2 (3)**
modulada: frecuencia (*f.*) **modulada** FM (*radio*)
momento *m.* moment
monóxido *m.* monoxide
monstruo *m.* monster **U2 (1)**
monstruoso/a monstrous
montaña *f.* mountain **U4 (3)**
montar to ride
montar a caballo to ride horseback **U4 (1)**
morado/a purple **SP (3)**
morir (ue, u) to die
morro *m.* hillock; headland
mostrar (ue) to show
motivo *m.* reason, motive
motocicleta *f.* motorcycle
motociclista *m., f.* motorcyclist
muchacho *m.*, **muchacha** *f.* boy, girl **SP (1)**
muchísimo *adv.* a lot, a great deal
me gusta muchísimo I like it a lot **U1 (3)**
mucho *adv.* a lot
mucho/a *adj.* much, a lot (of) **U1 (1)**
mucho gusto pleased to meet you **SP (1)**
tener mucha hambre/ sed/suerte to be very hungry/thirsty/ lucky **U3 (1)**
tener mucha tarea to have a lot of homework
muchos/as many **U1 (1)**
muchas gracias thank you very much
mujer *f.* woman **U2 (1)**
mundial *adj.* world; worldwide
mundo *m.* world **PP (2)**
del mundo hispano from the Hispanic world **PP (1)**
museo *m.* museum
música *f.* music **PP (3)**
tocar música to play music (on an instrument)
musical *adj.* musical **U1 (3)**
músico *m.*, **música** *f.* musician
muy very
(yo) estoy muy bien I'm fine **PP (4)**
¡muy bien! great! **PP (4)**
muy bien, gracias very well, thanks **PP (4)**

N

nacer (nazco) to be born
nacimiento *m.* birth
fecha (*f.*) **de nacimiento** birthdate
lugar (*m.*) **de nacimiento** birthplace
nacional national
nada nothing, not anything
de nada you're welcome **SP (4)**

no me gusta nada I don't like it at all **U1 (3)**
nadador *m.*, **nadadora** *f.* swimmer **U4 (1)**
nadar to swim **U1 (3)**
nadie *indef. pron.* nobody, not anybody **SP (3), U2 (1)**
naranja *f.* orange **U3 (1)**
jugo (*m.*) **de naranja** orange juice
nariz *f.* (*pl.* **narices**) nose **U2 (1)**
narración *f.* narration
natación *n. f.* swimming **U4 (1)**
nativo/a native; native-born
natural natural; fresh, uncooked
naturaleza *f.* nature
naturalmente naturally
Navidad *f.* Christmas **U4 (3)**
necesario/a necessary **U1 (2)**
necesitar to need
negro/a black **PP (2), U2 (1)**
nene *m.*, **nena** *f. coll.* baby, infant
nervioso/a nervous **SP (1)**
estoy nervioso/a I'm nervous **SP (1)**
nevar (ie) to snow
nieva it's snowing **U4 (3)**
ni *conj.* nor
ni... ni neither . . . nor
niebla *f.* fog, mist
niño *m.*, **niña** *f.* little boy, little girl; child **U1 (2)**; *pl.* children
cuidar niños to take care of children, babysit **U1 (3)**
nivel *m.* level **U1 (1)**
no no, not **PP (1)**
¿no? right?, correct? **PP (1)**
noche *f.* night
buenas noches good evening **SP (1)**; good night
de la noche in the evening, P.M. **SP (4)**
esta noche tonight **U4 (2)**
mañana por la noche tomorrow evening/night **U4 (2)**
por la noche in the evening **SP (1)**
toda la noche all night long **U4 (2)**
nombre *m.* name **PP (1)**
¿cuál es tu nombre? what is your (*inf. sing.*) name? **PP (1)**
mi nombre es... my name is . . . **PP (1)**
normal normal, ordinary **PP (2)**
normalmente normally
norteamericano *m.*, **norteamericana** *f.* (*n. & adj.*) North American
nos *d.o.* us; *i.o.* to/for us; *refl. pron.* ourselves
nos vemos see you later **PP (4)**
nosotros *m.*, **nosotras** *f., pl. sub. pron.* we **U3 (1)**; *obj. of prep.* us
nota *f.* grade **U3 (3)**
sacar buenas/malas notas to get good/bad grades **U3 (3)**
noticias *f. pl.* news
novedades *f. pl.* news
novela *f.* novel **U1 (3)**
noventa ninety **U1 (1)**
noviembre *m.* November **U1 (3)**
novio *m.*, **novia** *f.* boyfriend, girlfriend **U1 (1)**; groom, bride
nublado/a cloudy
está nublado it's cloudy **U4 (3)**
nuestro/a *poss. adj.* our
nuestros/as *pl. poss. adj.* our
nueve nine **SP (2)**
nuevo/a new **PP (1)**
número *m.* number **PP (3), U1 (1)**
número de teléfono telephone number **U2 (2)**
nunca never, not ever
casi nunca almost never **U3 (3)**

Ñ

ña *coll. abbr. for* **doña** (*feminine title of respect*)

O

o *conj.* or **PP (1)**
objetivo *m.* objective, aim, goal
objeto *m.* object
obligación *f.* obligation
obligatorio/a required
obra *f.* work, work of art
océano *m.* ocean
octubre *m.* October **SP (2), U1 (3)**
ocupado/a busy **SP (1)**
estoy ocupado/a I'm busy **SP (1)**
ochenta eighty **U1 (1)**
ocho eight **SP (2)**
odiar to hate
oeste *m.* west
oficial official
oficina *f.* office **U3 (2)**
oficina de los consejeros/del director/de la directora advisers'/principal's office **U3 (2)**
ofrecer (ofrezco) to offer
ofrecido/a offered
oír *irreg.* to hear; to listen
ojito *m.* little eye
ojo *m.* eye **U2 (1)**
¡ojo! pay attention, take note **PP (4)**
olvidar to forget

me olvidé de hacer la tarea I forgot to do the homework **U3 (3)**
olvidarse (de) to forget
once eleven **SP (2)**
opción *f.* option **U1 (3)**
opinar to think, have an opinion **U4 (1)**
¿qué opinas de... ? what do you (*inf. sing.*) think of/about . . . ? **U4 (1)**
opinión *f.* opinion **SP (3)**
optativo/a optional
óptico/a optic, optical
oración *f.* sentence (*gram.*) **SP (1)**
ordenado/a orderly, neat **U4 (2)**
oreja *f.* (outer) ear **U2 (1)**
organizado/a organized **U2 (1)**
organizar (c) to organize
orientación *f.* orientation **PP (1)**
oro *m.* gold
os *d.o.* you (*inf. pl. Sp.*); *i.o.* to/for you (*inf. pl. Sp.*); *refl. pron.* yourselves (*inf. pl. Sp.*)
oso *m.* bear
otoño *m.* autumn, fall **U4 (3)**
otro/a *pron. & adj.* other, another **SP (3), U1 (1)**
otra vez again
oxígeno *m.* oxygen

P

paciente *adj.* patient **U2 (1)**
Pacífico *m.* Pacific (Ocean)
padrastro *m.* stepfather **U2 (3)**
padre *m.* father **U2 (3)**; *m. pl.* parents **U2 (3)**
paella *f.* paella (*Valencian dish made with rice, shellfish, often chicken, and flavored with saffron*)
página *f.* page **PP (1)**
país *m.* country **U2 (2)**
pájaro *m.* bird
palabra *f.* word
buscar palabras en el diccionario to look up words in the dictionary **U3 (2)**
palabra semejante cognate
palabras de repaso review words **PP (4)**
palabras del texto words from the text **PP (1)**
palabras útiles useful words **PP (1)**
palco *m.* box (*in theater*); stand (*in arena*)
palmear to clap, applaud
pan *m.* bread **U3 (1)**
pan con mantequilla bread and butter
Panamá *m.* Panama
pantalones *m. pl.* pants **PP (2)**
pantalones cortos shorts
papa *f.* potato
papas fritas French fries **U3 (1)**
papá *m. coll.* dad **U2 (3)**
papás *m. pl., coll.* parents
papalote *m.* (paper) kite (*Mex., Cuba*)
papel *m.* (piece of) paper **U1 (1)**
papelera *f.* wastebasket **U1 (1)**
para for **PP (1)**; in order to
parada (*f.*) **de autobús** bus stop
paraguas *m. sing. & pl.* umbrella **U4 (3)**
paraíso *m.* paradise
paramédico *m.*, **paramédica** *f.* paramedic
parar to stop
paréntesis *m. sing. & pl.* parenthesis, parentheses
entre paréntesis in parentheses **U3 (3)**
pariente *m., f.* relative **U2 (3)**
parlamento *m.* parliament; speech
parque *m.* park **U1 (3)**
párrafo *m.* paragraph
parrillada *f.* barbecue
parte *f.* part **U2 (1)**
por otra parte on the other hand
por todas partes everywhere
participante *m., f.* participant
participar to participate **U4 (1)**
particular particular; private; individual
partido *m.* game **U4 (1)**
pasado *m.* past
pasar to pass; to happen; to spend (*time*) **U4 (2)**
pasatiempo *m.* pastime
pasear to take a walk
pasillo *m.* corridor, hall **U3 (2)**
pasión *f.* passion
paso *m.* step **PP (1)**
pastel *m.* pie; cake **U3 (1)**
patinaje *m.* skating **U4 (1)**
patinaje sobre hielo ice skating
patinar to skate **U1 (3), U4 (1)**
patinar sobre hielo to ice-skate **U4 (1)**
patinar sobre ruedas to roller-skate **U4 (1)**
patineta *f.* skateboard
andar en patineta to skateboard **U4 (2)**
patio *m.* patio **U3 (2)**
pedacito *m.* little piece
pegar (gu) to glue, stick
película *f.* film, movie **U3 (2), U4 (2)**
alquilar una película to rent a movie **U4 (2)**
ver una película to see a movie **U3 (2)**
peligro *m.* danger
peligroso/a dangerous **U4 (1)**

pelirrojo/a redheaded **U2 (1)**
pelo *m.* hair **U2 (1)**
pena *f.* **: ¡qué pena!** what a pity!
pensar (ie) to think
  pensar en to think about
  piénsalo tú think about it **PP (2)**
pequeño/a small **U1 (1)**
perdedor *m.*, **perdedora** *f.* loser **U4 (1)**
perder (ie) to lose
  ¿qué equipo perdió? which team lost? **U4 (1)**
perdido/a lost
  oficina (*f.*) **de objetos perdidos** lost and found office
¡perdón! *n. m.* excuse me! **PP (1)**; sorry! **PP (4)**; pardon me, may I have your attention?
periódico *m.* newspaper **U1 (3)**
permiso *m.*: **con permiso** pardon me, may I (get by, leave)? **SP (4)**
pero *conj.* but **SP (1)**
  pero antes... but before . . . **U1 (1)**
perro *m.*, **perra** *f.* dog **U1 (2)**
persona *f.* person **U1 (1)**; *pl.* people **PP (1)**
personaje *m.* character (*in a story*) **U2 (3)**
personal personal **U2 (2)**
  datos (*m. pl.*) **personales** personal information **U2 (2)**
personalmente personally
pertenecer (pertenezco) to belong
  pertenece he/she/it belongs, you (*pol. sing.*) belong **U3 (2)**
peruano *m.*, **peruana** *f.* (*n. & adj.*) Peruvian
pesar to weigh
pesas *f. pl.* weights
  levantar pesas to lift weights **U4 (1)**
pescado *m.* fish (*caught*)
  fritura (*f.*) **de pescado** fried fish
petanca *f.* lawn bowling, bocce ball
piano *m.* piano **U3 (3)**
  tocar el piano to play the piano **U3 (3)**
picante spicy
pícaro *m.*, **pícara** *f.* rogue, scamp
pie *m.* foot **U2 (1)**
  pónga(n)se de pie stand up **PP (3)**
pierna *f.* leg **U2 (1)**
pingüino *m.* penguin
pintar to paint
pintor *m.*, **pintora** *f.* painter
piscina *f.* (swimming) pool **U1 (3)**
pista *f.* track, racetrack; hint **U2 (3)**
pizarra *f.* chalkboard **PP (3)**
pizca *f.* pinch, bit
pizza *f.* pizza **U1 (3)**
plan *m.* plan **U4 (2)**
planta *f.* plant **PP (2)**
plata *f.* silver
plátano *m.* banana; plantain
plato *m.* plate, dish
platónico/a platonic
playa *f.* beach **U4 (3)**
plaza *f.* plaza, town square
población *f.* population
pobrecito *m.*, **pobrecita** *f.* poor little thing
poco *m.* little bit; *adv.* little
  un poco a bit **SP (1)**
poco/a *adj.* little, not much
poder *irreg.* to be able, can
  ¿qué podemos decir? what can we say?
poema *m.* poem **U3 (3)**
  leer poemas to read poetry **U3 (3)**
poeta *m., f.* poet
policía *m.* (*male*) police officer; *f.* police (*force*)
política *f. sing.* politics
político *m.*, **política** *f.* politician
pollo *m.* chicken **U3 (1)**
  arroz (*m.*) **con pollo** chicken with rice **U3 (1)**
  pollo frito fried chicken
poner *irreg.* to put, place; to put on
  pon put
  pónga(n)se de pie stand up **PP (3)**
popular popular **U3 (1)**
popularidad *f.* popularity
poquito *m.* a little bit
por by; for; through; during; per
  amigo/a por correspondencia pen pal **U2 (1)**
  hablar por teléfono to talk on the phone
  mañana por la mañana/tarde/noche tomorrow morning/afternoon/evening, night **U4 (2)**
  por ciento percent
  por ejemplo for example **U3 (1)**
  por eso therefore, that's why
  por favor please **SP (4)**
  por la mañana/tarde/noche in the morning/afternoon/evening **SP (1)**
  por lo general in general **U3 (3)**
  por lo menos at least
  por otra parte on the other hand
  por suerte luckily
  por supuesto of course
  por teléfono by phone, on the phone **SP (1)**
  por todas partes everywhere

por todos lados every-where **U1 (3), U4 (2)**
por último finally
¿por qué? why?
¿por qué lo decimos así? why do we say it that way? **PP (1)**
porque *conj.* because
portada *f.* title page; book cover
portero *m.*, **portera** *f.* goalkeeper
posesivo/a possessive
adjetivo (*m.*) **posesivo** possessive adjective **U2 (3)**
posible possible
posición *f.* position
postal: código (*m.*) **postal** zip code
tarjeta (*f.*) **postal** postcard
zona (*f.*) **postal** postal zone, district
postre *m.* dessert **U3 (1)**
de postre for dessert
practicar (qu) to practice **U3 (2)**
practica he/she practices, is practicing **SP (1)**
practican they practice, are practicing **SP (3)**
practicar deportes to play sports **U3 (2), U4 (1)**
practicar lucha libre to wrestle **U4 (1)**
práctico/a practical
preciado/a valued, precious
preescolar *adj.* preschool
preferir (ie, i) to prefer
pregunta *f.* question **PP (1)**
hacer preguntas to ask questions **U3 (3)**
hacer una pregunta to ask a question
hazle estas preguntas a... ask . . . these questions **U1 (2)**
preguntar to ask
pregunta ask (*command*); he/she asks, is asking **PP (1)**
pregúntale ask (him/her) **SP (1)**
premio *m.* prize
preparación *f.* preparation
preparar to prepare **U3 (1)**
presentar to present; to introduce **U4 (2)**
presidente *m.* president
prestar to loan
presta atención pay attention **U1 (2)**
primavera *f.* spring, springtime **U4 (3)**
primer, primero/a first **PP (1)**
es el primero de it's the first of (*date*) **U4 (3)**
lo primero que the first thing that **U3 (3)**
primo *m.*, **prima** *f.* cousin **U2 (3)**
príncipe *m.*, **princesa** *f.* prince, princess
principio *m.* principle
probablemente probably **SP (1)**
probar (ue) to try; to taste
problema *m.* problem
profesión *f.* profession
profesional professional **U4 (1)**
profesor *m.*, **profesora** *f.* professor, teacher **PP (1)**
y ahora, ¡con tu profesor(a)! and now, with your teacher! **SP (1)**
programa *m.* program **SP (4), U1 (2), U4 (2)**
aprender un programa to learn a program **U3 (2)**
programa de computación computer program
programa de televisión TV program **U4 (2)**
programación *f.* programming
promedio *adj.* (*m.& f.*) average
promoción *f.* promotion, publicity
pronombre *m.* pronoun
pronombre personal personal pronoun **U3 (1)**
pronto soon
¡hasta pronto! see you soon!
pronunciación *f.* pronunciation **PP (1)**
proteger (protejo) to protect
próximo/a next **U4 (2)**
el próximo mes/año next month/year **U4 (2)**
la próxima semana (*f.*) next week **U4 (2)**
prueba *f.* quiz, test **U3 (3)**
fallar en una prueba to fail a quiz **U3 (3)**
psicología *f.* psychology
público/a *adj.* public
pueblo *m.* town
puerta *f.* door **PP (3)**
puertorriqueño *m.*, **puertorriqueña** *f.* (*n. & adj.*) Puerto Rican
pues *adv.* well **SP (1)**
pulgada *f.* inch
pulsera *f.* bracelet
punto *m.* point; smidgen
pupitre *m.* student desk **U1 (1)**
puro/a: es la pura verdad that's the absolute truth

Q

que that; which; who **SP (2)**; what **SP (2)**
lo que what **U3 (1)**
qué how, what
¡qué barbaridad! how awful! **SP (1), U1 (3)**
¡qué bueno! great! **SP (1), U1 (3)**

¡qué coincidencia! what a coincidence! **SP (3), U1 (3)**
¡qué horror/ridículo! how awful/ridiculous! **U1 (3)**
¡qué lástima! what a pity! **SP (1), U1 (3)**
¿qué? what?; which? **PP (1)**
¿a qué (deporte) juega(n)? what (sport) does he/she, do you (*pol. sing., pl.*)/they play? **U4 (1)**
¿a qué hora (es)... ? at what time (is) . . . ? **U1 (2)**
¿de qué talla... ? what size . . . ? **U2 (1)**
¿por qué? why? **PP (1)**
¿qué equipo ganó/perdió? which team won/lost? **U4 (1)**
¿qué fecha es hoy? what's today's date? **U4 (3)**
¿qué hora es? what time is it? **SP (4)**
¿qué opinas de... ? what do you (*inf. sing.*) think of/about . . . ? **U4 (1)**
¿qué tal? how's it going?, how are you? **PP (4)**
¿qué tiempo hace? what's the weather like? **U4 (3)**
y tú, ¿qué dices? and you, what do you have to say? **PP (1)**
quedar(se) to stay, remain
querer *irreg.* to want; to love
querido/a dear
queso *m.* cheese **U3 (1)**
quien who, whom
¿quién(es)? who? **PP (2)**; whom?
¿a quién le gusta... ? who likes to . . . ? **U1 (3)**
¿a quiénes les gusta... ? who (*pl.*) likes to . . . ? **U4 (1)**
¿con quién? with whom? **U3 (1)**
¿de quién? whose?
¿de quién es/son? whose is it/are they? **U2 (3)**
¿de quiénes son? whose are they? **U2 (3)**
¿quién diría... ? who would say . . . ? **U1 (2)**
¿quién es... ? who is . . . ? **U2 (1)**
¿quién tiene... ? who has . . . ? **U2 (1)**
química *f.* chemistry
quince fifteen **SP (2)**
quinientos/as five hundred
quiosco *m.* kiosk; stand

R

radio *m.* radio (*set*); *f.* radio (*medium*)
raíz *f.* (*pl.* **raíces**) root
rápidamente quickly
rápido *adv.* rapidly
rápido/a *adj.* rapid, fast **U4 (1)**
raro/a strange **U1 (3)**
raza *f.*: **Día** (*m.*) **de la Raza** Columbus Day (*U.S.*) **U4 (3)**
real real; royal
realidad *f.*: **en realidad** really
realmente really **SP (3)**
recibir to receive **U2 (2)**
recién *adv.* recently; just
reconocer (reconozco) to recognize
recordar (ue) to remember
¿recuerdas? do you remember? **U1 (2)**
recreo *m.* recess; recreation **U3 (1)**
reducido/a small; reduced
referencia *f.* reference
refrescar (qu) to refresh
refresco *m.* soft drink **U3 (1)**
regalo *m.* gift, present
¿para quién son estos regalos? whom are these presents for?
región *f.* region
regresar to return **U3 (3)**
regular OK; nothing special **SP (1)**
relacionado/a con related to
reloj *m.* clock **SP (4)**; wristwatch **SP (4)**
remontar to raise; to go back
repasar to review **U3 (3)**
repaso *m.* review
palabras (*f. pl.*) **de repaso** review words **PP (4)**
repetición *f.* repetition
repetir (i, i) to repeat
repita(n) repeat **SP (4)**
reportero *m.*, **reportera** *f.* reporter
reposición *f.* replacement; recovery
representado/a represented
residencia *f.* residence
resolver (ue) to solve
respirar to breathe
responder to answer, respond
respuesta *f.* answer **SP (1)**
restaurante *m.* restaurant **U1 (3)**
resto *m.* rest, remainder
retrato *m.* portrait **U1 (1)**
revista *f.* magazine **U1 (3)**
rezar (c) to pray
rico/a rich; delicious
ridículo/a ridiculous
¡qué ridículo! how ridiculous! **U1 (3)**
río *m.* river
ritmo *m.* rhythm
rizado/a curly (*hair*) **U2 (1)**
rocinante *m.* worn-out hack or nag
rockero *m.*, **rockera** *f.* rocker, fan of rock music
rodeo *m.* traveling, touring; rodeo
rojo/a red **PP (2)**
romántico/a romantic **U2 (1)**
rompecabezas *m. sing. & pl.*

jigsaw puzzle; *coll.* puzzle, riddle
roncar (qu) to snore
ropa *f.* clothing **PP (2), SP (3), U4 (3)**
tienda (*f.*) **de ropa** clothing store **U1 (1)**
rosado/a pink **SP (3)**
rubí *m.* (*pl.* **rubíes**) ruby
rubio/a blond(e) **U2 (1)**
ruedas *f.*: **patinar sobre ruedas** to roller-skate **U4 (1)**

S

sábado *m.* Saturday **SP (2)**
el sábado on Saturday **U1 (3)**
los sábados on Saturdays **U1 (3)**
saber *irreg.* to know (*facts, information*) **U4 (1);** to taste
saber + *infin.* to know how to (*do something*)
sabes you (*inf. sing.*) know
¿sabías que... ? did you know that . . . ?
sabor *m.* flavor
sabroso/a tasty
sacado/a taken out; removed
sacapuntas *m. sing. & pl.* pencil sharpener **U1 (1)**
sacar (qu) to take out **U3 (3)**
sacar buenas/malas notas to get good/bad grades **U3 (3)**
sacar fotos to take pictures **U4 (2)**
sal *f.* salt
sala *f.* room; living room; hall
salir (salgo) to go out; to leave; to come out **U1 (3)**
salir con... to go out with . . . **U1 (3)**
salón *m.* room
salón de clase classroom **U1 (1)**
salsa *f.* sauce; salsa **U3 (1);** salsa (*music*)
saltamontes *m. sing. & pl.* grasshopper
salte(n) jump **PP (3)**
saludos *m. pl.* greetings **PP (4)**
san, santo/a saint
sandwich *m.* (*pl.* **sándwiches**) sandwich **U3 (1)**
sangre *f.* blood
sapo *m.* toad
saque(n) take out **PP (3)**
satisfactorio/a satisfactory
saxofón *m.* saxophone
se *refl. pron.* himself, herself, itself, oneself, yourself (*pol. sing.*); themselves, yourselves (*pol. pl.*)
sé I know **U4 (1)**
no sé I don't know **SP (1, 3)**
¡yo (lo) sé! I know (it)! **SP (4)**
sección *f.* section
secreto *m.*, **secret**
secundario/a secondary
escuela (*f.*) **secundaria** secondary school, high school
sed *f.* thirst
tener (mucha) sed to be (very) thirsty **U3 (1)**
seguir (i, i) (g) to follow
según according to **PP (2)**
segundo/a *adj.* second **SP (1)**
seguro/a sure
seis six **SP (2)**
sello *m.* stamp; sticker
semana *f.* week **SP (2)**
¿cuántas veces por semana... ? how many times a week . . . ?
días (*m. pl.*) **de la semana** days of the week **SP (2)**
el fin (*m.*) **de semana** weekend **U1 (3)**
esta semana this week **U4 (2)**
la próxima semana next week **U4 (2)**
tres veces a la semana three times a week
semanal weekly
horario (*m.*) **semanal** weekly schedule
semántico/a semantic
semejante similar
semestre *m.* semester **U1 (2)**
sentido *m.* sense
tener sentido del humor to have a sense of humor
sentir (ie, i) to regret; to feel
lo siento I'm sorry **U2 (3)**
señal *f.* signal; sign
señalar to point to
señale(n) point to **PP (3)**
señor *m.* man; Mr. **PP (1)**
señora *f.* woman; Mrs. **PP (1)**
señorita *f.* young woman; Miss **PP (1)**
septiembre *m.* September **U1 (3)**
ser *irreg.* to be **U2 (1)**
ser de to be from **U2 (1)**
sereno/a serene, calm
serie *f.* series
serio/a serious **U2 (3)**
serpiente *f.* snake, serpent
servicio *m.* service
servir (i, i) to serve
sesenta sixty **U1 (1)**
setenta seventy **U1 (1)**
sexto/a sixth
si if **SP (3)**
sí yes **PP (1)**
sicología *f.* psychology
siempre always
siénte(n)se sit down **PP (3)**
siete seven **SP (2)**
sigue follow **SP (2)**
siguiente *adj.* following **SP (3)**

silbar to whistle
silvestre wild
silla *f.* chair **U1 (1)**
simpático/a pleasant, nice **U2 (1)**
simple simple
sin without **U1 (2)**
sinónimo *m.* synonym
situación *f.* situation **SP (1)**
sobre about, on **U1 (2)**
sobrenombre *m.* nickname
sociedad *f.* society
sol *m.* sun
  hace sol it's sunny **U4 (3)**
  lentes (*m. pl.*) **de sol** sunglasses **SP (3)**
solamente only **U1 (2)**
sólo *adv.* only
solo/a *adj.* alone, solitary
solución *f.* solution **U4 (2)**
sombrero *m.* hat **SP (3)**
somos we are
son they are **PP (1)**
  ¿cómo son? what are they like? **U2 (1)**
  ¿de quién(es) son? whose are they? **U2 (3)**
  son las... it's . . . o'clock **SP (4)**
sonido *m.* sound
sopa *f.* soup **U3 (1)**
soplar to blow
sorprender to surprise
sorprendido/a surprised
sorpresa *f.* surprise **U1 (3)**
soy I am **U2 (1)**
  soy de... I'm from . . . **U2 (2)**
Sr. *m.* (*abbrev. of* **señor**) man; Mr.
Sra. *f.* (*abbrev. of* **señora**) woman; Mrs.
Srta. *f.* (*abbrev. of* **señorita**) young woman; Miss
su(s) *poss. adj.* his, her, your (*pol. sing.*) **PP (3), U2 (3)**
subsecretario *m.*, **subsecretaria** *f.* undersecretary, assistant secretary
suciedad *f.* dirt, filth
sudadera *f.* sweatshirt **SP (3)**
sueño *m.* dream
suerte *f.* luck
  buena/mala suerte good/bad luck
  por suerte luckily
suéter *m.* sweater **PP (2)**
¡súper! super!, fantastic!, wonderful! **PP (4)**
supuesto: ¡por supuesto! of course!
sur *m.* south
  América (*f.*) **del Sur** South America
  metros (*m. pl.*) **sur de...** meters south of . . . **U2 (2)**
sustantivo *m.* noun (*gram.*) **PP (2)**

T

tabaco *m.* tobacco
tabla *f.* table, chart **U1 (1)**
taco *m.* taco (*tortilla filled with meat, vegetables*)
tal *adj.* such, such a
  ¿qué tal? how's it going?, how are you? **PP (4)**
talla *f.* size **U2 (1)**
  ¿de qué talla... ? what size . . . ? **U2 (1)**
tamal *m.* tamale (*dish made of corn meal, chicken or meat, and chili wrapped in banana leaves or corn husk*)
tamaño *m.* size
también also, too **SP (1)**
tampoco neither, not either **U3 (3)**
tan *adv.* so
  ¡qué sorpresa tan bonita! what a nice surprise!
tanteo *m.* score
  ¿cuál fue el tanteo? what was the score? **U4 (1)**
tarara *f. coll.* kite
tarde *n. f.* afternoon; *adv.* late **U3 (3)**
  buenas tardes good afternoon **PP (4)**
  de la tarde in the afternoon, P.M. **SP (4)**
  dormir hasta tarde to sleep late **U4 (2)**
  esta tarde this afternoon **U4 (2)**
  mañana por la tarde tomorrow afternoon **U4 (2)**
  por la tarde in the afternoon **SP (1)**
tarea *f.* homework **PP (3)**
  me olvidé de hacer la tarea I forgot to do the homework **U3 (3)**
tarjeta *f.* card
  tarjeta postal postcard
taza *f.* cup
te *d.o.* you (*inf. sing.*); *i.o.* to/for you (*inf. sing.*); *refl. pron.* yourself (*inf. sing.*)
té *m.* tea
tele *f.* TV
telediario *m.* T.V. guide
telefónico/a *adj.* telephone, phone
teléfono *m.* telephone **U1 (3)**; telephone number
  hablar por teléfono to talk on the telephone **U1 (3)**
  número (*m.*) **de teléfono** telephone number **U2 (2)**
  por teléfono by telephone, on the phone **SP (1)**
televisión *f.* television **U1 (2, 3)**
  canal (*m.*) **de televisión** TV channel **U4 (2)**
  mirar la televisión to watch television **U1 (3)**
  programa (*m.*) **de televisión** TV program **U4 (2)**
tema *m.* theme

temperatura *f.* temperature
¿cuál es la temperatura máxima/mínima? what is the high/low temperature? **U4 (3)**
temprano *adv.* early **U3 (3)**
tener *irreg.* to have **U1 (2)**
tener... años to be . . . years old **U2 (2)**
tener en común to have in common **U3 (3)**
tener (mucha) hambre/sed to be (very) hungry/thirsty **U3 (1)**
tener (mucha) suerte to be (very) lucky
tener que + *infin.* to have to (*do something*) **U3 (2)**
tengo I have **U1 (2), U2 (1)**
tengo... años I am . . . years old **U2 (2)**
tenis *m. sing.* tennis **U1 (3)**; *pl.* sneakers **SP (3)**
jugar al tenis to play tennis
tenista *m., f.* tennis player
tercer, tercero/a third **U2 (2)**
tercero izquierda the third (on the) left **U2 (2)**
terminar to end
termina ends **U1 (2)**
terror: película (*f.*) **de terror** horror movie
texto *m.* text **U1 (1)**
libro (*m.*) **de texto** textbook
ti *obj. of prep.* you (*inf. sing.*)
tiempo *m.* time; weather **U4 (3)**
hace buen/mal tiempo it's good/bad weather **U4 (3)**
¿qué tiempo hace? what's the weather like? **U4 (3)**
tienda *f.* store
tienda de ropa clothing store **U1 (1)**
tiene he/she has, you (*pol. sing.*) have **U1 (1), U2 (1)**
¿quién tiene... ? who has . . . ? **U2 (1)**
tienes you (*inf. sing.*) have **U1 (2)**
¿cuántos años tienes? how old are you? **U2 (2)**
tigre *m.*, **tigresa** *f.* tiger
tímido/a timid, shy **U2 (1)**
tío *m.*, **tía** *f.* uncle, aunt **U2 (3)**; *pl.* aunt(s) and uncle(s) **U2 (3)**
típico/a typical
tipo *m.* type, kind
tira (*f.*) **cómica** comic strip **U3 (2)**; *pl.* comics, funnies
leer las tiras cómicas to read the comics, funnies **U4 (2)**
título *m.* title
tiza *f.* chalk **U1 (1)**
tocar (qu) (un instrumento) to play (an instrument) **U3 (3)**
todavía still, yet
todo(s) *pron.* everything; *pl.* all; everybody, everyone **PP (3)**
todo/a *adj.* all; every
por todas partes everywhere
toda la noche all night long **U4 (2)**
todas las mañanas every morning
todo el día all day long **U1 (3)**
todos los días every day **U1 (2)**
tomar to take; to drink **U3 (1)**; to eat **U1 (3)**
tomar apuntes to take notes **U3 (3)**
tomar el autobús to take the bus **U3 (2)**
tomar helado to eat ice cream **U1 (3), U4 (2)**
tomar una bebida to have a drink **U3 (1)**
tomar una clase de... to take a . . . class **U4 (2)**
tomate *m.* tomato **U3 (1)**
tonto/a silly, foolish
a tontas y a locas haphazardly, helter-skelter
tormenta *f.* storm, tempest
torneo *m.* tournament
torta *f.* cake
tostón *m.* fried plantain patty (*Puerto Rico*)
total: en total in all, in total **U1 (1)**
trabajar to work **U1 (3)**
trabajo *m.* work
trabalenguas *m. sing. & pl.* tongue-twister
tradición *f.* tradition
traje *m.* suit **SP (3)**
traje de baño bathing suit **U4 (3)**
tranquilo/a tranquil, quiet, calm
tránsito *m.* traffic
travieso/a mischievous **SP (1)**
trece thirteen **SP (2)**
treinta thirty **SP (2)**
tren *m.* train
trenza *f.* braid, plait
trepar to climb, mount
tres three **SP (2)**
trigo *m.* wheat
triste sad
trofeo *m.* trophy
truco *m.* trick, device
tú *sub. pron* you (*inf. sing.*)
¿y tú? and you? **PP (1)**
y tú, ¿qué dices? and you, what do you have to say? **PP (1)**
tu(s) *poss. adj.* your (*inf. sing.*) **SP (1), U2 (3)**
turismo *m.* tourism

U

u or (*used instead of* **o** *before words beginning with* **o** *or* **ho**)
ubicación *f.* location
último/a last
por último lastly, finally
un, uno/a *indefinite article* a, an; one **SP (2)**
es la una it's one o'clock **SP (4)**
una vez once **U3 (1)**
único/a only
unidad *f.* unit
unido/a united
Estados (*m. pl.*) **Unidos** United States **PP (2)**
uniforme *m.* uniform **U1 (1)**
universal: historia (*f.*) **universal** world history **U1 (2)**
universidad *f.* university
unos/as some
usar to use
usa uses **U1 (1)**
usted (Ud., Vd.) you (*pol. sing.*)
¿cómo está usted? how are you? **SP (1)**
¿y usted? and you? **SP (1)**
ustedes (Uds., Vds.) *pl.* you **U3 (1)**
útil useful **PP (1)**
palabras (*f. pl.*) **útiles** useful words **PP (1)**

V

va he/she goes, is going; you (*pol. sing.*) go, are going
vacaciones *f. pl.* vacation **U3 (2)**
(ir) de vacaciones (to go) on vacation
vais you (*inf. pl. Sp.*) go
valer (valgo) to be worth, cost
¡vale! OK!
valiente *m.* brave man
vamos we are going; let's go
van they, you (*pl.*) go, are going
vaqueros *m. pl.* bluejeans
variar to vary
variedad *f.* variety
varios/as *pl. adj.* several **SP (1)**
vas you (*inf. sing.*) are going **U3 (2)**
vasco *m.*, **vasca** *f.* (*n. & adj.*) Basque
vegetariano *m.*, **vegetariana** *f.* vegetarian
veinte twenty **SP (2)**
veinticinco twenty-five
veinticuatro twenty-four
veintidós twenty-two
veintinueve twenty-nine
veintiocho twenty-eight
veintiséis twenty-six
veintisiete twenty-seven
veintitrés twenty-three
veintiuno/a twenty-one
venir *irreg.* to come
ventana *f.* window
ver *irreg.* to see **U1 (3)**
a ver let's see
nos vemos see you later
ver una película to see a movie **U3 (2)**
verano *m.* summer **U4 (3)**
verbo *m.* verb **PP (1)**
verdad *f.* truth; true
¿verdad? right?, correct? **PP (1)**
verdadero/a true
verde green **PP (2), U2 (1)**
verdura *f.* vegetable **U3 (1)**
vestido *m.* dress **PP (2)**
vez *f.* (*pl.* **veces**) time
a veces sometimes **U3 (1)**
¿cuántas veces? how many times? **U3 (1)**
de vez en cuando from time to time **U3 (3)**
dos veces twice **U3 (1)**
otra vez again
una vez once **U3 (1)**
viajar to travel
viaje *m.* trip
agente (*m., f.*) **de viajes** travel agent
hacer un viaje to take a trip
vida *f.* life **U2 (2)**
video *m.* video(tape) **U1 (3)**
videojuego *m.* video game **U1 (3)**
vidrio *m.* glass; glassware
viejo/a old **U1 (1)**
viento *m.* wind
hace viento it's windy **U4 (3)**
viernes *m. sing. & pl.* Friday **SP (2)**
villa *f.* country house; town
violín *m.* violin **U3 (3)**
tocar el violín to play the violin **U3 (3)**
visitar to visit **U1 (3)**
visita *f.*: **hasta la vista** see you later
vistazo *m.* glance **U1 (2)**
viudo *m.*, **viuda** *f.* widower, widow
¡viva... ! long live . . . !
vivir to live **U2 (2)**
¿dónde vives? where do you (*inf. sing.*) live? **U2 (2)**
vive he/she/you (*pol. sing.*) lives **U2 (2)**
vives you (*inf. sing.*) live **U2 (2)**
vivo (en...) I live (in . . .) **U2 (2)**
vivito/a y coleando alive and kicking
vocabulario *m.* vocabulary **PP (1)**
voleibol *m.* volleyball **U4 (1)**
voluntario *m.*, **voluntaria** *f.* volunteer

vos *sub. pron. sing. & pl.* you (*Latin America*)
vosotros, vosotras *sub. pron.* you (*inf. pl., Sp.*) **U3 (1)**; *obj. of prep.* you (*inf. pl. Sp.*)
voy I'm going **U3 (2)**
mañana voy a estar ausente tomorrow I'm going to be absent **U3 (3)**
voz *f.* (*pl.* **voces**) voice
en voz alta out loud
vuelo *m.* flight; flying
vuelta *f.*: **dé/den una vuelta** turn around **PP (3)**

Y

y *conj.* and **PP (1)**
y cuarto/media quarter/half past **U1 (2)**
¿y tú? and you? (how are you?) **PP (1)**
¿y usted? and you? (how are you?) **SP (1)**
ya already
ya sabes you (already) know
yarda *f.* yard (*measurement*)
yema *f.* (egg) yolk
yo *sub. pron.* I
yogur *m.* yogurt **U3 (1)**

Z

zapato *m.* shoe **PP (2)**
zona *f.* zone, district
zona postal postal zone
zumo *m.* juice (*Sp.*)
zurdo/a left-handed

INDEX

This index is divided into two parts: Part 1 (Grammar) covers topics in grammar, structure, usage, and pronunciation; Part 2 (Topics) is grouped into cultural and vocabulary topics treated in the text, as well as functional language and reading and writing strategies.

PART 1: GRAMMAR

A

C

D

E

F

G

H

I

J

LL

M

N

O

P

Q

S